L'HISTOIRE QUE NOUS VIVONS

GEORGES BORTOLI

MORT DE STALINE

ÉDITIONS ROBERT LAFFONT
6, place Saint-Sulpice, 75006/Paris

Si vous désirez être tenu au courant des publications de l'éditeur de cet ouvrage, il vous suffit d'a-
dresser votre carte de visite aux Éditions Robert LAFFONT, Service « Bulletin », 6, place Saint-Sulpice,
75006 - Paris. Vous recevrez régulièrement, et sans aucun engagement de votre part, leur bulletin illustré,
où, chaque mois, se trouvent présentées toutes les nouveautés — romans français et étrangers, documents et récits d'histoire, récits de voyage, biographies, essais — que vous trouverez chez votre
libraire

SOMMAIRE

SOMMAIRE

TROISIÈME PARTIE

L'HIVER

QUATRIÈME PARTIE

UN PRINTEMPS INCERTAIN

AVANT-PROPOS

Le 5 mars 1953, bien des choses ont changé pour nous tous parce qu'un vieillard était mort dans la banlieue de Moscou. Une semaine après sa mise au tombeau, le monde sentait déjà qu'il n'était plus le même.

Qu'il fût ou non le produit de son époque, il était devenu à lui seul une époque. Il y a Staline, et puis l'après-Staline. Il y a ce règne immense, ce chef à l'éclat, au pouvoir démesurés, il y a la crainte et l'amour qu'il inspire, le génie surhumain qu'on lui prête. Puis, du jour au lendemain, un gouffre d'oubli, des chuchotements compassés. Ses plus zélés disciples affectent d'ignorer leur maître. Un temps même, ils dénoncent ses crimes. Et le silence, à nouveau. Ses compatriotes en viendront, pour ne pas nommer Staline, à le désigner par une périphrase pudibonde : « L'époque du culte de la personnalité. »

Nul ne s'est masqué avec un tel génie. Il a fait de sa personne un mythe, de son royaume la caverne de Platon — des ombres sur un mur. Il a construit un château de brouillard qui a fait délirer l'univers.

J'ai tenté de le retrouver. Surtout, j'ai voulu décrire ce passage d'un temps — le sien — à un autre. Suivre pas à pas les derniers jours de Staline, les premiers jours de l'ère suivante. J'ai exploré des écrits, écouté des témoins, toutes sortes de témoins. Ceux qui l'ont rencontré. Ceux qui coupaient du bois en Sibérie et qui étaient là-bas par sa volonté.

L'ÉTÉ

Ce règne a pris fin il y a vingt ans, mais il est l'un des plus mal connus de l'histoire. Staline voulait être un mystère. De tout mon cœur, je remercie ceux qui m'ont aidé à l'approcher, qui ont nourri ce livre de la chair et du sang de leur propre expérience.

J'ai dû garder l'anonymat de certains d'entre eux. Un règlement, toujours en vigueur, interdit aux Soviétiques de « fournir des informations » à un étranger, fait d'une confidence un délit. Puisse cette survivance de l'ancien temps disparaître, avec toutes celles qui existent encore. Puisse, un jour, une réédition de ce livre nommer, sans crainte de leur nuire, tous ceux qui m'ont fait partager leurs souvenirs.

MOSCOU - PARIS
1968 - 1973

PREMIÈRE PARTIE

L'ÉTÉ

1

LE CORTÈGE

« Un jour, je marchais dans l'Arbat.
Dieu y passait dans cinq voitures. »

BORIS SLOUTSKI.

Juillet 1952.

Des phares, au milieu de la chaussée, grossissent à une vitesse folle. Pas les habituels phares blancs des voitures de Moscou. Des projecteurs jaunes. Avec eux grandit un cri rauque, nasillard, presque animal : klaxons ou sirènes. Cela va un train d'enfer. En quelques secondes, vous êtes rejoint, dépassé, raide d'émotion sur votre trottoir, au milieu des policiers innombrables surgis d'on ne sait où. Juste le temps d'apercevoir cinq longues voitures noires, l'ombre vague des chauffeurs rivés à leur volant, les rideaux fermés qui dissimulent les sièges arrière. L'histoire et la légende viennent de vous frôler. Le tout-puissant, le terrible et le sage, celui qui tient chaque minute de votre vie entre ses mains était là.

A onze heures, un soir de juillet, l'Arbat ne dort pas encore. Cette rue au vieux nom arabe, l'une des plus vivantes de Moscou, se calme avec la nuit, qui s'épaissit. Mais des vieilles en robes grises et fichus gris n'en finissent pas de rentrer chez elles, avec leurs éternels cabas. Des couples sortent en flânant du cinéma *Khoudojestvenny*, sur la place, se dirigent sans hâte vers la station de métro dont le grand « M » rouge lumineux flamboie.

Un signal venu du Kremlin a interrompu ce train-train. Tous les feux de l'Arbat et, plus loin, ceux de la Bolchaïa Dorogomilovskaïa, de la chaussée de Mojaïsk sont passés au rouge. Des

13

miliciens ont bloqué les carrefours, les rues adjacentes, de façon à dégager entièrement le trajet. Des anges gardiens en civil et en uniforme sont apparus au bord des trottoirs, tandis que les passants se serraient contre les murs. Des volets se sont fermés, trop regarder n'étant jamais bon. C'est alors que les grosses automobiles noires, surgissant du Kremlin par la porte Borovitski, ont débouché en ville à cent à l'heure.

Staline se rend à sa maison de campagne.

Il est invisible derrière les rideaux, protégé par les épaisses vitres à l'épreuve des balles et par la carrosserie blindée. Nul ne peut distinguer sa voiture de celles de l'escorte : elles sont identiques et, de surcroît, dépourvues de plaques d'immatriculation à l'avant. En outre, les chauffeurs — des virtuoses — ne cessent de se doubler, les voitures échangeant leurs places dans le cortège en un curieux ballet.

Nous sommes en 1952. En un quart de siècle de pouvoir absolu, nul n'a entendu parler d'un coup de feu tiré contre Staline. Mais, d'année en année, les précautions dont il s'entoure ne cessent de se perfectionner.

Trois mille agents du M. G. B. — le ministère de la Sécurité d'Etat — veillent sur le trajet, long d'une quinzaine de kilomètres, qui va du Kremlin à la datcha. Tous ceux qui résident le long de cet itinéraire sont l'objet d'une vigilance particulière. Et les nouveaux venus sont triés sur le volet.

« En ce temps-là, dit un Moscovite, obtenir de la police sa *propiska*[1] pour venir habiter sur l'Arbat, c'était recevoir un certificat de super-civisme. »

Le monde entier croit que Staline vit au Kremlin. Il y a près de vingt ans que ce n'est plus vrai. Son domicile est sa datcha, près de Kountsevo, à la sortie sud-ouest de Moscou. Mais la presse, les poètes, le cinéma, une iconographie obsédante continuent d'associer son nom et son image à la vieille citadelle aux murs rouges — cadre plus digne d'un héros qu'une villa de

---

1. La *propiska* — formalité capitale dans la vie de chaque Soviétique — est l' « enregistrement » du citadin à son lieu de résidence. Elle signifie que les autorités de police sont d'accord pour que vous résidiez dans telle ville à telle adresse.

banlieue. Cette nuit, comme chaque nuit, une fenêtre restera allumée jusqu'à l'aube dans le grand bâtiment gouvernemental du Kremlin, visible de la place Rouge. Les passants attardés regarderont avec respect cette tache de clarté, au-dessus du rempart aux créneaux en queue d'aronde, et ils penseront :

« *Il vit, pense et travaille pour nous* »,
comme on le dit à la radio.

Ceux qui voient les cinq voitures passer sous leurs fenêtres devinent la vérité. Ils pourraient même, en observant les allées et venues, en conclure que Staline, vieillissant, passe de moins en moins de temps à son bureau. Mais pourquoi s'occuper de ces mystères terribles? Pourquoi parler de ce secret d'Etat, risquer les plus lourds châtiments? Dire où est Staline, c'est déjà nuire à sa sécurité. C'est déjà être un mauvais citoyen. Le pays, docilement, continue à voir son chef où il n'est pas.

Les correspondants occidentaux n'en savent guère plus.

Un nuage dérobe Staline aux yeux de son peuple, en fait cet être abstrait qui file dans la nuit, précédé par le hurlement des sirènes. Celui dont le visage est partout et dont nul ne connaît le visage.

Tassé sur le siège de la « ZIS 101 », c'est un petit vieillard de soixante-douze ans. Dans la vague lumière qui vient du tableau de bord, ou lorsque parfois il allume une lampe pour consulter sa montre de poche, sa tête paraît très grise. Grise la forte brosse de la moustache, que les retoucheurs de la *Pravda* ombrent d'un noir rassurant. Presque tout blancs, et clairsemés vers le sommet du crâne, les gros cheveux plantés bas que les peintres n'osent imaginer que noirs et drus comme au temps de la guerre civile — à la rigueur, parsemés de quelques fils argentés.

Les tableaux, le cinéma, le montrent grand et majestueux. Toujours, sa tête s'élève au-dessus de celles de ses compagnons d'armes, au-dessus de la houle du peuple assemblé, dont les bras se tendent vers lui. Guerassimov, illustre pontife de la peinture officielle, le campe au milieu des tours du Kremlin, dominant comme elles Moscou, de toute sa stature athlétique.

15

Un artiste géorgien a même réussi, en sollicitant un peu les lois de la perspective, à le rendre plus grand que les palmiers du boulevard du Front-de-Mer, à Soukhoumi.

Derrière les rideaux tirés, il n'y a qu'un petit vieux bedonnant. Sur le col droit de la veste, la nuque fait un gros pli.

Des milliers de poètes et d'écrivains, dont certains sont grands et illustres, le célèbrent en cent langages. En France, Paul Eluard lui a dédié, pour son soixante-dixième anniversaire, un chant d'amour.

> *Et Staline pour nous est présent pour demain*
> *Et Staline dissipe aujourd'hui le malheur*
> *La confiance est le fruit de son cerveau d'amour*
> *La grappe raisonnable tant elle est parfaite*
>
> *Grâce à lui nous vivons sans connaître d'automne*
> *L'horizon de Staline est toujours renaissant*
>
> *... Car la vie et les hommes ont élu Staline*
> *Pour figurer sur terre leur espoir sans bornes.*

Et Roger Vailland, dans ses lettres érotiques et tendres à Elisabeth, ne manque pas de lui conseiller, entre deux cris de passion, de lire un texte clé de Staline — le chapitre théorique de l'*Histoire du P. C. (b)* — pour mieux vivre leur amour[1].

Dans son pays, on l'appelle « *notre père bien-aimé* », « *notre cher guide et maître* », « *notre cher et bien-aimé Staline* », « *le plus grand chef de tous les temps et de tous les peuples* ». Mille et mille métaphores accompagnent son nom vénéré. Dans toute l'Union soviétique, il ne se publie pas un livre, une brochure, un fascicule, pas une thèse de chimie, d'astronomie, de botanique, de philologie, de n'importe quoi, qui ne contienne plusieurs références à sa pensée, à son enseignement. Peu de fêtes de famille, de mariages, d'anniversaires, où on ne lui porte un

---

1. Roger Vailland : *Écrits intimes* (Gallimard).

16

toast — en général le premier. Le culte fait partie de la vie quotidienne Lorsqu'on annonce une élévation des normes de travail[1], les ouvriers soupirent mais disent : « Staline sait. » Et lorsque le saucisson manque dans les magasins, les ménagères murmurent : « Si Staline savait... »

Dans la plupart des appartements, l'on trouve sa photographie ou quelque buste en plâtre — réplique des effigies qui vous accueillent dans les administrations et dans les bouches de métro, dans les salles de classe et dans les caisses d'épargne, dans les usines et dans les cinémas (où sa silhouette figure à gauche de l'écran, celle de Lénine étant à droite, l'une et l'autre accompagnées par une citation appropriée de leurs œuvres).

Un ingénieur, rejoignant sa nouvelle affectation en Sibérie, transite par Moscou. Il compte 101 portraits et bustes de Staline dans la seule gare de Kazan, l'une des huit gares de la capitale.

Ses statues se dressent dans les clairières des forêts, sur la cime des montagnes. Son regard inflexible et juste vous suit de l'aube à la nuit, jusque dans votre intimité la plus secrète. Il est l'invisible, celui dont les apparitions sont rares comme des miracles. Mais aussi l'omniprésent, l'œil qui voit tout.

Alexis, patriarche de toutes les Russies, l'a proclamé l'élu de la Providence, comme le tsar était jadis l'oint du Seigneur. Et, depuis fort longtemps, les poètes soviétiques ont pris l'habitude de le doter de pouvoirs surnaturels :

> *Au soleil des ennemis il ordonna de se coucher*
> *Il dit — et l'orient rougit pour les amis,*
> *Qu'il dise au charbon de devenir blanc,*
> *Et il en sera comme le veut Staline*[2].

La musique ne pouvant être en retard sur la poésie, plus de 2 000 chants et hymnes célébrant les mérites humains et surhumains de Staline ont été répertoriés. Les éditions « La Jeune

---

1. Tous les ouvriers étant payés aux pièces, la « norme » est la production qu'ils doivent fournir pour un salaire donné.
2. *Pravda*, 23 mai 1935.

Garde » mettent précisément sous presse, en cet été 1952, un nouveau recueil où l'on retrouvera, entre autres, la *Cantate à Staline*, d'A. V. Alexandrov, fondateur des chœurs de l'Armée rouge, et la célèbre *Chanson de Staline* — musique de Katchatourian.

Un Soviétique qui eut vingt-cinq ans en 1952, peu conformiste de nature, me dit : « Je ne croyais pas un mot de ce qu'écrivaient nos journaux. Mais *lui*, c'était autre chose. Lui était audelà des mots. C'était au fond de nous, trop fort pour être combattu. »

J'ai retrouvé un petit livre à couverture rouge qui s'intitule *Rodina Stchastlivykh*[1] — *la Patrie des Heureux*. Une soixantaine de poèmes, certains signés de noms connus. Partout Staline. Souvent ce sont de vrais cantiques. Telles ces litanies sur *son* nom :

> *Dans ce mot, il y a force, santé, bonheur.*
> *De la terre jusqu'au soleil,*
> *Au-dessus de la gloire de notre peuple,*
> *Ce mot s'élève comme l'arc-en-ciel aux sept bandes.*
>
> *Il monte comme un chant au-dessus des jardins,*
> *Là où les sommets vibrent dans la lumière,*
> *Laissant les aigles sans ailes...*
>
> *Ce mot, ce grand mot, c'est : Staline!*
> *Ame, chair et sang du peuple.*

Sur la page de garde, une dédicace indique que le petit livre fut offert à l'élève Tania A..., en récompense de ses succès scolaires, le 21 mai 1938.

Si Tania A... a survécu à la guerre, elle a aujourd'hui une cinquantaine d'années. Que pense-t-elle du héros de sa jeu-

---

1. Moscou, Goslitizdat, 1937.

nesse? Peut-on anéantir un tel conditionnement? Oublie-t-on ces amours-là?

C'est bien un dieu qui apparaît dans le ciel de Moscou, les soirs de fête : un immense portrait de Staline, accroché à un ballon captif, se balance doucement dans le vent, du crépuscule à l'aube, éclairé du sol par des faisceaux de projecteurs.

C'est bien un père tout-puissant qu'adorent les petits Russes lorsqu'ils répètent la phrase qu'on leur enseigne à l'école :

Merci au camarade Staline pour notre enfance heureuse!

La divinité roule, invisible, dans son cortège de ZIS, les voitures qui portent son nom[1].

Là où s'arrêtent les derniers immeubles de Moscou, le cortège quitte la chaussée de Mojaïsk. Il prend, sur la gauche, une route qu'un disque rouge barré de jaune signale comme interdite à toute circulation. C'est *l'itinéraire gouvernemental* — l'itinéraire d'un seul. Nul n'y passe hormis Staline, ses invités, ceux qui le servent et ceux qui le gardent.

Il n'y a pas dix minutes que Staline est sorti du Kremlin et c'est déjà la forêt, qui épaissit la nuit. Un virage à gauche, en direction des monts Lénine. Un virage à droite. Une légère côte. Personne ne se montre, mais deux barrières se sont ouvertes comme d'elles-mêmes. Un haut portail de bois s'ouvre à son tour, sans retarder la marche des ZIS qui suivent une longue allée, pour s'arrêter enfin devant un bâtiment assez simple, au milieu d'un bois touffu.

---

1. ZIS : initiales de *Zavod Imeni Stalina* « Usine nommée Staline ».

2

KOUNTSEVO

C'est ici que Staline passe ses nuits blanches depuis bientôt vingt ans, tantôt travaillant, solitaire, ses téléphones près de lui, tantôt recevant ses ministres à deux heures du matin, tantôt soupant jusqu'à l'aube avec ses collaborateurs. De Berlin au Pacifique, tout converge vers cette maison cachée parmi les arbres, au lieu dit Volynskoïe, près de Kountsevo.

Les princes du mouvement communiste international la connaissent. Mao y a été reçu, somptueusement, l'hiver 1949, dans la grande salle du premier étage. Tito, quand il était encore de la famille, s'est défendu toute une nuit contre l'alcool et contre la dialectique du maître de maison qui, Géorgien sachant boire, aime faire boire les autres pour leur arracher leurs secrets. L'été dernier, Jacques Duclos déjeunait sous les ombrages du parc.

Après la guerre, les principaux membres du Politburo se sont réunis ici presque chaque soir, autour d'une longue table chargée à profusion de hors-d'œuvre, de plats de viande sur leurs plaques chauffantes. L'on y puisait à sa guise, pendant des heures. Les mets étaient épicés, les propos aussi. Les vins, la vodka coulaient à flots. Plus d'un convive a roulé sous la table, dans une grosse gaieté tumultueuse.

Ces repas se font plus rares. Rongé par l'artériosclérose, Staline se ménage. Les plus intimes des intimes parlent à mots couverts d'une attaque qui l'a frappé, qu'on a guérie. Souvent, il reste seul, la nuit, dans le silence de la datcha, veillé par un peuple de gardiens invisibles.

La plupart des pièces sont meublées de façon identique, sobre et laide : une grande table, des chaises, quelques fauteuils, un buffet. Tout cela anonyme et sans style. De-ci de-là, un beau tapis, qui rappelle l'homme du Caucase. Un peu partout, des divans sur lesquels il lit ou songe allongé. Et des cheminées : il aime bien tisonner.

Dans les pièces d'apparat, on peut admirer ses portraits. Certains le montrent dans l'uniforme de cérémonie, surchargé de broderies et de décorations, qu'en réalité il ne porte jamais. Il laisse ces fanfreluches à ses maréchaux et, même lorsqu'il s'habille en généralissime, préfère la petite tenue, comme Bonaparte.

Pour dormir, il quitte les grandes pièces, s'enferme dans une petite chambre au plafond bas, qu'un guéridon et un lit étroit suffisent à meubler. Hormis les boiseries de chêne sombre, le long des murs, tout y est strict et nu, comme dans un cabinet de consultation, au dispensaire.

Molotov, ce fils de petits-bourgeois, joue au gentleman occidental, arbore à son lever de beaux pyjamas, des robes de chambre impeccables. Staline s'en moque. Il mélange un peu linge de jour et linge de nuit, dort parfois tout habillé, sous une couverture en retirant seulement ses bottes. Mis à part son goût pour la table — lui-même simple et paysan — il est de mœurs spartiates, un peu frustes.

Son luxe, c'est le pouvoir.

L'homme allongé sur son lit dur, dans sa chambre monacale, c'est l'éternel vainqueur, celui qui gagne toujours. L'enfant pauvre et humilié des faubourgs de Gori, le séminariste grêlé aux épaules étroites, le petit agitateur géorgien, le révolutionnaire obscur qu'éclipsaient toutes les vedettes du parti, règne aujourd'hui sur près d'un milliard d'hommes. Ce ne fut pas une trajectoire en boulet de canon, la percée d'Alexandre ou de Napoléon, mais un cheminement lent, pas à pas, les dents serrées. Lorsque Joseph Vissarionovitch Djougachvili[1] prit, jadis,

---

1. Rappelons que le nom russe comprend trois éléments : le prénom (Joseph), le patronyme (Vissarionovitch : fils de Vissarion) et le nom de famille (Djougachvili).

le surnom de Staline — l'homme d'acier — il ne croyait pas si bien dire : jamais il n'enlève sa cuirasse. Toujours tendu, toujours en éveil. Toujours seul.

Pas d'amis. Il a dispersé ses premiers compagnons, les a massacrés pour la plupart, ne gardant que quelques associés prosternés qu'il extermine aussi de temps à autre.

Pas de famille. Il a lui-même brouillé les pistes, organisé le vide. De son père, le cordonnier Vissarion Djougachvili, mort quand il était enfant, on dit seulement qu'il était pauvre, ivrogne et brutal. Les adversaires insinuaient — quand on osait encore insinuer — qu'il pouvait ne pas être le vrai père. Brouillard.

Sa mère, la pieuse et forte Catherine Ghéladzé, est un peu mieux connue. Parvenue, à force de coutures et de lessives, à le faire entrer au séminaire où il vira du noir au rouge, elle a vécu assez longtemps pour le voir au faîte du pouvoir. Elle est morte vers ses quatre-vingts ans, à Tbilissi, dans un palais qu'il avait réquisitionné pour elle et où il n'alla la voir que trois fois en quinze ans. Elle n'y occupait qu'une petite pièce meublée d'un lit de fer. L'on respire : voilà enfin un trait familial, qui est l'esprit spartiate.

Mais les découvertes s'arrêtent là. Pas de sœurs ni de frères — morts en bas âge. Et, dans tout le cours de cette illustre existence, nulle trace d'un cousin Djougachvili, d'un oncle Ghéladzé, d'un parent, même éloigné, du côté maternel ou paternel. Staline vient de nulle part.

Solitude voulue, imposée aux historiographes. Dieu n'a pas de parents. Qu'elle est surprenante, pourtant, lorsqu'on pense aux débordantes familles géorgiennes, riches en collatéraux généreux, démonstratifs, hospitaliers et encombrants. Ce Djougachvili est-il un pur Géorgien? Beaucoup lui prêtent une forte dose de sang ossète. Les Ossètes, petit peuple montagnard, sont les voisins des Géorgiens, mais ils n'ont pas leur culture, leurs grandes traditions. Les voyageurs, vers 1840, les décrivaient comme des brigands pillards, ne quittant jamais leur fusil qu'ils posaient sur un bâton fourchu, pour viser juste. On les connaît aussi pour avoir fourni aux tsars un appréciable contingent de gardes-chiourme.

De toute façon, il a détruit les documents et liquidé les témoins. Il remodèle son enfance à son gré, quand il le daigne.

Même désert du côté des femmes. Sa première épouse, Catherine, est morte tuberculeuse au bout de trois ans de mariage. La seconde, Nadejda, au bout d'une quinzaine d'années, et tragiquement. L'on s'est efforcé de faire croire à une intervention chirurgicale qui avait mal tourné. Mais la version du suicide s'est fait jour, irrésistiblement. Le peuple, il est vrai, préférera longtemps croire qu'il l'a assassinée, comme Ivan le Terrible et Pierre le Grand assassinèrent jadis leurs fils aînés, comme la Grande Catherine laissa assassiner son époux. D'ailleurs qu'elle ait tenu seule le revolver ou qu'il l'y ait aidée, quelle différence ? C'est bien lui qui l'empêchait de vivre.

Nadejda a sa tombe au monastère de Novo-Dievitchi, parmi les personnalités soviétiques — un sobre monument de marbre, qui montre un beau visage austère. Il ne va jamais sur cette tombe.

Et maintenant ? Les journaux occidentaux sont pleins d'une certaine Rosa Kaganovitch, avec laquelle Staline serait remarié. Les détails abondent : Rosa Kaganovitch, d'origine israélite, est médecin de son métier, a les jambes fortes et de brûlants yeux noirs. Elle est la sœur (ou selon certains, la nièce) de Lazare Kaganovitch, l'un des principaux membres du Politburo. Des quotidiens à grand tirage ont publié sa photo. Bien des années plus tard, la fille de Staline affirmera à la face du monde que Rosa Kaganovitch n'a jamais existé.

Ce ne sont pourtant pas les correspondants de presse qui l'ont inventée. Toute l'U. R. S. S. de 1952, de la Baltique à l'Oussouri, croit à ce personnage. Les gens qui se disent informés appellent Lazare Kaganovitch, avec un discret sourire, « le beau-frère ». Les peuples, même terrorisés, ne renoncent pas volontiers à la romance de l'histoire.

Mais Staline veut paraître désincarné. Aux rares invités qui ont accès chez lui, il impose l'image d'un homme seul. Il part seul pour ses villégiatures dans le Midi, reçoit seul à sa datcha.

Les témoins de ses longs soupers racontent toujours des soirées entre hommes. Jacques Duclos, venu avec sa femme à Moscou en 1951, est invité à Kountsevo sans elle. « Notre déjeuner sera un déjeuner entre hommes », s'excuse Staline [1].

Personne pourtant n'imagine qu'il ait pu passer vingt ans sans compagnes. Nadejda est morte en 1932. L'année suivante, Isaac Babel, écrivain bien informé et bien introduit, confiait déjà à des amis parisiens : « On cherche une maîtresse pour le secrétaire général. » Depuis lors, le secrétaire général a envoyé Babel potiner dans l'autre monde. Mais ceux qui l'ont approché avant qu'il soit devenu un dieu le savaient effectivement de fort tempérament et d'appétits brutaux. Ses goûts sont connus : une sainte horreur des intellectuelles et une préférence pour les beautés bien en chair. C'est lui qui, rencontrant Lioubov Orlova, la star des années 30, menaçait son mari, plaisantant à moitié :

« Vous aurez affaire à moi si Lioubov Petrovna maigrit encore. »

Docile, le cinéma soviétique s'est peuplé de robustes vachères.

« *Ses exigences envers les femmes étaient fort primitives* », écrit sa fille qui ajoute :

« *Je crois que Valetchka qui lui servit de gouvernante pendant les dernières dix-huit années, correspondait parfaitement à son idéal de la femme, avec son visage rond et son nez retroussé. Elle était corpulente, propre, servait très bien à table et ne prenait jamais part aux conversations* [2]. »

Alors? De discrètes secrétaires? Des gouvernantes rebondies? Staline est maître de ses secrets. Il a ses routes dérobées, ses trains privés qui s'arrêtent dans des gares désertes. Il fait, chaque fois qu'il le juge bon, détruire les archives qui le gênent — les siennes ou celles de l'Etat. Tous ses serviteurs, jusqu'à la dernière aide de cuisine, sont affiliés à la sécurité d'Etat, et

---

1. Jacques Duclos : *Mémoires*, T. IV (Grasset).
2. Svetlana Alliluyeva : *Only one year* (Harper and Row) et édition française : *Une seule année* (Ed. Robert Laffont-Albin Michel).

tenus au silence. Surtout, il y a la peur qui lie toutes les langues.

Ainsi cachait-il ses maîtresses, quand il était un quinquagénaire robuste et brutal. Et maintenant, vieux et malade, le besoin d'une femme ne le tourmente plus guère.

Le premier de ses fils, Jacob, est mort en captivité en Allemagne sans qu'il ait levé un doigt pour le sauver. Staline n'aime pas les prisonniers de guerre : ce sont des traîtres et des déserteurs. Après la victoire, il les a fait juger et jeter, pour la plupart, dans des camps — des camps russes après les camps allemands.

Le second fils, Vassili, a entamé une carrière mirobolante de fils à papa : il était général d'aviation à vingt-trois ans. Mais Staline s'est avisé qu'il n'était qu'un raté alcoolique, et il ne le voit presque plus.

De même, sa fille Svetlana n'est plus admise auprès de lui que de loin en loin, et plutôt en audience qu'en visite familiale. C'est vrai, pourtant, qu'il l'a aimée. Quand elle avait dix ans, il lui écrivait des lettres tendres, l'appelait « mon petit moineau », « ma joie ». Mais plus tard, sa flambée de passion pour un cinéaste juif, puis ses amours brèves, ses deux divorces, l'ont irrité. Le second mari était pourtant presque le parti rêvé : le propre fils d'André Jdanov qui fut, jusqu'à sa mort, l'un des plus proches compagnons du Guide. Et lui-même un garçon sérieux, un fonctionnaire de la section scientifique du Comité central; quand il prend la plume, c'est pour dire leur fait aux savants « subjectivistes », faire les réserves nécessaires sur les suspectes théories d'Einstein[1]. Svetlana n'aurait pas dû quitter un mari aussi convenable.

Staline a huit petits-enfants. Mais il ne s'en est fait présenter que trois — et encore fort sommairement. Il n'a pas éprouvé le besoin de voir les autres. Au pays de l'enfant roi, cette absence de tendresse est presque sans exemple.

---

1. *Pravda*, 16 janvier 1953 : « Contre les déformations subjectivistes dans les sciences de la nature », par Iou. Jdanov.

Il compense cette solitude en devenant, dans les cérémonies, dans l'iconographie, le grand-père universel : de petits pionniers à foulard rouge, des fillettes aux tresses blondes et aux tabliers crémeux courent à lui, des fleurs plein les bras. Un grand sourire soulève, alors, la lourde moustache.

Staline a écarté les familles de ses deux femmes — des familles qui l'avaient pourtant adopté sans réticence. Il a fait fusiller deux beaux-frères, jeter en prison quatre belles-sœurs (deux s'y trouvent toujours, les deux autres y sont mortes). Un troisième beau-frère, un général, est mort opportunément d'une crise cardiaque en trouvant, à son bureau, tous ses collaborateurs arrêtés.

Maintenant, il n'a plus que des liens politiques, des liens de maître à subordonnés. Seules ces relations-là l'intéressent.

Cette existence solitaire n'est pas une existence immobile. Il a des villas partout — des propriétés d'Etat affectées à son usage personnel. Kountsevo est sa résidence permanente. Mais, à quelques dizaines de kilomètres, Lipki et Semenovskoïé attendent sa venue d'un bout de l'année à l'autre, avec leurs bois et leurs étangs mélancoliques, leur personnel au grand complet. Il peut se rendre près de Novgorod la Grande, dans le massif du Valdaï. En Crimée, il a le choix entre d'anciens palais impériaux et de nouvelles « datchas d'Etat ». Mais il préfère en général son Caucase.

Il s'y est fait construire des villas près de Sotchi, Adler, Gagra, avec vue sur la mer et sur les chaînes neigeuses. Merjanov, son architecte attitré, leur a donné une architecture sobre, des toits verts qui se fondent dans la végétation violente de l'Abkhazie. Puis il a fait arrêter Merjanov, mais d'autres villas lui ont été construites près de Soukhoumi, sur le lac Ritsa, dans la région de Koutaïs, plus haut dans la montagne.

Il émigre à chaque fin d'été, va chercher le soleil, passe deux bons mois dans le Midi tandis que, sur les pentes du Caucase, les forêts virent à l'or et à l'écarlate. L'automne précédent

— l'automne 1951 — il s'est ainsi arrêté à Borjomi, où il a utilisé un charmant pavillon de pierre rose, construit pour le grand-duc Michel, frère de Nicolas II. Il y a trouvé le raffinement de l'ancienne cour : des meubles anciens en palissandre, de belles cheminées hollandaises, une table en malachite qui vient, dit-on, de la Malmaison. Mais il s'est fait installer une chambre à coucher au rez-de-chaussée, pour ne pas avoir à grimper d'escaliers, ce qui lui devient pénible. Et on l'a meublée selon son cœur : les meubles de série, bien vernis, anonymes, qu'aimaient les petits-bourgeois européens en 1930.

Un peu partout, on avait accroché ses portraits. Et un grand portrait de Lénine, en face de son bureau.

Le climat de Borjomi l'a légèrement déconcerté. Pour le Caucase, il est pluvieux. Solitaire dans sa chambre à deux lits, il a fait brûler des bûches, puisant dans le coffre à bois qu'on avait préparé à son intention. On ignore s'il s'est servi du grand billard russe qu'avait laissé le précédent occupant, le frère du tsar fusillé.

Ces séjours au Caucase lui sont recommandés pour sa santé. Il en profite d'ailleurs, de temps à autre, pour aller aux eaux à la station thermale de Tskhaltoubo. On a construit là, pour son usage personnel, une cabine de bains haute comme une maison de deux étages. Il s'assied sur un trône de marbre, au fond d'une immense baignoire de marbre, attendant que l'eau vienne le couvrir jusqu'aux épaules, petit et seul au milieu de ce luxe un peu dément.

Mais cette année, pour la première fois, il n'a plus envie de partir pour le Midi.

Il désire frapper un grand coup politique pendant qu'il en a encore la force. Il va réunir un congrès du parti, à l'automne, (ce qu'il n'a plus fait depuis treize ans), procéder à des changements dans la hiérarchie. Il ne pourra donc s'absenter.

Et puis les voyages commencent à peser à son vieux corps. Il se sent mieux à Kountsevo. Il peut, sans quitter Moscou, y assouvir ses deux besoins : la solitude et la nature.

Cet homme si peu sensible au décor qu'il accroche aux murs

de mauvaises reproductions découpées dans les journaux, alors qu'il pourrait puiser dans tous les musées soviétiques, aime physiquement cette campagne du Podmoskovié, cette nature sauvage et libre aux portes mêmes de Moscou. Pins noirs, bouleaux blancs, buissons à l'odeur âcre autour desquels s'exalte un peuple de guêpes, c'est une vraie forêt qui entoure la datcha. Une forêt touffue et spontanée, malgré les coupes claires pratiquées, près de la maison, pour tracer des plates-bandes. Malgré la haute palissade qui l'emprisonne.

Pour les jours froids, il a fait entourer la villa, de trois côtés, de grands vitrages — sortes de vérandas fermées. Il passe alors de l'une à l'autre, en suivant la course du soleil, vieille plante dans sa serre. Mais l'été, quand il fait chaud, c'est dans le jardin que Valetchka, la servante au grand cœur, lui porte à son réveil le déjeuner matinal. En fait, ce matin se situe pour lui vers midi, parfois plus tard. Il a toujours inversé la nuit et le jour.

Des collaborateurs viennent alors le rejoindre sous une tonnelle, avec leurs papiers. Il signe, tranche, épargne l'un, condamne l'autre, déplace des peuples entiers, bâtit et rebâtit son édifice gigantesque et sanglant, pendant que les martinets strient le ciel. Peut-être, cet après-midi, le cortège des cinq voitures l'emmènera-t-il au Kremlin. Peut-être décidera-t-il de rester là, tout simplement.

Il est bien dans cette chaleur odorante. Il lance quelques propos débonnaires sur le temps ou sur les limaces à un jardinier. Il manifeste souvent une bienveillance un peu démagogique à l'égard de ses serviteurs les plus modestes. C'est avec ses proches adjoints qu'il se montre cassant, caustique, parfois ordurier.

Il porte un « french » passablement râpé — cette veste sans insignes, mais de coupe militaire, à quatre grandes poches, qu'il a adoptée depuis la révolution. Il ne la remplace par un uniforme de généralissime que dans des circonstances précises, et publiques.

Les pantalons sont rentrés, à la diable, dans des bottes souples.

Au réveil, bien reposé, il conserve un pas vif. A part cela, un vieil homme, le teint jaune, grumeleux, marbré de plaques rouges, le cheveu triste et gris. Il ne daigne pas se faire teindre, comme Mikoyan ou Boudienny. Ce ne sont pas des coiffeurs qui rajeunissent Staline, mais des peintres, pour l'histoire.

Malgré l'empâtement de l'âge, il a le profil du fauve intelligent, un profil courbe, avec un front bas qui fuit dans le prolongement du grand nez busqué, aux larges narines avides. De face, ce sont les yeux qui frappent. Ils sont jaunes comme ceux d'un tigre, embusqués derrière de lourdes paupières.

Un gros visage, avec de grosses pommettes massives, une grosse peau épaisse, trouée de petite vérole. Une peau grasse. Nadejda Mandelstam l'appelle « l'homme aux doigts graisseux » parce qu'il laisse des taches sur les livres.

Ce fut jadis un petit Caucasien noir comme un corbeau, acéré comme une lame. Maintenant, sa silhouette replète le fait paraître plus court que son mètre soixante-sept. Les tailleurs rembourrent savamment ses uniformes, mais quand il porte son vieux « french », on voit qu'il a les épaules étroites et tombantes. Le bras gauche est un peu raide, un peu replié, conséquence d'un ancien accident (cela lui valut d'ailleurs d'être réformé en 1916). De temps à autre, quand il fait les cent pas il le repose négligemment sur la hanche.

Les mains sont bien dessinées. Leur finesse contraste avec le lourd visage. Des mains de vieillard avec des taches de son. Il les joint, les croise comme un vieux séminariste. Parfois, il introduit négligemment la droite dans l'entrebâillement de sa tunique, comme jadis l'héritier de l'autre grande révolution. Il affecte volontiers une certaine lenteur, laisse tomber ses mots sans se presser, comme des sentences ou des énigmes. Sous ce calme, une nervosité qui se domine. Jeune, il pouvait jeter un tabouret à la tête d'un camarade en pleine réunion politique. Aujourd'hui encore, malgré la vieillesse qui feutre tout, il lui arrive d'éclater en rauques colères, en injures. Ou de plaisanter bruyamment. Il a un humour âcre, insistant et, quand il le veut, du charme.

Gêné par sa santé, il se sert de moins en moins de sa pipe, qui fait depuis toujours partie de son personnage, et qu'il porte dans la poche de son pantalon. Il se soigne de façon plutôt anarchique. Les travaux de Bogomolets sur le rajeunissement ont suscité quelque temps son intérêt, et les laboratoires du professeur ukrainien ont été couverts de roubles. Mais il se confie peu aux médecins, par méfiance. Comme beaucoup de vieilles gens de cette époque, il prétend traiter ses malaises en avalant quelques gouttes de teinture d'iode dans un verre d'eau.

Il voudrait vivre très longtemps. Le Caucase est le pays des centenaires, et son œuvre n'est pas achevée. Pourtant, il sait que son corps le trahit. Devant ses intimes, il parle volontiers de sa mort — un peu pour scruter leurs réactions, un peu pour qu'ils se récrient et le rassurent. Son équilibre, sa défense contre le froid de la vieillesse, c'est à cette datcha qu'il les demande, au contact avec la terre, à l'air des pins. Il trouve là cette sorte de loisir laborieux qu'il apprécie plus que tout. Il lit beaucoup, mais il n'a jamais été l'homme des épais dossiers qu'on épluche, les coudes sur la table. Il préfère feuilleter un livre ou une revue, à demi allongé. Il prend son temps; parfois même, il joue aux échecs.

Kountsevo, qui convient à ce rythme, est son bien-être et sa santé.

C'est aussi sa forteresse, la prison volontaire où il s'enferme pour défier les vivants et les morts — ces millions de morts. Il est obsédé de méfiance. Les visiteurs qu'il convoque à ses réceptions sont fouillés. Les plus intimes, avant de pénétrer dans son bureau, doivent laisser leur serviette à l'officier de service. A quelques centaines de mètres de la datcha, à l'intérieur de l'enceinte du parc, le bâtiment des gardes peut abriter plus de cent hommes. C'est un bâtiment trapu, bâti en hexagone, avec de toutes parts des fenêtres qui touchent presque le sol. Ainsi, au premier appel, les soldats sont-ils dehors de tous les côtés à la fois. Ils ont le meilleur armement, une abondance de véhicules, des projecteurs pour fouiller chaque recoin du parc, plein de pièges et de mines. A l'extérieur, au-delà de la haute barrière verte, d'autres détachements patrouillent, avec leurs chiens.

La partie de la datcha où dort Staline est un saint des saints plus caché, plus mystérieux, mieux protégé encore que le reste. N'y ont accès que des serviteurs triés sur le volet. Quelques confidences, pourtant, permettent d'évaluer la fantastique complication du dispositif contre les attentats. On parle de portes blindées, verrouillées de l'intérieur, parfois commandées à distance. On parle de pièces sans fenêtres, ou aux fenêtres aveuglées par des plaques de béton. On décrit tout un réseau de sonneries, de boutons qui lui permettent d'appeler à l'aide à tout instant. Deux témoins, dépeignant l'austère chambre à coucher, avec sa couche étroite, ajoutent : « En réalité, il n'y avait pas une mais quatre chambres semblables. Il choisissait l'une d'elles, chaque nuit, au dernier moment. » Tout est prévu pour dérouter le crime jamais tenté, peut-être jamais imaginé. Staline veille personnellement à chaque détail, en fait rajouter de nouveaux. Non, il n'est pas temps pour lui de mourir.

Tous les grands ont du mal à ne pas perdre le contact des homme. Mais lui, c'est délibérément qu'il se coupe de tout, qu'il se contente des rapports de ses courtisans, eux-mêmes enfermés, à son exemple, dans leurs petits donjons. Quand, par hasard, il émerge de son monde clos, c'est pour plonger dans un autre monde abstrait, quelque banquet solennel à la salle des colonnes, quelque soirée commémorative au Bolchoï, morne succession de discours. Parfois, du fond de sa loge, il assiste à un opéra. En 1947, il a fait au croiseur *Molotov* l'honneur d'arpenter son pont, en mer Noire. Mais il ne va jamais voir les ouvriers à l'usine, ni les paysans dans les fermes collectives, tout comme, pendant la guerre, on ne l'a jamais vu inspecter les soldats du front. Son puissant raisonnement doit tout deviner à distance.

Deux ou trois fois par an, le peuple qu'on rassemble et qu'on fait défiler aperçoit sa silhouette lointaine sur le haut d'une tribune. On y fait parfois grimper une écolière éperdue, pour qu'il l'embrasse.

Cette façon d'être invisible, d'être au-dessus, alimente la légende et le culte. La peur physique et l'intelligent calcul se donnent la main pour faire du reclus de Kountsevo une divinité, assise sur sa nuée.

Parfois, Dieu téléphone.

Boris Pasternak, Ilya Ehrenbourg, quelques autres encore ont entendu un soir la grosse voix géorgienne dans leur appareil. Dans ces cas-là, qui sont rarissimes, le secrétariat de Staline appelle l'élu : « Composez tel numéro. » Il trouve Staline en personne au bout du fil — Staline qui, on ne sait trop pourquoi, a décidé de s'intéresser à son cas personnel. Pas de miracle sans caprice.

Après la conversation, le numéro est désaffecté.

3

LA FÊTE

27 juillet 1952

Dès l'aube de ce dimanche d'été, des flots humains ont commencé à converger vers Touchino, un petit aérodrome situé dans la proche banlieue de Moscou. Métros, tramways, trolleybus, autobus ont été pris d'assaut par une foule épaisse, silencieuse, une foule qui moutonne comme la mer, qui pousse comme un bélier sourd et patient, sans hâte, jusqu'aux limites de l'étouffement. Volontaire ou désigné d'office, chacun exhibe le titre de transport spécial qui lui a été remis la veille à son usine, dans son entreprise, à son bureau — bref, comme on dit en U.R.S.S., dans son « collectif ».

C'est aujourd'hui la « Journée de l'Aéronautique », une très grande fête. Si grande que Staline a coutume de s'y montrer en personne, comme pour un 1er Mai. Cette année, la fête est double : à mille kilomètres de Moscou, on inaugure en même temps le canal Volga-Don, « *grande construction de l'époque stalinienne* », « *premier-né des grandes constructions du communisme* », chaînon majeur du « *plan stalinien de transformation de la nature* », ainsi que Lévitan, le speaker des grands jours, est en train de le rappeler, en ce moment même, à Radio-Moscou. Du haut des haut-parleurs installés dans les rues conduisant à Touchino, le commentaire inspiré s'abat sur les passants, de tous ses décibels.

Autour de l'aérodrome, fourmis patientes, grouillent les piétons. Hommes en bras de chemise, femmes en robes de cotonnade. Des groupes de garçons et de filles font route en chantant, au son d'un accordéon. De-ci de-là, un buveur matinal louvoie, sa *pollitra* — son demi-litre de vodka — à la main, au milieu d'une tolérance générale et bon enfant. Des membres du komsomol, des *droujinniki*, policiers bénévoles en civil, un brassard rouge à la manche, aident la milice à canaliser tout cela.

Pour venir à Touchino, des ouvriers et ouvrières se sont entassés sur les camions de leurs usines — des camions « Molotov », assez semblables aux GMC américains. Chauffeurs de service au volant, des « Pobiéda » (« notre Pobiéda, écrit la *Pravda*, dépasse sans effort les Opel et les Mercedes ») amènent des directeurs d'usine, des cadres administratifs, des officiers, flanqués de leurs épouses en robes soyeuses et claires et chapeaux à larges bords.

Les longues ZIS noires des dignitaires n'apparaissent qu'en début d'après-midi. Le champ d'aviation est déjà envahi par une foule immense qui déborde au loin, sur les berges de la Moskova. Le soleil a séché la grasse argile. On s'assied dans l'herbe, en se couvrant la tête d'un journal. Et l'on regarde, de tous ses yeux, vers la tribune officielle, drapée d'étamine rouge, couverte de fleurs, flanquée d'immenses portraits de Staline et de ses « compagnons d'armes ». Mais ici, laissons la parole aux reporters de la *Pravda*[1].

« *Deux heures de l'après-midi. Le camarade J. V. Staline entre dans la tribune gouvernementale. Les Soviétiques accueillent par des applaudissements qui, longtemps, ne s'apaisent pas, l'apparition du sage guide, du grand éducateur et du génial stratège. Le camarade Staline salue cordialement l'assistance. L'ovation se renforce, exprimant la fidélité sans limites et l'ardent amour des Soviétiques pour Joseph Vissarionovitch Staline.*

« *D'un bout à l'autre du vaste terrain retentissent ces mots qui viennent du cœur même, du fond de l'âme :*

« *Gloire au grand Staline!*

« *Des centaines de milliers de personnes saluent avec un transport d'enthousiasme le camarade Staline. Les travailleurs expriment dans une ovation tumultueuse leur gratitude au fon-*

---

1. Numéro du 28 juillet 1952.

dateur de l'aviation soviétique, au meilleur ami des aviateurs, au grand guide et éducateur du peuple soviétique. Sous la direction du camarade Staline, le peuple soviétique a construit son admirable flotte aérienne. Sous la direction du camarade Staline, les faucons staliniens ont écrasé sans merci l'ennemi dans l'air, sur mer et sur terre. Avec ce nom, Staline, notre pays va de l'avant avec assurance, vers le communisme. »

La fête commence. Passe d'abord un avion qui fait flotter un immense étendard rouge où se dessine le portrait de Staline. Puis un groupe d'une soixantaine d'appareils qui, presque aile contre aile, dessinent les mots « Gloire à Staline » — « *traçant dans le ciel,* remarque la *Pravda, l'acclamation que pousse le monde entier en l'honneur du sage guide et éducateur* ».

Ce sont ensuite des numéros de voltige, exécutés par les pilotes de la Société pan-soviétique des volontaires — la grande association paramilitaire. Et le clou, le cœur de la fête, le défilé de l'aviation militaire. Défilé placé sous le commandement du général Vassili Staline, le fils, le jeune général alcoolique à l'étourdissante carrière.

A son poste de commandement, c'est un petit homme maigre au corps d'adolescent mal nourri, au visage en lame de couteau, avec des yeux noirs un peu tziganes qui lui viennent de sa mère (Nadejda avait du sang gitan). Il est nerveux, presque fébrile, allumant une cigarette après l'autre, facilement grossier et désagréable. Autour de lui règne une atmosphère d'adulation. Déjà, pendant la guerre, le général Pouyade [1] qui lui rendit visite à son P. C. fut surpris de voir des officiers chargés d'ans et de décorations ramasser respectueusement les mégots que ce gamin mal élevé jetait par terre. Cette servilité ne manque pas de motifs. Vassili peut, d'un mot, faire et défaire une carrière, ruiner une vie. Peu après la victoire, le maréchal de l'air Novikov qui lui avait déplu a disparu comme dans une trappe. Un groupe de déportés retrouvera sa trace en janvier 1953, à la prison de transit de Tcheliabinsk, en Sibérie. L'un des coiffeurs

---

1. Alors colonel, et commandant du fameux groupe de chasse français « Normandie-Niemen », qui combattait aux côtés des Russes.

de la prison se flattera devant les arrivants, non sans fierté, d'avoir rasé, la veille, la tête de l'éminent maréchal.

Avec son énorme datcha, ses chevaux et ses chiens, Vassili est l'un des personnages les plus représentatifs de cette jeunesse dorée moscovite où l'on trouve des enfants de dirigeants, des actrices, des metteurs en scène, des sportifs célèbres. Il est malheureusement de réputation douteuse, compromis dans toutes sortes de trafics — combinaisons louches avec des équipes de football ou de hockey, construction de piscines ou de stades ruineux, jamais terminés, mais qui coûtent des fortunes à l'Etat. De plus, il se montre d'une brutalité inquiétante, rosse tantôt ses femmes et tantôt les agents de police. On raconte même — sans que cela soit formellement établi — qu'il a tué le mari d'une de ses maîtresses. Surtout, il est habituellement ivre. A trente et un ans, il ne parvient plus à piloter un avion, se montre la plupart du temps incapable de donner un ordre sensé.

Son père, las de ses incartades, se prépare à lui retirer le commandement de la région aérienne de Moscou qu'il lui avait fait donner. Cette parade du 27 juillet 1952 sera le dernier jour de gloire de Vassili Staline.

Voici, dans le ciel de Touchino, les MIG 15, répliques de ceux qui se battent en ce moment même en Corée, sous les couleurs chinoises, contre les chasseurs américains. Il y a moins de deux ans que le combat aérien est entré vraiment dans l'ère du jet. Ce jour-là au-dessus du fleuve Yalou, les F-80 « Shooting Stars » ont rencontré pour la première fois des adversaires dignes d'eux : ces MIG pilotés par on ne sait qui — Russes ? Chinois ?

« MIG » est une contraction de Mikoyan, le nom du constructeur. Ce Mikoyan-ci est le frère de l'autre, le célèbre dirigeant politique qu'on peut apercevoir en ce moment même dans la tribune officielle, non loin de Staline. L'esprit de famille étant l'une des vertus de la bonne société soviétique, cette partie du défilé est dirigée par le lieutenant-colonel de la garde A. A. Mikoyan, fils et neveu des précédents.

Passent encore les chasseurs IAK, conçus par Iakovlev, le constructeur préféré de Staline. Celui-ci, dès le début de la guerre, l'a couvert d'honneurs au moment où Tupolev, en revanche, sortait à peine de prison. C'était une « prison spéciale », bien sûr, une de ces *charachki* où travaillent les ingénieurs détenus. Et Tupolev y avait dessiné des projets si excellents qu'il avait retrouvé l'air libre. Mais plus que Tupolev, plus qu'Ilyouchine, Iakovlev reste le favori. Il a même été autorisé à publier ses souvenirs sur le Guide, dont il définit sombrement la qualité maîtresse :

« *Staline est d'une exceptionnelle modestie.* »

Bombardiers, lâchers massifs de parachutistes, passages d'hélicoptères lourds, cette parade aérienne témoigne de la priorité absolue que Staline accorde aux problèmes de défense. Témoigne aussi d'un goût profond de ce peuple, fou d'aviation. Le souci de la « priorité russe » — c'est le slogan de l'époque — entraîne sans doute les commentateurs un peu loin, lorsqu'ils affirment que *le premier avion du monde fut construit par l'inventeur russe A. F. Mojaïski* [1]. Mais il est vrai que l'Union soviétique des années 30, quand elle n'était qu'un pays faible et trébuchant, quand ses premières chaînes de montage commençaient à peine à sortir de mauvais camions, présentait déjà au monde, avec orgueil, son aéroplane géant *Maxime Gorki*.

Mille kilomètres au sud, des foules pareillement endimanchées et extasiées se retrouvent au même moment, près de la première écluse du canal Volga-Don.

Au premier rang de l'assistance, Pietro Nenni, qui vient de recevoir, au Kremlin, le prix Staline de la paix, préside une délégation de la gauche italienne.

Les hurlements des sirènes, les cuivres des fanfares, les hourras de dizaines de milliers de gosiers déchirent l'air. Le bateau *Joseph Staline* s'avance vers l'écluse, passe sous l'inscription « Gloire au grand Staline », en gigantesques lettres d'or.

Une statue immense domine la scène du haut de ses

---

1. *Pravda*, 28 juillet 1952.

72 mètres : Staline. Il a personnellement signé un décret débloquant 33 tonnes de cuivre, pour s'ériger ce monument à soi-même. Sur chaque patte d'épaule de la statue, deux hommes peuvent se coucher. Et l'on aperçoit cette silhouette au-dessus de la steppe rase depuis Stalingrad, à 25 kilomètres de là. Dans les *Izvestia*[1], un poète bien intentionné a salué en vers cette montagne de bronze :

> « *Venant de Stalingrad*
> *Et du Don,*
> *Nous voyons depuis le bateau,*
> *Au-dessus de la Volga, le monument du guide,*
> *Du père et de l'ami de tous les peuples.*
>
> *... Sur les bords de la Volga Staline est apparu,*
> *Regardant au loin.*
> *Il a enlevé sa casquette.*
>
> *L'eau pleine de reflets joue,*
> *Les aigles tournent sous les nuages.*
> *Depuis les cinq mers, les bateaux*
> *Le saluent de leurs sirènes.*
>
> *Il ouvre la voie du canal,*
> *Et toute la terre voit que c'est*
> *L'accomplissement du serment*
> *Qu'il avait fait à Lénine.* »

Khrouchtchev se gaussera plus tard des millions dépensés pour édifier cette statue géante « alors que les gens de la région vivaient depuis la guerre dans des huttes ».

Le canal est baptisé « Canal V. I. Lénine ». Staline mêle les cultes, s'associe à la gloire de son prédécesseur mort. Sa *Biographie abrégée*, répandue à des centaines de millions d'exem-

---

1. Numéro du 12 juillet 1952.

plaires, proclame une fois pour toutes : « *Staline est le Lénine d'aujourd'hui.* »

Pourtant, sur la pellicule cinématographique — la vraie, celle des archives — le « plus proche disciple » n'apparaît jamais auprès du maître. Pendant toute la révolution et la guerre civile, Staline est une absence, un vide. Toujours, les actualités du temps montrent, auprès de Lénine, quelque Trotski ou quelque Zinoviev. Ces actualités restent donc enfermées dans la poussière des cinémathèques, et l'on se contente de quelques photographies. D'ailleurs la photographie est souple : avec un pot de colle et des ciseaux, on peut grouper des personnages qui ne l'étaient pas.

Et puis, il y a l'inépuisable imagination des peintres. Depuis plus de vingt ans, ils ont multiplié les tableaux où l'on voit Lénine, pensif, la tête dans la main, écouter un jeune Géorgien au regard inspiré, montrant la voie vers l'avenir.

Et l'on a envoyé en Sibérie les militants qui possédaient un exemplaire du *testament de Lénine* — le message où le fondateur de l'Union soviétique, mourant, demandait que Staline, trop brutal, soit démis de ses fonctions de secrétaire général.

Depuis des semaines et des semaines, dans chaque usine, chaque atelier, chaque bureau, chaque meeting, chaque réunion de jeunes, des orateurs célèbrent le canal. A croire que les Soviétiques lui devront leur vie, comme les Egyptiens attendent la leur du Nil. Un canal, et beaucoup plus qu'un canal. La transformation de la nature, c'est le passage accéléré du socialisme au communisme. Staline est le démiurge qui bouleverse le monde pour le donner aux hommes. Les grands travaux de l'après-guerre vont plier les éléments aux besoins et aux joies des travailleurs.

Pas à pas, des cameramen ont suivi chaque étape du percement du canal. Leur film est lyrique : un village entier se déplace sur des plates-formes. Des collines descendent dans les vallées. Une mer surgit. Et les Cosaques du Don célèbrent dans de grandes chevauchées leur union avec les hommes de la Volga. Un kolkhoze offre un gigantesque festin aux bâtisseurs :

jambons roses, fruits en pyramides, gorgés de sucs. Le cinéma stalinien adore ces ripailles paysannes. Dans la réalité, les villages manquent de pain.

La caméra s'attarde sur le regard loyal des ouvriers, détaille leur profil viril et anguleux sous la grande casquette un peu avachie, se fait discrètement sentimentale devant les mécaniciennes aux tresses blondes. Elle ignore les milliers de détenus employés à construire le canal et son barrage, sous l'œil noir et persuasif des mitraillettes. Pourtant, le nom de Serge Nikiforovitch Krouglov, ministre de l'Intérieur et grand maître des camps de concentration, figurera quelques semaines plus tard dans une liste de personnes décorées de l'ordre de Lénine. « Pour l'achèvement du canal en temps voulu », précisera le communiqué [1].

De Cholokhov à Olga Bergoltz, toutes les grandes signatures ont été mobilisées pour célébrer le canal. La presse touche aux sommets du lyrisme : « *Le rêve séculaire de notre peuple... Le grand plan stalinien visant à unir toutes les mers de la partie européenne de l'U. R. S. S. en un seul système de transport par eau est accompli... Moscou, capitale de notre patrie, est devenue le port des cinq mers.* »

De l'intérêt stratégique du canal, pas un mot, encore que Staline s'en soit naguère expliqué devant Djilas [2]. Mais cela sort du registre choisi.

Le lendemain du grand jour — deux fois grand : le canal ouvert, et Staline à Touchino — la *Pravda* offre à ses lecteurs un numéro de fête. Quatre pages seulement, mais le nom de Staline s'y trouve 123 fois.

---

1. *Pravda*, 20 septembre 1952.
2. « Vous imaginez-vous l'avantage que nous aurions tiré de notre flotte de la mer Noire si elle avait pu gagner la Volga pendant la bataille de Stalingrad ? Un tel canal est de la plus haute importance. » (Milovan Djilas, *Conversations avec Staline* — NRF).

4

LES COMPAGNONS D'ARMES

A Touchino, la foule acclame le maître mais n'oublie pas les disciples, alignés autour de lui en une longue rangée.

A la droite de Staline, quelques maréchaux et amiraux, brillant de leurs étoiles et de leurs broderies d'or. Malgré le poids de leurs 175 divisions, leur influence reste modeste. Le seul qui compte est Boulganine, bel homme aux yeux bleu froid, maréchal politique. L'armée obéit au parti. De Toukhatchevski à Joukov, le secrétaire général fusille ou éloigne les soldats populaires. Et, pour que tout soit clair, il s'est, depuis la guerre, revêtu du grade suprême de généralissime.

Les vrais illustres sont les civils, à sa gauche. Pour la foule qui les aperçoit de loin, en clignant des yeux, ils se divisent nettement en deux écoles vestimentaires :

ceux qui restent fidèles à la vareuse et à la casquette semimilitaires du temps de la guerre civile, comme le maigre Souslov et le replet Malenkov;

ceux qui s'habillent « en bourgeois » — cravate et chapeau mou — comme Alexis Kossyguine, étoile de la nouvelle génération.

Plus sportif, le bouillant Nikita Khrouchtchev garde la cravate mais affronte tête nue le soleil de juillet.

Héros de légende, petites silhouettes en haut d'une tribune, voici donc les *soratniki*, les « compagnons d'armes ». Pour être un personnage de premier plan en 1952, il importe que la *Grande Encyclopédie soviétique*, tout au début de l'article vous concernant, vous qualifie de « *proche compagnon d'armes de J. V. Staline* ». Il n'est pas mauvais, bien sûr, qu'elle puisse ajouter : « *fidèle disciple de Lénine* ». Mais cela, c'est affaire de génération. Seuls y ont droit ceux qui ont connu Lénine vivant.

Le plus éminent des porteurs de chapeaux mous, le plus illustre des *soratniki,* est Viatcheslav Mikhaïlovitch Molotov, fidèle entre les fidèles.

De son vrai nom, il s'appelle Scriabine, comme le célèbre compositeur, mais sans lien de parenté avec lui. Il est d'une famille de petits-bourgeois du nord de la Russie. Education assez soignée, avec leçons de violon et de valse, et passage à l'Ecole polytechnique de Saint-Pétersbourg. Mais, très vite, il se lance dans l'activité révolutionnaire, est déjà déporté à dix-neuf ans. Nous sommes en 1909. La révolution manquée de 1905 est passée par là, avec ses épisodes légendaires : le cuirassé Potemkine, les barricades de Moscou. Molotov, qui est le moins romantique des hommes, le moins imaginatif, le plus glacial et le plus compassé, suit pourtant ce courant lyrique. Il troque le nom de Scriabine contre son pseudonyme de clandestin qui vient de *molot,* marteau. Il a, de cet instrument, l'entêtement, la pesanteur et la monotonie. Il fait partie, en 1912, des fondateurs de la *Pravda,* journal d'avenir.

Très vite, le marteau trouve la main du maître. Dans les luttes qui divisent le parti, Molotov est derrière Staline, sans restrictions ni murmures. Il l'aide à s'élever au-dessus de ses rivaux, combat le trotskiste, puis le zinovieviste et le boukharinien avec un acharnement méticuleux. Il est du petit nombre de partisans fanatiques, d'associés à la vie à la mort auxquels Staline doit tout. Le secrétaire général le récompense en faisant de lui, dès 1930, son président du Conseil (on dit alors « Conseil des commissaires du peuple ». L'expression « conseil des ministres », moins fraternelle mais plus « convenable », ne reviendra qu'après la guerre).

Aux Affaires étrangères en 1939, c'est lui qui reçoit Ribbentrop pour signer le pacte germano-soviétique. Quand les panzers déferlent sur la Russie, c'est lui qui annonce la nouvelle au peuple, par radio. Staline, effondré, se tait. Au Comité de défense, il est le bras droit, l'homme de confiance des mauvais jours. L'Occident le découvre à Téhéran, à Yalta, à Potsdam, à côté de son chef. A l'ONU, on le surnomme « Monsieur Niet ». Il est affligé d'un léger bégaiement, mais ses collègues occidentaux redoutent sa dialectique sans merci, sa patience, son obstination.

Tchakovski, écrivain très officieux, le décrit en 1940, à Berlin face à Hitler — opposant aux fureurs lyriques du chancelier sa froideur pédante, son ton sévère de maître d'école [1].

Il a le pince-nez du bureaucrate et l'air appliqué du bon élève. Churchill voit en lui « un parfait robot moderne ». Le maréchal Vorochilov l'appelle plus simplement « cul de pierre ». Mais Djilas, qui l'a vu de près, déclare : il ne faudrait pas sous-estimer le rôle de Molotov; Staline et lui sont complémentaires.

Les Affaires étrangères lui sont retirées depuis 1949 mais, pour tout le monde, il reste le numéro deux. La ville de Perm a été rebaptisée Molotov en son honneur. Il a également donné son nom à onze autres villes, bourgs et villages : Molotovsk, Molotovo, Molotovabad... Et aussi à un arrondissement de Moscou, à l'un des plus hauts pics du Pamir, à un cap dans l'océan Glacial Arctique, à des dizaines d'entreprises, de kolkhozes, de sovkhozes, de maisons de jeunes, de parcs de culture, de bateaux de guerre ou de commerce, sans oublier la plus grande usine d'automobiles du pays. La moitié des camions roulent, en U. R. S. S. avec un « Molotov » bien apparent, frappé sur leur capot.

Le grand culte se nourrit de petits. L'importance d'un dignitaire se mesure au nombre de villes, de lieux-dits, d'entreprises industrielles et agricoles qui portent son nom. Quand le dignitaire tombe, les noms changent. Dans les années 30, Radio-Kiev avait pris pour indicatif : « Ici, Radio-Kossior. » Kossior était le premier secrétaire du parti d'Ukraine. Quand la radio changea d'indicatif, les Ukrainiens comprirent que Kossior allait être fusillé.

Depuis trois ans, la femme de Molotov est arrêtée.

---

1. Tchakovski : *Le siège* (Revue Znamia).

C'était la première hôtesse de Moscou. Elle recevait, menait grand train. Comme les dames de jadis, elle allait aux eaux à Karlsbad. Alors que les épouses des grands, en U. R. S. S., restent en général effacées, Pauline Jemtchoujina-Molotov, ancienne ouvrière devenue une militante en vue, poursuivait une carrière personnelle. On lui a décerné toutes sortes de titres et d'attributions : membre du Comité central, ministre des Pêcheries, membre du jury de la haute couture. Elle était surtout connue comme responsable de la parfumerie soviétique. C'est grâce à elle que les élégantes peuvent se maquiller, utiliser ces parfums lourds et coûteux qui se nomment « Moscou rouge » et « Dame de Pique ».

Juive, elle s'est vue impliquée dans une des nombreuses affaires de « complots sionistes » qui se sont mises à fleurir à partir de 1948. Le Comité central s'est réuni pour la déchoir de toutes ses fonctions dans le parti. On chuchote que, contrairement aux usages, ce vote n'a pas été unanime : dans un grand élan de courage, Molotov s'est abstenu. Puis on l'a livrée aux procureurs.

Elle a disparu sans que le corps diplomatique y prête grande attention. La répression de l'après-guerre est d'une discrétion remarquable. Pas de grands procès, comme en 1937, pas d'articles dans les journaux. Même le remplacement de l'intéressé à son poste n'est, en général, pas annoncé. Simplement un escamotage, comme si quelque part une trappe s'ouvrait. Ceux qui savent se taisent.

Pauline Molotov est détenue dans un camp du Kazakhstan du Nord. Mais son mari ne sait pas où elle se trouve, ni d'ailleurs si elle est encore en vie. Il continue à figurer dans les cérémonies aux côtés de Staline, avec un visage de bois.

Il n'a d'ailleurs pas lieu de se formaliser. C'est une habitude, chez Staline, de faire arrêter les femmes de ses collaborateurs les plus proches. Celle de Kalinine, le chef nominal de l'Etat, a été torturée et jetée en prison pendant six ans. Le vieux président barbichu n'en continuait pas moins à recevoir les lettres de créance des ambassadeurs et à accrocher des décorations, de ses doigts tremblotants. Il est mort en 1946, couvert d'honneurs; sa femme lui avait été rendue pendant ses derniers mois.

Arrêtée aussi, la femme de Poskrebychev, le chef du secrétariat particulier de Staline depuis près de vingt ans, l'homme de tous les secrets, celui qui peut se permettre de parler avec désinvolture ou grossièreté à n'importe quel dignitaire. Poskrebychev n'a pas prostesté. Comment l'aurait-il pu? Sa femme est la belle-sœur d'un fils de Trotski. Staline aime ces taches dans les biographies de ses collaborateurs. Ainsi les a-t-il bien en main.

Roy Medvedev montre la détenue Aïna Kuusinen, en haillons dans sa baraque de déportée, un soir de 31 décembre. Elle écoute, à la radio du camp, un message officiel de vœux de nouvel An. L'orateur qui parle, du Kremlin, est son mari, Otto Kuusinen, célèbre leader soviéto-finlandais [1]. Non, ce n'est pas parce que votre femme est en prison que vous devez considérer votre carrière comme brisée.

Le cas de Molotov est différent : il se sait personnellement visé. Le patron ne le consulte plus, ne l'invite plus à sa datcha. Il a même émis publiquement l'hypothèse que son vieil adjoint devait être un espion anglais — éternel prestige de l'*Intelligence Service*. Molotov sait que le pire est suspendu au-dessus de sa lourde tête studieuse. Sera-ce dans un mois, dans un an? Le chat ne se presse jamais avec les souris.

Déjà, les arrestations pleuvent sur ses anciens collaborateurs du ministère des Affaires étrangères.

Raide et réservé, avec ses complets corrects et ses cheveux bien lissés, séparés par une raie sage, il a l'air d'un vieil enfant puni. Il souffre autant des rebuffades que de la menace de mort. Il adore son chef terrible [2].

Bolchevik depuis l'âge de seize ans, il n'imagine pas la vie hors du parti. Et le parti, c'est Staline. En tant que président du Conseil, Molotov a signé tous les décrets de terreur des an-

---

1. Roy Medvedev : *Le Stalinisme* (Seuil).
2. Et il l'adorera toujours. Seize ans plus tard, en 1968, le vieux retraité Molotov, travaillant à la bibliothèque Lénine à Moscou, se trouve assis par hasard à côté d'une jeune étudiante française. Remarquant que la jeune femme le regarde avec curiosité, sans très bien le reconnaître, il lui glisse un papier où il se présente avec fierté : « Molotov, ancien bras droit de Staline. » Il n'a jamais renié celui qui a voulu le faire mourir.

nées 30. En tant que membre du Bureau politique, il a contre-signé les grandes listes de mises à mort des dirigeants commu-nistes. Peut-être serait-il capable de crier, face au bourreau, « Vive Staline », comme tous ces vieux militants qu'il a fait fusiller.

« La modestie, dit Staline, est l'ornement du bolchevik. » Dans la pratique, c'est devant leur chef que les cadres du parti doivent se montrer modestes. Il leur a donné pouvoir, honneurs, privilèges. Il les a élevés loin au-dessus du peuple. Il ne leur donne pas la sécurité. Ils doivent trembler chaque jour pour leur fauteuil et pour leur vie. Salubre inquiétude.

Staline a éliminé les opposants. Puis les tièdes qui avaient vaguement prêté l'oreille aux opposants. Il s'en est pris ensuite à ses partisans de la première heure, à tous ceux qui ont indé-fectiblement soutenu son ascension. Il n'est pas bon que quel-qu'un puisse dire : « Qui t'a fait roi? » Un vieux compagnon comme Molotov n'est déjà plus qu'un vestige.

Périodiquement, dans tous les organismes dirigeants — et d'abord dans la police — les anciens cadres sont balayés au profit de couches plus jeunes. Staline aime les nouveaux venus qui lui doivent tout, qui le regardent avec un dévouement vibrant. Les anciens aussi sont respectueux, bien sûr. Mais, par la force de l'habitude, ce respect devient un peu mécanique. Certains jours, on devine dans leurs regards comme une lassi-tude, l'ombre d'une arrière-pensée.

Et puis, renouveler ainsi ses hommes de confiance permet d'utiliser l'un des plus vieux trucs du pouvoir : ceux qui partent sont chargés des péchés du régime. Staline excelle à faire tout supporter par ses adjoints. Il les charge des tâches les plus impossibles, les plus sanglantes. Puis, d'un mot, il les désavoue, les jette en pâture au peuple. Et le peuple est ébloui de voir que le chef, secrètement, était de son côté.

Le maréchal Vorochilov, l'ami de toujours, le compagnon de la défense de Tsaritsyne, est en train de se transformer lui aussi en agent étranger.

Cet ancien sous-officier, courageux et bête, bon soldat et mauvais stratège, est accroché à la fortune de Staline depuis la guerre civile. Il l'a aidé à purger l'Armée rouge de la plupart de ses cadres. Il a acquiescé à l'exécution de Toukhatchevski, applaudi à l'exécution de Yakir, souscrit aux décisions précipitant leurs familles en prison, y compris les enfants de quatorze ans [1]. Il a fait fusiller et déporter des milliers de commandants d'armées, de brigades, de régiments, de bataillons, laissant un commandement exsangue face à la ruée allemande. Staline en a fait son commissaire aux Affaires militaires et navales, qu'il dirigeait à travers lui. Il lui a donné en public des démonstrations d'affection bourrue. (« Tu es un idiot, mais tu es mon vieil ami. Je t'aime et je te respecte. ») Il ne lui a pas trop tenu rigueur, même, de ses bourdes de 1941.

Kliment Efremovitch Vorochilov se trouve maintenant dans une demi-retraite, mais il est toujours couvert d'honneurs, de médailles, de datchas fastueuses et de chevaux de selle. Avec son gros nez, sa petite moustache, sa belle prestance de cavalier, il est l'un des personnages préférés des peintres officiels. La *Marche de Vorochilov* est l'un des morceaux de bravoure des fanfares.

Mais Staline a découvert qu'il devait être lui aussi un espion anglais. Et la sécurité d'Etat a installé chez lui un dispositif d'écoute perfectionné.

Anastase Mikoyan, lui, n'est pas soupçonné d'être un espion anglais mais un espion turc.

Cette nuance exotique est due, manifestement, à son origine arménienne. L'inventeur du « socialisme dans un seul pays » a horreur de tout ce qui sent le cosmopolitisme. Il lui déplaît que les Arméniens soviétiques, accrochés aux pentes rocailleuses de leur Caucase, aient de proches cousins de l'autre côté de la frontière, en la personne des Arméniens turcs. Il lui déplaît qu'ils aient en commun une religion, une langue, un grand

---

1. Cf. notamment les précisions données par Alexandre Chelepine, au XXIIᵉ Congrès.

passé. Il lui déplaît que leur chef spirituel, le Catholicos, réside en U. R. S. S., pendant que leur haut lieu sentimental, le mont Ararat, se dresse tout près de là, mais en Turquie.

Bien sûr, entre ces deux communautés s'étend l'infranchissable frontière soviétique, bordée d'une large bande de terre labourée qu'on ratisse, chaque jour, avec soin pour déceler des empreintes éventuelles. Mais on ne sait jamais! Quand un archéologue américain annonce qu'il va rechercher l'arche de Noé sur l'Ararat, le poète officiel Mikhalkov montre les dents :

> « *Mais notre garde-frontière ne dort pas.*
> *Tenez-en compte, "archéologue" Smith* [1]. »

Et voilà pourquoi Anastase Ivanovitch Mikoyan est un agent turc. L'accusation est outrageusement absurde. Mikoyan est tellement russifié que, quand il va à Erevan soutenir sa candidature au Soviet suprême — ainsi l'exige l'étiquette — il a le plus grand mal à glisser, par politesse, quelques mots d'arménien dans son discours en russe.

Petit, malin, le profil aigu, l'œil très noir et la peau très brune, venu à la politique par le séminaire, comme Staline, il a jusqu'ici survécu grâce à sa subtilité légendaire. Son domaine réservé est le commerce extérieur. Sa place, dans la hiérarchie des *soratniki*, se situe très haut.

En cet été 1952, l'ingénieur V. M... s'installe à Kharkov dans son nouveau bureau et constate avec satisfaction qu'il est orné du portrait de Mikoyan. Car les portraits aussi sont répartis selon les grades : le directeur a droit à Lénine, l'ingénieur en chef à Staline, son adjoint à Molotov.

« Mikoyan, pense V. M... Décidément, j'ai une jolie promotion. »

Juste à la gauche de Staline, sur la tribune de Touchino, se tient Lavrenti Pavlovitch Béria, voûté, trapu, contemplant les avions à travers son pince-nez.

---

1. *Pravda*, 1er décembre 1952.

Lorsque le N. K. V. D.[1] lui a été confié en 1938, personne ne pensait qu'il sauverait sa tête aussi longtemps. Ses deux prédécesseurs venaient de finir tragiquement. L'un, Iagoda, avait eu droit à une sortie spectaculaire, en accusé des grands procès. L'autre, Iejov, avait disparu sur la pointe des pieds (tout Moscou le cherchait, les uns le disant dans un asile de fous, d'autres prétendant qu'il habitait en grand secret une petite maison près du *Koltso*. En réalité, il allait être fusillé).

Staline, après les purges, desserrait légèrement l'étau — en désavouant, selon l'usage, Iejov qui n'avait agi que sur ses ordres. Béria relâcha donc quelques milliers de personnes sur les quelques millions qu'avait arrêtées son devancier. Par comparaison, il se fit la réputation d'un libéral.

Sa carrière, dans son Caucase natal, était pourtant affreuse : celle d'un aventurier sanglant, expert en provocations policières.

En tant que courtisan, il a du génie. Il avait séduit Staline par le zèle maniaque qu'il affectait pour assurer sa sécurité. Il a su rester vivant tout en s'élevant jusqu'aux cimes du Politburo. Il est maréchal — maréchal de police. Mais à l'uniforme, il préfère le manteau couleur de muraille et le feutre rabattu sur les yeux qui lui donnent l'air d'un de ses inspecteurs. Derrière les lorgnons sans monture, le regard est opaque.

Il est gras, lourd, ne ressemble pas à ses portraits officiels qui allongent son visage et le gratifient d'un beau front dégarni d'intellectuel. Ceux qui sont capables de risquer leur vie pour un bon mot colportent cette formule : « Béria n'a plus lu un seul livre depuis l'époque de Gutenberg. »

Il aime le vin et les femmes. « Un véritable ivrogne », dit Djilas qui a dîné en sa compagnie. Svetlana Alliluyeva le décrit ivre mort, en fin de soirée. Edward Crankshaw, ajoute, sombre détail : « Il avait le vin triste. »

Il fait enlever des jeunes filles en plein Moscou pour les emmener à son *ossobniak*[2] ou à sa datcha. Cet homme au teint

1. N. K. V. D. : Commissariat du peuple aux Affaires intérieures.
2. *Ossobniak* : hôtel particulier.

verdâtre et aux mains moites a pour le beau sexe une furieuse passion. Celles qui lui ont plu sont dotées fastueusement; cela peut aller jusqu'à la datcha au bord de la mer Noire. Générosité orientale. Béria a quelque chose du mauvais vizir des contes.

Quant à celles qui déplaisent, tant pis pour elles. Dans le petit monde du théâtre et du cinéma moscovites circulera long-temps l'histoire d'une jeune et jolie actrice que j'appellerai, par discrétion, L... Invitée à dîner par Béria, elle a la mauvaise surprise de se trouver tête à tête avec lui. Dès le dessert, il se montre si pressant et si laid qu'elle se sauve, se retrouve, à sa grande surprise, dans la rue avant que personne ait songé à la retenir. Un chauffeur l'attend déjà, trouve que les choses sont allées un peu vite ce soir mais, impassible, lui tend un gros bouquet de fleurs. C'est l'une des galanteries habituelles de Laurent Béria après ses rendez-vous.

Passablement perdue, L... regarde autour d'elle, aperçoit brillant dans la nuit, le lorgnon de Béria qui l'observe du balcon de l'*ossobniak*.

« Tiens, il y a même des fleurs », bafouille-t-elle.

Du balcon tombe une grosse voix lugubre à l'accent géorgien :

« *Eto ne bouket, a venok*. Pas des fleurs, une couronne. »

Quelques jours plus tard, L... est arrêtée.

Béria a des soucis mortels. Son empire policier lui échappe. Jusqu'ici, il avait gardé le contrôle absolu du M. G. B. [1] à la tête duquel il avait fait nommer son protégé Abakoumov. Or Aba-koumov est sur le point d'être limogé et, dans tous les services, la chasse aux hommes de Béria se prépare.

En Géorgie, son pays natal et sa base arrière, ses partisans sont décimés à la suite de « l'affaire mingrélienne » — autre affaire de complot « proturc ».

Staline lui reproche les retards dans la construction de la

---

1. M. G. B, : Ministère de la Sécurité d'État. Un des deux ministères issus, après le guerre, de l'éclatement de l'ancien N.K.V.D.

bombe H qui devrait, d'après lui, être prête depuis longtemps (ce secteur de la recherche atomique est confié à Béria).

En somme, lui aussi commence à faire partie — malgré ses cinquante-trois ans — de la vieille génération qui fera les frais de la prochaine relève.

A moins que... Staline est vieux, malade. Dans son entourage, presque personne n'est assez impie pour évoquer la mort du dieu. Béria, lui, est assez cynique pour se dire que la disparition du chef pourrait le sauver, comme le gong sauve un boxeur à bout de souffle.

En attendant, il se garde. Il n'est pas, comme Molotov, de la race des martyrs qui posent la tête sur le billot. Il n'est pas de ces vieux bolcheviks qui sont prêts à confesser n'importe quel crime extravagant, s'ils pensent que l'honneur du parti le veut. Lui ne s'embarrasse d'aucune foi. Il se battra. Dans l'*ossobniak* des petits soupers, des souterrains partent des caves, vers on ne sait où.

5

UN JEUNE DIRIGEANT

Le neuvième à la gauche de Staline, à la tribune de Touchino, est Alexis Kossyguine. Un visage un peu triste, pâle sous un feutre à large bord.

A quarante-huit ans, il est d'une génération différente de celle des Molotov, des Mikoyan. Ce technicien de l'économie et des finances représente, par rapport à ses aînés, un personnage entièrement original. Mais, comme eux, il est un survivant. Il vient d'échapper à la grande épuration de l'après-guerre : celle de Leningrad.

Leningrad est sa ville natale. Il y est venu au monde en 1904, quand elle était encore la capitale de la Russie et s'appelait Saint-Pétersbourg. Il en était le maire à trente-quatre ans. Il en avait trente-six quand Staline l'a nommé vice-président du Conseil. Il porte, depuis douze ans déjà, sans interruption, ce titre qu'il partage avec Mikoyan, Béria, Vorochilov, et quelques autres seigneurs. Carrière d'autant plus éclatante que l'homme paraît sans éclat. D'autant plus rapide qu'elle a commencé assez tard, et bas.

Au départ, la biographie modèle du jeune bolchevik. Fils d'ouvrier, Alexis Nicolaevitch Kossyguine s'engage dans l'Armée rouge à quinze ans, entre au parti à vingt-trois. Mais il ne choisit pas la voie royale : l'appareil, la carrière de fonctionnaire du P. C. Il préfère les ateliers crasseux aux bureaux confortables, la technique de la production à la technique de la politique. A trente ans passés, il complète son instruction, passe un diplôme d'ingénieur des textiles. Il n'est alors qu'un tout petit technicien. Deux ans plus tard, le voici directeur d'une des plus grandes usines de Leningrad. Et brusquement, il s'envole vers les sommets.

Dans cette brusque accélération, on discerne, bien sûr, l'appel du vide. Les purges ont créé à tous les postes de responsabilité des trous qu'il faut bien combler, et au plus vite. Mais, dans le cas de Kossyguine, on entrevoit aussi l'honnêteté dans le travail, le goût des solutions précises.

Staline voit en lui un technicien. En plus de la vice-présidence du gouvernement, qui est surtout un titre honorifique, il l'accable de responsabilités concrètes. Le portefeuille de l'Industrie textile, d'abord. Puis, après un bref passage aux Finances, celui de l'Industrie légère. Cette industrie-là est la mal-aimée. Il faut, pour en accepter la charge, un peu d'humilité ou beaucoup d'orgueil.

Habiller les Soviétiques, leur fournir des objets de consommation, sont des occupations futiles, selon Staline qui ne pense qu'en tonnes d'acier. Ce sont, en principe, les occupations de Kossyguine. Elles devraient donc le tenir à l'écart des vrais problèmes, des questions sérieuses : celles de la Défense nationale. Pourtant, lorsque Staline rendit visite, en 1947, à la flotte de la mer Noire, Kossyguine était le seul civil présent à ses côtés, modeste complet gris au milieu d'un scintillement d'épaulettes. En fait, rien n'est certain dans ce pays où le ministère des Machines agricoles fabrique des pièces pour radars. Dans ce camouflage institutionnalisé, il n'est pas facile de dire qui s'occupe de quoi.

Un point ne prête pas à discussion : Kossyguine vole très haut. En 1950, une plaquette, signée de lui, et intitulée *Nous devons nos succès au grand Staline* a été diffusée dans le monde entier, en de nombreuses langues. Il va de soi que n'importe qui n'est pas admis à rendre de tels hommages. Quelques autres brochures semblables ont été répandues à travers la planète pour célébrer les soixante-dix ans du Guide. De Khrouchtchev *(L'Amitié stalinienne des peuples, gage de l'invincibilité de notre pays)* à Malenkov *(Le Camarade Staline, guide de l'humanité progressiste)* en passant par Béria, Boulganine, Kaganovitch, Chvernik, rien que des grands parmi les signataires. Kossyguine est des leurs.

Au sein du parti, sa progression a, bien entendu, marché de pair avec son ascension gouvernementale. Il est au Comité central dès 1939 puis, à partir de 1946, dans le saint des saints — le Politburo — d'abord comme membre suppléant, puis comme titulaire en 1948. Pas d'autre carrière possible en U. R. S. S., où seul le parti consacre. Il reste pourtant un homme de la production, non un idéologue. Le marxisme est son outil. Le marxisme met entre ses mains l'énorme machine de l'économie d'Etat.

Ce faux mou, à la poignée de main réticente, est un coriace, rivé à son bureau quatorze heures par jour et y prenant plaisir. En d'autres temps, il aurait été un grand commis, un Colbert. Dans le visage très pâle, toujours ravagé par les soucis, les yeux froids appellent la réponse nette. Il connaît les dossiers et exige qu'on les possède aussi.

Ce n'est pas un libéral. Il croit que ses compatriotes ont besoin d'une poigne pour les diriger. Un visiteur des années 50 lui exprime un jour, en tête à tête, l'espoir que le régime va se détendre un peu. Il se souvient encore de la réponse presque indignée :

« Vous êtes fou! Nos Russes s'entr'égorgeraient. »

Il a le goût des formules brèves où son pessimisme, parfois, se sublime en humour.

Il préfère le pouvoir à ses apparences, s'accommode du second plan, laisse volontiers l'éclat aux autres. Tant de zèle, associé à une ambition si prudemment mesurée, avaient de quoi séduire Staline qui a beaucoup poussé ce jeune homme sage aux cheveux en brosse.

Mais son tort fut d'être né à Leningrad, d'y avoir débuté. Car Leningrad appartenait à Jdanov, personnage considérable et remuant qui portait ombrage à Malenkov, toujours enclin à se considérer comme le seul dauphin possible. Lorsque Jdanov est mort, en 1948, Malenkov s'est acharné contre son entourage. Béria — qui fait souvent équipe avec lui — l'appuyait dans cette épuration, et sans doute aussi Souslov. Staline leur avait donné sa bénédiction : il jugeait que le temps de la rigueur était revenu après le laxisme — bien relatif — qui s'était emparé des cadres, dans l'euphorie de la victoire. D'ailleurs, Staline n'aime pas Leningrad. Cette ville admirable, ce rêve de pierre et d'eau, est une porte ouverte aux vents du large et de l'Europe. C'est là que naissent les révolutions; il ne l'oublie jamais.

Quatre-vingt-dix pour cent de l'appareil du parti de Leningrad a disparu; ainsi que des milliers d'officiers, de fonctionnaires, de dirigeants économiques, d'enseignants. On a vu renaître l'atmosphère de 1936, avec les arrestations à l'aube — et le silence des survivants qui feignent de ne pas remarquer les vides.

Kossyguine avait coopéré avec Jdanov pendant le siège de Leningrad. La guerre finie, et quoiqu'il volât maintenant de ses propres ailes, il était vaguement resté dans la mouvance jdanovienne. Et puis, il est de Leningrad et cela se voit. Il en a l'accent, le type, cette allure citadine qui distingue si aisément le Leningradois du Moscovite, plus chaleureux mais plus rustaud.

De surcroît, comment ne pas gêner, quand on est le représentant type de ces nouveaux venus, qui bousculent les aînés de leur compétence technique toute neuve? Bref, il avait tout pour être frappé.

Travaillant beaucoup et se montrant peu, trop solitaire pour s'engager entièrement dans une intrigue et s'y laisser piéger, il a échappé à la mort. Mais il n'a pas évité la défaveur. Toujours en place, il sent le vide se creuser sous lui. On s'écarte, par prudence. Ses attributions rétrécissent.

Il laisse passer l'orage avec une ténacité calme et crispée, avec sa façon très personnelle de toujours croire au pire, mais de ne jamais s'y résigner. Il a — et il aura toujours — l'angoisse sur le visage. Mais il est inébranlable comme une banquise.

6

UN ÉTÉ AUX CHAMPS

C'est la saison des champs. En Ukraine, au Kouban, en Russie centrale, dans l'Altaï, les blés jaunissent. La presse publie, en première page, des *Lettres à Staline* où les kolkhoziens chantent leur amour et leur bonheur.

Cela commence par un acte d'adoration :

« Cher Joseph Vissarionovitch,
« Nous, travailleurs des campagnes, kolkhoziens et kolkho-
ziennes, travailleurs des M. T. S. [1]*, des sovkhozes, des coopéra-*
tives forestières, spécialistes de l'agriculture de la région de
Riazan, nous vous envoyons, à vous, sage guide, maître et ami,
inspirateur génial et organisateur des victoires du communisme
dans notre pays, notre ardent salut et nos souhaits chaleureux
de longues, très longues années de vie et de santé pour le bien et
le bonheur du peuple soviétique et de toute l'humanité progres-
siste qui combat pour la paix dans le monde [2]*. »*

Puis vient le compte rendu d'activité :

« Joseph Vissarionovitch, suivant vos indications concernant
le développement de l'agriculture dans la région de Riazan,
grâce à l'attention constante et à l'immense aide matérielle et
technique que leur apportent le parti, le gouvernement, et que
vous leur apportez personnellement, camarade Staline, les kol-
khoziens, kolkhoziennes, travailleurs des M. T. S. et des sovkho-

---

1. Stations de machines et de tracteurs.
2. *Pravda*, 14 juillet 1952. Des lettres semblables ont également paru dans les journaux des 4, 18, 24 et 25 juillet 1952.

zes ont, sur la base de l'émulation socialiste pour accomplir les engagements contractés envers vous en 1951, réalisé de nouveaux progrès. »

Suit une triomphale avalanche de chiffres qu'on me pardonnera de ne pas citer entièrement : il y en a huit colonnes. Quintaux, tonnes ou *pouds* [1] de grain, de betteraves, de pommes de terre, d'oignons, de choux, de fourrage, de lait, de beurre, prolifération du bétail, milliers d'hectares de prairies amendées ou de friches débroussaillées, dizaines de villages électrifiés : l'image d'une terre grasse et comblée.

Et les engagements pour l'avenir : nous ferons encore mieux. De nouveau, des chiffres, des chiffres, des chiffres. Chaque district y va de ses promesses particulières. Y compris le kolkhoze « Khrouchtchev » qui promet au camarade Staline de produire plus de *makhorka* — le tabac grossier que roulent les paysans.

Un lyrisme entraînant, sympathique. Pourtant, les chiffres inquiètent, à bien les regarder. Ou bien un flou savant, des pourcentages triomphaux mais invérifiables. Ou bien, une alarmante modestie. Quatre-vingts *pouds* de blé à l'hectare, promettent solennellement les kolkhoziens. Fière détermination. Mais cela ne fait que 13 quintaux à l'hectare. Domptées par la génétique mitchourinienne, les vaches devront donner de 2 500 à 4 000 litres de lait par an. Où est le record ? — à supposer que l'engagement soit tenu.

Car on lit depuis vingt ans, chaque été, les mêmes promesses jamais accomplies. La prospérité est toujours pour demain.

Un jeune ouvrier soviétique est désigné, cet été-là, avec quelques camarades d'usine, pour aller aider aux travaux des champs.

C'est la coutume. Année après année, l'industrie, l'armée, les étudiants doivent fournir de la main-d'œuvre pour la récolte. Les paysans ne sont jamais assez nombreux. La raison de cette insuffisance échappe, d'abord, car l'Union soviétique a, dans

---

1. *Poud* : 16,38 kilogrammes.

cette Europe de l'après-guerre, et de loin, l'un des plus forts pourcentages de population rurale.

Notre ouvrier arrive dans un kolkhoze de Russie centrale. Il trouve un village de Gogol. Trois cents âmes. Des isbas en rondins de part et d'autre d'une rue en terre, tantôt boueuse, tantôt blanche de poussière. Mais les isbas croulent de vétusté, les beaux encadrements en bois sculpté, autour des fenêtres, n'ont pas été repeints depuis des lustres. Et, dans la mare encombrée de lentilles d'eau, on ne voit plus barboter les canards au brillant plumage, orgueil des campagnes russes.

Plus d'hommes, non plus, ou si peu : le sexe fort ne compte qu'une vingtaine de représentants. Ils détiennent les postes qui supposent une compétence technique ou une autorité : président du kolkhoze, comptable, secrétaire, mécanicien. Tout le reste repose sur les *babi*, les bonnes femmes, quinze fois plus nombreuses.

Et notre citadin — qui n'a pas oublié, vingt ans plus tard, son étonnement du premier jour — raconte son expérience rurale :

« On me loge, avec mes camarades, chez une paysanne chargée de nous héberger. La nourriture est tous les jours la même. L'hôtesse verse pêle-mêle dans un pot en fonte, de l'eau, du lait, de la farine, des pommes de terre (et surtout des épluchures de pommes de terre). Elle y rajoute quelques morceaux de poisson quand les gosses ont braconné en tendant leurs filets le matin, dans la rivière. Le pot de fonte s'en va dans le grand poêle en terre réfractaire — le poêle russe qui chauffe l'isba, l'hiver, et sur lequel on peut dormir. Il y reste des heures. Quand on l'en sort, le contenu est devenu une sorte d'amidon, assez collant. Aucun goût qu'on puisse définir. Au bout de quinze jours de ce plat unique, il faudra m'évacuer sur l'hôpital le plus proche.

« Nous avons droit aussi à du pain. Malheureusement, l' "atelier de panification" du kolkhoze triche sur les "normes", c'est-à-dire qu'il vole de la farine et rajoute de l'eau. C'est à l'extérieur, très noir, très dur. Mais quand le couteau arrive à l'intérieur, l'eau suinte. En supplément, de menus brins de paille mélangés à la mie.

« Quand nous grognons, les paysannes nous considèrent avec

un mélange d'envie et de dédain : "Vous, les gars de la ville, vous êtes de fines bouches."

« Dans l'isba, aucun éclairage électrique; quelques vieux meubles misérables, quelques coffres. Mais, dans la rue, des haut-parleurs, branchés sur le récepteur collectif du village retransmettent Radio-Moscou. La propagande est toujours prioritaire.

« On m'affecte au vannage, qui se pratique encore à l'ancienne : avec une longue pelle de bois, je jette le grain en l'air. Il danse dans le soleil comme une neige de juillet. Puis le vent fait le reste, le son et le grain retombant en deux tas séparés. Je travaille ensuite aux livraisons. Les camions sèment généreusement du grain derrière eux, sur la route, ce qui ne tire pas à conséquence. En revanche, nous devons prendre garde aux vols, tant que le silo n'a pas signé le bon de réception. Toute une nuit, du crépuscule à l'aube, j'ai tourné autour d'un grand tas de blé, un fusil à la bretelle. Je n'en menais pas large : si des voleurs avaient emporté le grain, je n'y coupais pas de mes dix années de camp. J'avais dix-huit ans. »

Les nuits russes de ce temps sont pleines de ces silhouettes hérissées de fusils, qui veillent dans les gares, défendant le blé contre les pillards.

Le glanage est interdit. Ramasser des épis tombés constitue — ô Booz — une « dilapidation de la propriété socialiste ». Coût : six à dix ans de détention.

« Le matin, raconte encore le témoin, les chefs d'équipe viennent cogner à la porte des isbas : "Marthe, Eudoxie, Malania, au travail!" Les femmes glapissent, s'inventent des kyrielles de maladies. Si elles peuvent couper au travail, elles s'enfoncent dans la forêt, y ramassent les baies rouges et brunes qu'elles vont vendre au chef-lieu. Elles peuvent ainsi acheter du pain de la ville, plus comestible que celui du kolkhoze. »

Tous les souvenirs de cet été 1952 réveillent la même misère nue. Une jeune fille de Novossibirsk, élève de la dernière classe, s'en va elle aussi travailler aux champs. C'est une gamine, loyale, enthousiaste. Elle part contente de voir la terre, d'être utile. Mais dans ses lettres à sa famille, elle avoue qu'elle a faim. « J'ai très envie de sucre. Vous pourriez peut-être m'envoyer quelques paquets de bonbons; cela en tiendrait lieu. » En rentrant chez elle, au bout d'un mois, elle dévore sans mot dire la provision de sucre du logis. La famille commente : « Les kolkhozes faisaient pourtant le maximum pour les étudiants; on leur donnait du lait à boire. »

Ces villages où l'on envoie les citadins sont les plus présentables. Dans d'autres, on vit plus mal que dans les camps de concentration. Quelques mois plus tard, en janvier 1953, 50 détenus politiques fraîchement libérés arrivent dans un kolkhoze sibérien du district de Kazatchinskoïé. Ils ont purgé leur peine mais, suivant l'usage du temps, restent en résidence forcée [1]. On les a désignés pour travailler là.

Ils se regardent, épouvantés : « Au camp, au moins, nous avions des châlits pour dormir et de la soupe tous les jours. » Les villageois font cercle autour de ces arrivants, vêtus des nippes immondes du bagne : « Ça, c'est des vêtements. Voilà des gens habillés comme il faut. » Ils essaient inlassablement de leur acheter leurs chaussures.

Le lendemain, Ignacy Szenfeld, un déporté d'origine polonaise, se présente aux autorités : « Remettez-moi en prison. Jugez-moi, redonnez-moi dix ans. Je ne resterai pas à ce kolkhoze. Ce kolkhoze, c'est la mort. »

Au Kouban, en Moldavie, là où la terre est meilleure, on vit moins mal. Aucun paysan ne vit convenablement. D'ailleurs, les kolkhoziens ne reçoivent, en général, pas un kopek de rétribution.

Le kolkhoze — coopérative de producteurs — vend sa récolte à l'Etat et répartit, théoriquement, le bénéfice entre ses membres. En pratique, les prix imposés sont si bas et les charges si lourdes qu'il n'y a pas de bénéfice, qu'il n'y a rien à répartir. Dans un village de la Moyenne-Volga, les paysans n'ont pas reçu d'argent en 1949, 1950 et 1951. En 1952, le comptable

---

1. Dans cette situation, on n'est plus un *zaklioutchionny,* un détenu, mais un *ssylny,* un déporté.

leur octroie une « avance » de quelques roubles [1]. « Pas moyen de faire mieux pour l'instant. » Seuls les « gros bonnets » du kolkhoze, président, brigadiers, etc. sont payés régulièrement.

Les moujiks grognent un peu, pour la forme. Leurs aïeux serfs, ont cultivé la terre du seigneur jusqu'en 1861. Puis ils ont cultivé la terre du *mir* — la communauté paysanne. Au début du siècle, les plus malins ont eu la possibilité d'acquérir quelques hectares en propre. Après quoi, la collectivisation a tout repris. Ces paysans n'ont dans le sang aucune expérience de la propriété, aucune pratique de la liberté. Et, depuis toujours, ils ont l'habitude d'accueillir le malheur comme un frère.

A défaut de paiement en argent, ils reçoivent un paiement en nature qui est misérable. Le kolkhoze leur donne un peu de blé, en principe une fois par an. Quelques dizaines de kilos contre leurs *troudodni* de l'année — ces « journées-travail » qui comptabilisent leurs prestations, et que le comptable inscrit si soigneusement dans ses livres. Ils échangent le blé contre un peu de farine ou le consomment directement, après l'avoir fait bouillir [2].

En fait, ils ne survivent que grâce à leur enclos individuel. Le kolkhoze attribue, à chaque famille, son lopin. Elle y plante ses pommes de terre, y élève sa vache. La vache, c'est la vie : du lait, du fumier pour l'enclos, un veau. Les riches s'achètent aussi un porc qu'ils soignent comme un fils. L. S... une déportée, qui vivait chez des paysans sibériens en 1952, se souvient du cochon de la famille :

« Il se chauffait avec nous près du poêle. Il demandait à sortir pour faire ses besoins. Si gentil, si propre! »

Les roubles que la coopérative ne leur paie pas, les paysans essaient de les gagner au marché kolkhozien — le marché libre officiellement toléré. Ils vont y vendre, le plus cher possible,

---

1. Il s'agit de l'ancien rouble, antérieur à la réforme monétaire de 1961. Cet ancien rouble, qui valait le dixième du rouble actuel, représente, approximativement, soixante centimes 1973.

2. Les kolkhoziens reçoivent, maintenant, un salaire en argent, avec un minimum garanti — très modeste, il est vrai — contrairement à ce qui se pratiquait du temps de Staline.

quelques produits de l'enclos, un peu du lait de la vache, les champignons qu'ils cueillent dans les prés, de grossiers objets artisanaux qu'ils fabriquent les soirs d'hiver. En Sibérie, les vieilles proposent des châles qu'elles tissent avec le poil de leur chèvre ou de leurs lapins.

L'argent passe presque entièrement en achats de pain.

Pour oublier, il y a le *samogon,* le tord-boyaux, qu'on fabrique soi-même, en distillant les pommes de terre gelées.

Sur les terres collectives, on sème et on moissonne par crainte du gendarme. Aucun gain à en attendre, mais si les quantités imposées n'étaient pas récoltées, les sanctions pleuvraient.

Ce système de pure contrainte est économiquement désastreux. Un paysan russe produit à cette époque de quoi nourrir quatre personnes, alors qu'un paysan américain en nourrit déjà plus de vingt.

Le dernier contact de Staline avec les campagnes date de 1928. Cette année-là, il fit une tournée de trois semaines en Sibérie pour s'occuper des livraisons de blé. On ne l'a jamais revu, depuis, dans un village.

En 1928, les terres n'étaient pas collectivisées. Les paysans restaient, dans une large mesure, les maîtres de leur production. Et ils se trouvaient en conflit aigu avec l'Etat. L'approvisionnement des villes en blé était déficient. Les historiens ont étudié, depuis, les raisons de cette crise des livraisons qui étaient nombreuses : crise de confiance, économie détériorée, prix du blé fixé très bas.

Le malheur historique de la paysannerie soviétique, à ce moment, fut de trouver en face d'elle un esprit fruste. Staline, tacticien génial, est tout le contraire d'un virtuose de l'économie, d'une intelligence déliée et inventive. Il n'aime pas embrasser une situation dans sa complexité, préfère le couteau simplificateur. Devant une agriculture à réinventer après la pause de la N.E.P., il a utilisé la seule méthode à laquelle il croie : la contrainte.

65

3

En 1929, il a décrété que la collectivisation des terres serait accélérée de gré ou de force. Quatre ans plus tard, il ne restait plus une exploitation privée digne d'être mentionnée.

Lénine, qui avait prévu que l'opération demanderait une ou deux décennies, qui avait recommandé de ne pas pousser les paysans dans les kolkhozes comme du bétail, se trouvait manifestement dépassé par le tranchant génie de son successeur. On pavoisa.

En 1952, vingt ans plus tard, le « statut stalinien de l'artel agricole » reste la règle d'or.

Mais les paysans se souviennent qu'il a été imposé dans la terreur et dans le sang. Ils se souviennent que la police, l'armée, toutes les forces dont disposait le pouvoir ont été lâchées contre les campagnes. Ils se souviennent que l'on a fusillé, mitraillé, sabré, pendu et noyé. Que l'on a déporté par familles, par villages, par millions — et que très peu sont revenus. L'ennemi désigné était le « *koulak* », le paysan riche. Mais les paysans moyens et même pauvres ont été frappés avec lui — parce qu'eux aussi se sont montrés rétifs.

Au printemps de 1933, Staline a déclaré que, la partie étant gagnée, le temps de la clémence était venu. Dans une instruction secrète signée par Molotov et par lui-même, il déclarait :

« *A la suite de nos succès dans les campagnes, le moment est venu où nous n'avons plus besoin de répressions massives.* »

Il a demandé qu'on mette fin à la « *bacchanale d'arrestations* ». Pour les déportations en Sibérie, il a fixé des quota à ne pas dépasser : 2 000 familles en Ukraine, 1 000 dans le Caucase du Nord, 1 000 dans la Moyenne-Volga, etc. Il a ordonné qu'on « *désencombre* » les prisons en réduisant le nombre de leurs détenus de 800 000 à 400 000. Il a même prescrit d'y lutter contre le typhus exanthématique [1].

C'était un peu tard. La famine avait pris le relais des détachements de répression. Au printemps 1933, en Ukraine, les paysans sont morts de faim par dizaines et par dizaines de milliers.

---

1. Archives de Smolensk. Instruction P. 6028 du 8 mai 1933.

L'armée est venue faire les moissons, brûler les cadavres et désinfecter les chaumières [1].

Des sources officielles soviétiques évaluent à cinq millions le nombre des « koulaks » morts ou déportés. Mais Staline a dit à Churchill, un soir de confidence, qu'il s'était heurté, pendant la collectivisation, à dix millions d'adversaires. Et l'on sait ce qu'il fait habituellement de ses adversaires [2].

Tout cela a laissé les lourdes rancœurs qu'on imagine. En 1941, en Ukraine, l'arrivée des Allemands les a fait exploser en hideuses représailles. C'est parmi les familles des koulaks — ou pseudo-koulaks — martyrisés au début des années 30 que se sont recrutés les pires collaborateurs de l'occupant.

En cet été 1952, l'ordre règne à nouveau. La moisson est une cérémonie, un rite que la peinture et la pellicule célèbrent à l'envie : escadrons de moissonneuses-batteuses, surmontées de drapeaux rouges, s'enfonçant dans une mer dorée de blés. Et de belles kolkhoziennes, le fichu sur la tête, rayonnantes de confiance, de force.

Les résultats ne sont pas à la hauteur de ce lyrisme obligé. Malgré le dieu Tracteur, symbole du régime nouveau (qu'on produit, à vrai dire, de façon tout à fait insuffisante, tant en quantité qu'en qualité) la terre ne donne jamais assez de grain. Pour les ménagères soviétiques, la farine reste l'article rare qu'on débloque dans les magasins une fois ou deux par an, avant les fêtes. Le reste du temps, on n'en trouve qu'au marché

---

1. La répression « antikoulak » et la famine de 1932-1933 ont été deux des phénomènes les mieux cachés des années 30. Un médecin ukrainien m'a expliqué comment les hôpitaux avaient interdiction absolue de signaler les cas de mort par malnutrition. Il fallait porter dans les registres une maladie quelconque.

Trente ans plus tard, les écrivains soviétiques se sont mis à parler de la grande famine, avec un luxe de détails presque insupportable. C'est le cas notamment de Mikhaïl Alexeïev, de V. Tendriakov (publiés en U. R. S. S.) et de Vassili Grossman — publié en Occident.

2. Winston Churchill, *The Second World War*, t. IV.

noir. Pour la viande et le lait, c'est pire. Il y a moins de bêtes par millier d'habitants qu'en 1916, dernière année de la Russie tsariste à l'agonie [1]. Pour fournir aux villes un ravitaillement piteux, les campagnes doivent être saignées à blanc.

Pendant l'hiver 1946-1947, la famine a frappé de nouveau. En Ukraine, en Biélorussie, dévastées par la guerre, une grande sécheresse a suffi pour faire reparaître les moribonds aux yeux énormes, au ventre gonflé par l'œdème de la faim. De répugnantes histoires ont recommencé à courir, comme en 1933, sur des cas de cannibalisme.

Staline n'en a rien voulu savoir. Pendant l'été 1946, faisant route vers une de ses datchas du Midi, il avait reçu des délégations de notables ukrainiens venues lui présenter des melons juteux, des pastèques obèses, des gerbes de blé aux épis énormes. La campagne devait être riche puisqu'on le lui disait.

Les films qu'il se fait projeter dans sa salle de cinéma du Kremlin dépeignent d'ailleurs cette abondance de façon circonstanciée. Djilas, qui a assisté à ses côtés à la projection d'un de ces films sur le bonheur kolkhozien, a noté qu'il réagissait devant l'écran, « à la manière d'un homme sans éducation qui confond vérité artistique et réalité ».

Staline aime beaucoup les histoires de vachères héroïques et de robustes laboureurs. Il a donné des ordres pour que, chaque année, les studios soviétiques consacrent au moins une grande production à ces héros positifs (ce qui est considérable car, à l'époque, on tourne très peu en U. R. S. S.). Il a apprécié en particulier *Les Cosaques du Kouban*, de Pyriev, où se trouve l'habituel morceau de bravoure : un festin au village, vraie noce flamande.

L'histoire non écrite du cinéma soviétique dit que, pour filmer cette séquence, il a fallu expédier vers le lieu du tournage — sur réquisition et ordre exprès du Kremlin — deux wagons de victuailles. Elle ajoute que les enfants, les chiens et les chats du village, affolés par ces splendeurs qu'ils n'avaient jamais

---

1. Voir notamment les précisions données par Khrouchtchev un an plus tard, en septembre 1953, devant le Comité central.

vues, faillirent compromettre la réalisation. Chaque fois que le cadrage était fait, que l'on avait crié « moteur » et que les caméras ronronnaient, ils surgissaient d'on ne sait où pour rafler dindes et jambons. Pyriev, metteur en scène du type jupitérien, célèbre pour ses colères, dut sévir.

Longtemps, ses bons confrères de Moscou racontèrent qu'il s'était laissé aller à tuer deux chats de sa main.

S'il aime les paysans d'opérette, Staline se méfie des vrais paysans qu'il juge fuyants, insaisissables et anarchiques. Inlassablement, il les fait rappeler à l'ordre et morigéner. Les mêmes journaux qui brossent un tableau grandiose des succès agricoles stigmatisent les kolkhoziens arriérés et paresseux. La *Pravda* du 18 août 1952 n'en finit pas de décrire la pagaille géante qui sévit dans l'Altaï, les moissonneuses-batteuses immobilisées faute de pièces, le blé qui pourrit sur place, le grain qui attend les camions, les camions qui attendent les conducteurs, les conducteurs qui attendent les ordres. Elle s'étend sur le comportement d'un certain Kouliguine, directeur d'une M. T. S., qui se saoule des journées entières au lieu de se rendre au travail et laisse les machines dormir sous les hangars. Curieuse presse, qui pourfend dans une colonne ce qu'elle exalte dans la colonne voisine.

L'esprit de Staline travaille : le kolkhoze, après tout, avec ses maisons individuelles, ses enclos individuels, est un organisme bâtard, à mi-chemin de la vraie socialisation. Le sovkhose, voilà l'avenir : là, les paysans, au service d'une véritable ferme d'Etat, deviennent des ouvriers comme ceux des mines ou des fonderies. Plus aucune trace d'initiative privée.

Malheureusement, les sovkhozes, très minoritaires, n'ont aucune tendance à croître et à multiplier. Staline, comme toujours, songe à imposer ce qui ne se fait pas de plein gré. Il vient de rédiger un texte qui sera mis sous presse à la fin de l'été, et dans lequel il annonce que la fin de l'étape kolkhozienne est en vue :

« *Il s'agit de liquider les contradictions en transformant pro-*

gressivement la propriété kolkhozienne en propriété natio-
nale [1]. »

En attendant, l'on regroupe les kolkhozes en exploitations
plus étendues, pour mieux les encadrer, pour les doter d'une
bureaucratie plus rigoureuse. L'apôtre du regroupement est un
gros petit homme aux yeux malins dont la carrière n'éveille pas
grand intérêt chez les kremlinologues et qui se nomme Nikita
Khrouchtchev. Très attentif aux problèmes agricoles, parrain de
nombreuses fermes collectives qui portent son nom, il a inventé
les « agrovilles » — version khrouchtchévienne de la vieille
formule d'Alphonse Allais : « Mettre la ville à la campagne. » Il
s'agit de concentrer les agriculteurs dans de vastes ensembles de
type urbain. Malenkov et Béria se sont associés, comme ils le
font souvent, pour barrer la route à ce personnage un peu trop
pétulant et imaginatif : les projets d'agrovilles ont tendance à
regagner les tiroirs.

Que faire de plus? Alourdir les taxes des kolkhoziens? Staline
y songe.

Ce paysan famélique est un paysan surimposé. La grande
terreur annuelle est le passage, chaque automne, de l' « inspecteur des finances », qui parcourt les campagnes dans son petit
véhicule tout terrain. Il vient faire rentrer le *natournalog*,
l'impôt en nature. Il rafle les meilleurs produits des parcelles
individuelles, les quelques poulets, les quelques légumes.
Quiconque ne parvient pas à s'acquitter se voit confisquer son
enclos et sa vache, seuls moyens de faire vivre les siens.

Où sont les hommes? Les citadins qui vont aux champs
s'interrogent. Ils voient presque uniquement des femmes, des
veuves, des délaissées. Et des enfants qui courent tout l'été
pieds nus.

Beaucoup d'hommes, c'est vrai, ne sont pas rentrés de la
guerre. Mais ceux qui restent fuient vers les villes et les usines,

---

1. J. Staline : *Les Problèmes Économiques du Socialisme en U. R. S. S.*
(octobre 1952).

où l'on vit mieux. Le système de la *passeportisation,* institué par Staline depuis 1932, devrait théoriquement empêcher cet exode rural. Privé de passeport intérieur, le paysan ne peut s'établir en ville que lorsque les autorités le veulent bien — et leur tendance générale est de ne pas le vouloir. Mais l'ingéniosité humaine est grande, l'obstination paysanne infinie. Il existe beaucoup de trucs pour se procurer un passeport, ce précieux document qui transforme un homme de la terre en citadin. Même des moyens picaresques : près de Toula, un individu déterminé a boxé le secrétaire de son kolkhoze jusqu'à ce que la police se décide à venir l'arrêter. Car le certificat de libération qu'on reçoit à la sortie de prison peut ouvrir droit au passeport, si l'on sait s'en servir.

C'est surtout le service militaire qui vide les campagnes. Les usines, qui manquent elles aussi de bras, racolent les démobilisés à leur sortie de la caserne, offrent des places dans leurs dortoirs, avec le passeport à la clef. Ces laboureurs, encore à peine alphabétisés, ne constituent pourtant pas une main-d'œuvre très qualifiée. Certains, il est vrai, se forment vite : le peuple russe a souvent des mains d'or et un cerveau fécond.

Les femmes, non mobilisables, ont plus de mal à s'en aller. La meilleure solution, pour elles, est de se faire épouser par un citadin, un porteur de passeport. C'est la variante kolkhozienne du vieux conte de la bergère épousant un prince. Dans un kolkhoze de Sibérie, des paysannes de dix-sept ans s'offrent à des déportés chenus :

« Epouse-moi. Toi, on te rendra ton passeport un jour. Tu pourras partir et tu me tireras d'ici. »

Un autre témoin a vu les assemblées de jeunes, le soir, dans un village russe de 1952 :

« Les filles arrivaient à trouver deux ou trois garçons, pas encore partis pour le service, et les emmenaient danser sur l'aire de battage. Elles portaient les longues robes brodées traditionnelles avec, aux pieds, de vieilles bottes de soldats, qu'on entendait marteler le sol, tard dans la nuit.

« Elles chantaient des *tchastouchki,* très anciennes, naïves et grivoises.

« Cela sonnait triste. Les filles savaient que les garçons, leurs trois ou quatre années de service achevées[1], feraient tout pour ne pas revenir.

« Un jour, j'ai demandé à une femme : "Pourquoi vit-on si mal chez vous?" Elle m'a répondu :

« Ah! si mon fils qui est à l'armée pouvait dire à Staline que nous avons un mauvais président de kolkhoze, un mauvais secrétaire, alors, sûrement, Staline ferait quelque chose pour nous. »

---

1. La durée officielle du service, variable selon les armes, comporte fréquemment alors des « rallonges » non officielles (par exemple six mois de plus pour travailler aux champs, etc.).

7

UN VISITEUR AU KREMLIN

Le 22 août 1952, un peu avant dix heures du soir, une « Frégate » Renault portant un fanion tricolore se présente devant la porte Borovitski, au Kremlin. Louis Joxe, nouvel ambassadeur de France à Moscou, va être reçu par Staline.

L'événement est exceptionnel : le chef du gouvernement soviétique n'a vu, depuis le début de l'année, que trois visiteurs étrangers : un grand féal, Chou en-Laï, un « compagnon de route », Pietro Nenni, et un neutraliste, l'Indien Radhakrishnan. Il n'a pas pour habitude de s'entretenir avec les diplomates occidentaux. Sa dernière rencontre avec un ambassadeur de France, Yves Châtaigneau, remonte à 1948.

Cette entrevue, par le mystère qui l'entoure, a de quoi faire battre un peu le cœur du visiteur. Ce bel homme au visage léonin, cet agrégé d'histoire venu tôt à la politique et à la diplomatie, a pourtant l'habitude de l'impassibilité et la pratique des missions difficiles, depuis le temps où il était secrétaire général du Comité de Libération que présidait de Gaulle à Alger.

Louis Joxe a présenté ses lettres de créance à Chvernik, président du Praesidium du Soviet suprême, le 17 août. Jusque-là, rien que de banal. Mais, cinq jours plus tard, le service du protocole alertait dans le plus grand secret, l'ambassade de France, une des plus jolies ambassades de Moscou dans son *ossobniak* rose de la Bolchaïa Iakimanka [1]. Le camarade Sta-

---

1. Rebaptisée aujourd'hui rue Dimitrov.

line souhaitait voir Monsieur l'ambassadeur. Des coups de téléphone ont été échangés toute la journée, dans le mystère et la
confusion. Finalement, le rendez-vous s'est précisé : ce serait
pour le soir même.

Le Kremlin est alors une forteresse interdite. Le peuple russe
n'a pas le droit de voir les trésors d'art et d'histoire — son
histoire — qui sont enfermés dans ses murs crénelés. N'y pénè-
trent que ceux qui ont le lourd privilège d'y travailler, et les
rares invités. La garde aux portes est draconienne.

Une voiture pilote attend la voiture française et la conduit,
dans la nuit, le long des palais vides et des cathédrales désertes.
Dans les bâtiments administratifs, les fenêtres sont illuminées
comme elles le sont dans tous les ministères de Moscou.
L'insomnie de Staline tient éveillés, chaque nuit jusqu'à l'aube,
des dizaines de milliers de fonctionnaires, qui attendent les
ordres.

L'ancien sénat de Kazakov. Des généraux, des colonels. Au
premier étage, Staline attend. Il est vêtu, avec sa simplicité
ostentatoire, de son « french » gris-bleu.

Dans la grande pièce aux murs lambrissés de bois sombre
presque jusqu'à hauteur d'homme, l'ameublement est plus
simple encore. Au fond, le bureau de Staline, long, banal et sans
style. Dans un angle, un grand poêle russe en faïence blanche
monte jusqu'au plafond. Des voilages à l'italienne encadrés de
lourds rideaux sombres cachent à demi les fenêtres qui
regardent vers les cours intérieures du Kremlin. Aux murs, le
portrait de Lénine fait bon ménage avec ceux de deux généraux
des tsars : Souvorov, le bourreau de la Pologne, et Koutouzov
l'adversaire de Napoléon. Rien à dire du tapis ni des lustres : on
trouve les mêmes à des centaines d'exemplaires dans les hôtels
et les restaurants de Moscou.

Pas un objet personnel, pas de confort. Visiblement, le maître
des lieux ignore l'usage du fauteuil. Mais, dans une pièce atte-
nante, se dissimule un divan.

Dans cet espace à moitié vide, le seul meuble qui compte est
une vaste table de conférences, qu'entoure tout un peuple de
chaises.

Ils ne sont que six à y prendre place : Staline, son ministre des Affaires étrangères Vychinski, Louis Joxe, le premier conseiller Brionval et les deux interprètes, celui du Kremlin, et celui de l'ambassade.

Staline a l'air vieux, fatigué. Il a mauvais teint, mauvaise mine, et paraît plus que ses soixante-douze ans. En raccompagnant son hôte, il ne s'éloignera pas de la grande table, marchant tout près d'elle comme s'il craignait de manquer d'un point d'appui.

L'esprit reste souple, attentif. Dans sa façon de mener la conversation, courtoisement, mais à l'arraché, il y a de l'impétuosité contenue, du bond réfréné. Deux ou trois fois, les griffes sortent, puis se rétractent. Il déplore rudement le réarmement de l'Allemagne, demande des éclaircissements sur l'activité de l'OTAN. Louis Joxe pare de son mieux, assure que le pacte Atlantique ne menace personne. Staline écoute, concentré, sabrant une feuille de papier de grands traits verticaux, au crayon rouge. Puis il se tourne benoîtement vers Vychinski légèrement sidéré.

« Si l'OTAN est ce que dit M. l'ambassadeur, pourquoi n'y entrons-nous pas? »

Il continue l'entretien en zigzag, jouant au chat et à la souris. Dans les plis des paupières, dans les grosses rides qui tombent obliquement du nez vers la moustache, il y a comme une ironie perpétuellement réprimée. Non, sans malice, il fait comprendre qu'il est parfaitement informé de l'habitude qu'a son interlocuteur de se promener à pied dans Moscou. Puis il devient agressif, brusquement et sans grand motif. Il est en train de comparer les mérites du métro de Londres (il l'a connu en 1907) et ceux du métro moscovite. Conversation éminemment anodine et mondaine. Mais tout à coup, il fait la grosse voix : oui, ce pays avait beaucoup de retard sur l'Occident. Seulement, voilà, il l'a rattrapé depuis. Cela claque comme : à bon entendeur, salut. Et l'atmosphère se tend.

Cette susceptibilité de sous-développé ne dure d'ailleurs pas. Voici qu'il s'attendrit, avec des effets un peu gros, pour parler des aviateurs français qui se sont battus sur le front russe : « Je les aimais bien, *mes garçons* de *Normandie-Niemen*. »

Rien de concret n'arrive, ni proposition ni même sondage sur un point précis. Staline tourne autour du pot. De temps à autre, ses yeux jaunes, aux paupières inférieures relevées comme celles d'un oiseau, fixent l'interlocuteur avec une attention dure, méfiante. Puis il les baisse à nouveau sur son papier qu'il zèbre de traits rouges.

Andreï Vychinski paraît quelque peu absent, pas du tout passionné par cet entretien insolite.

Celui, qui avant de devenir ministre des Affaires étrangères, fut le procureur-bourreau des grands procès, celui qui traitait les accusés de rats ou de vipères, celui qui exigeait du sang, toujours du sang, se montre dans la conversation affable et d'excellentes manières. Il parle bien le français, ce qui trahit son origine bourgeoise. Contrairement à Molotov, toujours fasciné par son maître, il semble assez peu impressionné par Staline. C'est un monstre bien cuirassé.

L'interprète, lui, donne des signes de panique dès que le ton de la conversation monte un peu.

L'entretien tourne court au bout d'une demi-heure. Sensible à l'importance réelle des personnages, Staline n'a pas oublié de demander des nouvelles du général de Gaulle, qui a pourtant quitté le pouvoir depuis plus de six ans.

Dès le lendemain matin, les journaux soviétiques annoncent l'entrevue, en quatre lignes. La sensation est grande. Dans la rue, les Moscovites saluent la voiture de l'ambassadeur, reconnaissable à son drapeau tricolore (à l'époque les chefs des missions diplomatiques à Moscou doivent arborer constamment leurs couleurs). Mais les commentaires de presse sont plutôt sombres aux Etats-Unis et en Allemagne de l'Ouest. Le gouvernement de M. Pinay aurait-il l'intention de jouer double jeu vis-à-vis de ses alliés occidentaux? Ces hypothèses alimenteront, pendant quelques semaines, un climat de demi-suspicion.

L'important n'est évidemment pas ce qui s'est dit. L'important est que l'entretien ait eu lieu, que le chef du gouvernement soviétique ait donné cette marque d'attention à l'ambassadeur français, lui qui ne voit jamais ni l'américain ni le britannique.

Il sait la France frémissante et divisée devant le problème du réarmement allemand, de la Communauté européenne de défense. En recevant Louis Joxe, il a pris date à tout hasard.

L'année 1952 est celle où la diplomatie soviétique tente un dernier effort pour empêcher l'Allemagne de Bonn d'être réarmée. Vis-à-vis des Allemands, elle ébauche un marchandage : réunification de leur pays en échange de sa neutralisation. Vis-à-vis des Français, il n'est pas mauvais de souffler un peu sur les cendres de la grande alliance antinazie.

Peut-être Staline a-t-il aussi voulu se montrer, prouver qu'il est toujours là, malgré l'âge, que tout passe encore par lui.

Il a toujours eu le sens des petits gestes ambigus qui font rêver.

C'est le temps de la guerre froide. Le temps de la grande peur atomique. La couverture la plus traumatisante de l'époque a été celle du magazine *Collier's*, avec un montage photographique qui représentait un soldat de l'ONU occupant l'U. R. S. S. La presse soviétique, de son côté, déverse sur les Américains d'affolantes litanies d'injures. Un éditorial de la *Pravda* en donne le ton habituel : « *Il n'y a pas de limite aux crimes des agresseurs américains en Corée... Les agresseurs américains ont arraché un enfant des bras de sa mère, l'ont tué, lui ont arraché les yeux et ont voulu obliger la malheureuse mère à manger ces yeux*[1]. »

L'ONU est un champ clos dans lequel les adversaires se défient. L'administration Truman, qui arrive à la fin de son mandat, perfectionne le système d'alliances et de bases militaires entourant l'U. R. S. S. Et déjà, le général Eisenhower, candidat républicain à la présidence, est taxé par la *Pravda* de « vantardise hystérique ».

« *Buvez un verre d'eau fraîche, Ike, et remettez-vous*, écrit ce journal très officiel... *Le général Eisenhower n'a qu'à faire peur aux corneilles du potager si la politique d'intimidation lui plaît tellement*[2]. »

---

1. *Pravda*, 17 décembre 1952.
2. *Pravda*, 29 août 1952.

Un officier supérieur russe confie à Svetlana Staline, « ce serait le moment idéal pour nous lancer, pour en finir. En ce moment, nous sommes invincibles [1] ». Propos inconsidéré : la supériorité atomique américaine est manifeste. Mais les effectifs de l'armée soviétique dépassent quatre millions d'hommes.

En France, André Cayatte tourne *Avant le Déluge,* qui montre les ravages de la peur, le dégoût de la jeunesse devant les massacres annoncés : des jeunes gens essaient de fuir vers l'île déserte, vers le paradis préservé et vont jusqu'au crime pour réaliser leur projet. La presse de droite évoque « les cosaques baignant leurs chevaux dans la Seine », vieux souvenir napoléonien. L'on fait queue au service des visas de l'ambassade d'Espagne, à Paris, pour le cas où... Dans les milieux fortunés s'est même répandue la mode d'acheter des villas à Tanger, réputé lieu sûr; mais cet engouement commence à baisser en raison inverse de la montée du nationalisme marocain.

Repliée sur elle-même, l'U. R. S. S. pratique volontiers la politique de l'absence. Pourtant, pour la première fois, ses athlètes participent à des jeux Olympiques — ceux qui se déroulent à Helsinki en juillet et août 1952. Les journalistes soviétiques se haussent, d'emblée, à un niveau de chauvinisme encore plus criant que celui de leurs confrères occidentaux. Pavoisant à chaque victoire nationale, ils n'accordent que quelques lignes aux triomphes répétés du Tchécoslovaque Zatopek, pourtant citoyen d'un loyal pays socialiste.

Le Mouvement de la Paix est né de la peur du conflit atomique. Mais ce n'est pas une création spontanée. C'est une invention de Staline, qui a compris le parti qu'il pouvait tirer auprès des opinions occidentales du refus profond de l'holocauste. Les P. C. encadrent strictement le mouvement, mais des

---

1. Svetlana Alliluyeva, *Une seule année* (Éd. Robert Laffont-A. Michel).

78

catholiques, des libéraux y coopèrent avec les militants communistes. On ne peut mettre en doute l'émoi réel de ces intellectuels qui signent des centaines de pétitions et vont de meeting en meeting dénoncer le « revanchard » Adenauer. En France, la guerre d'Indochine est une raison d'union supplémentaire pour les « compagnons de route ». Jean-Paul Sartre lui-même, pourtant vilipendé par *L'Humanité*, est allé à l'Elysée porter à Vincent Auriol une pétition, demandant la libération d'Henri Martin, le quartier-maître communiste emprisonné pour avoir combattu la « sale guerre ».

A Marseille, les dockers se croisent les bras de temps à autre, refusant de charger le matériel militaire en partance pour l'Indochine où le corps expéditionnaire s'enlise dans les rizières, à la poursuite des divisions fantômes d'Hô Chi Minh.

En Corée rien ne bouge. Le front est immobile, les pourparlers d'armistices gelés. Mais brusquement, les radios communistes ont clamé à travers le monde un nouveau forfait dont les Américains se seraient rendus coupables. Des bacilles de la peste bubonique auraient été lancés sur la Corée du Nord et sur la Chine. Ces accusations trouvent en Occident, des autorités scientifiques pour les soutenir. Par exemple, Joliot-Curie, prix Nobel.

Les Soviétiques y croient. L'accusation de *vreditelstvo*, de sabotage criminel est l'un des ressorts du stalinisme. Voilà vingt ans qu'on parle en U. R. S. S. d'agents impérialistes jetant des clous dans les machines et du verre pilé dans la farine. Cette année-là, justement, les doryphores attaquent cruellement les champs de pommes de terre russes et biélorusses. Les kolkhoziens lèvent la tête : quelqu'un a entendu passer des avions l'autre nuit. Les doryphores sont sûrement américains.

Dans les villes françaises les murs des quartiers ouvriers se couvrent de *Yankee go home*. Jean Effel, caricaturiste aussi militant que fleur bleue, consacre un album entier à dénoncer les « nouveaux occupants » américains, qu'il compare simplement aux envahisseurs nazis. Lorsque le général Ridgway vient à Paris pour prendre ses nouvelles fonctions à l'OTAN, le P. C.

déclenche contre lui une des manifestations les plus dures de l'après-guerre. Son slogan : « Ridgway la Peste. » Matthew Ridgway a commandé en Corée. Selon les communistes, il est l'homme des fameux bacilles.

Les cégétistes, les métallos, les gars du bâtiment venus de La Courneuve ou de Saint-Denis ont convergé vers le centre de Paris le 28 mai 1952. Leurs colonnes bien organisées, d'esprit très offensif, se sont heurtées violemment à la police près de la place de la République. Les manches de pioches et les barres de fer qui portaient les pancartes sont devenus matraques. Et plus d'un casque de C. R. S. a été rapporté en trophée, le soir dans les banlieues. Beaucoup de blessés, des deux côtés. Et 718 arrestations, dont celle de Jacques Duclos, qui assure l'intérim de Maurice Thorez au secrétariat général du parti. L'on a trouvé dans sa voiture un revolver, une matraque et deux pigeons — destinés à des fins culinaires, et qui ont été suspectés à tort d'être voyageurs. Il n'a été remis en liberté que le 1er juillet.

On est pour ou contre l'Union soviétique. On est pour ou contre Staline, avec amour ou emportement. Lucien Barnier, qui militait alors au P. C., se souvient de ces temps passionnés : « *Staline, pour nous,* me dit-il, *c'est l'homme de bon sens et l'homme de cœur. C'est ce grand chef de guerre, ce génie qui ne peut se tromper, qui voit l'avenir. C'est cet homme qui aurait dû mourir dix fois, déporté, tuberculeux, et qui a vaincu même la mort. Alors, comme au fond de chacun de nous il y a le besoin du père — en particulier dans ma génération, où l'on compte tant d'orphelins de la guerre de 1914 — beaucoup d'entre nous ont adopté ce père-là. Nous le chérissons d'autant plus qu'il est lointain, qu'il devient mythique.*

« *Nous sommes tous marqués par le serment de Staline, sur la tombe de Lénine : "Nous sommes, nous, communistes, des gens faits d'une étoffe à part." C'est sans doute dans son enseignement la phrase la plus importante, à cause de son pouvoir d'entraînement. Nous avons accepté — et avec quelle fierté — d'être des gens d'une étoffe à part. Nous sommes des religieux; nous avons prononcé un vœu.*

« *Il y avait alors, dans le bureau de tout responsable commu-niste, un grand planisphère où les pays étaient indiqués en rouge. Cela ressemblait à un énorme léopard rouge, dont le ventre était en Asie, et qui poussait son museau jusqu'à Berlin, dans un bond qui ne pouvait être que victorieux. Et derrière cela — du Pacifique à Berlin — il y avait Staline. C'était son œuvre. Maurice Thorez était écarté de la lutte, mais nous avions Staline. Nous étions forts par lui.*

« *La presse capitaliste essayait de tourner en dérision notre foi dans le paradis sur terre, mais plus elle s'y efforçait et plus nous nous y accrochions.*

« *Je ne pouvais imaginer le pays de Staline que sous le signe de la prospérité, de la justice et du bonheur.* »

8

L'AUTRE PLANÈTE

Qui connaît le pays de Staline? Le rideau de fer ne laisse passer qu'une minuscule poignée de voyageurs, triés sur le volet. Même les militants communistes occidentaux ne sont admis en U. R. S. S. que de façon exceptionnelle.

Des témoignages à sens unique, des statistiques presque inexistantes. L'image du plus vaste pays du monde est incertaine, floue, embrumée de mystère. Reflets dans un miroir troublé. On ne sait pas, on croit savoir. Le *Figaro*[1] lui-même estime possible que « *l'on prépare à Moscou l'instauration du pain gratuit* ». C'est un conte, un mirage, que des économistes comme Romeuf et Bettelheim ont habillé d'une parure scientifique. En fait, les restaurants moscovites ont pratiqué quelque temps le système du « pain compris », ce qui a donné quelque poids à ces rumeurs. Mais des queues continuent à s'allonger dans les boulangeries pour acheter un pain toujours aussi cher, aussi noir. Et la production de blé demeure désespérément insuffisante. Peu importe, le « pain gratuit » rend l'Occident songeur. L'Union soviétique est la patrie du rêve.

Qui peut décrire l'U. R. S. S. de 1952 — à part les apologistes? Les très rares correspondants occidentaux vivent à Moscou comme des pestiférés de luxe, savamment isolés, coupés de

---

1. 12 décembre 1952.

toutes les sources, pêchant comme ils peuvent leurs informations dans la *Pravda*. La population les évite. Non sans raisons : l'article 58, paragraphe 4, du code criminel, prévoit les plus lourdes peines pour ceux qui ont « *collaboré avec la bourgeoisie internationale* ». Ce qui peut, à la rigueur, s'appliquer à un citoyen soviétique qui indique son chemin dans la rue à un Américain.

La loi interdit aux journalistes étrangers de s'adresser, tout simplement, aux hommes et aux femmes d'Union soviétique pour recueillir des informations. Celles-ci ne peuvent être obtenues que du gouvernement ou sous son contrôle. Même s'il s'agit d'interviewer un joueur de football, l'autorité politique a le droit d'organiser l'entretien, d'y être présente.

Visages de bois, interlocuteurs qui se dérobent, silences réticents, le correspondant vit au bord d'un monde lisse et fuyant, à la lisière d'une forêt dont il entrevoit à peine les profondeurs.

Le gouvernement donne l'autorisation de séjour à qui lui plaît, la reprend à qui ne lui plaît plus. Aussi, sur les quatre correspondants français admis à Moscou en 1952, trois sont-ils communistes. Les Américains ont droit à quatre journalistes non communistes, mais trois d'entre eux se trouvent dans une situation personnelle difficile, soumis à la pire des pressions. Ils ont épousé des Soviétiques. Et la loi stalinienne ne reconnaît pas les mariages mixtes. S'ils venaient à être expulsés — et c'est une menace suspendue au-dessus de leur tête à chaque seconde — leurs femmes et leurs enfants ne pourraient pas les suivre.

Du reste, les dépêches ne partent qu'après avoir été férocement censurées. Si vous téléphonez, vous devez vous en tenir au texte préalablement approuvé; la communication est coupée si, par inadvertance, vous rétablissez un mot rayé par le censeur. Quant aux télégrammes, il faut les laisser, dans le morose bâtiment gris du Télégraphe Central, aux mains de fonctionnaires plus moroses encore, sans savoir s'ils seront expédiés, ni dans quel état. Un correspondant américain, travaillé par le démon du *human touch*, crut bon, un jour, de faire précéder un commentaire politique de cette remarque descriptive : « *Le printemps est en avance à Moscou cette année.* » Le lendemain, son rédacteur en chef lui demandait des précisions sur un ton légèrement alarmé. Seule, la première phrase était passée.

Le 16 janvier 1952, le gouvernement soviétique a apporté de nouvelles limitations aux déplacements des diplomates étrangers. Sur les 1 500 villes soviétiques, une vingtaine leur restent accessibles — à condition, bien sûr, de prévenir à l'avance pour s'assurer que leur voyage est bien autorisé. Tout le reste est exclu une fois pour toutes : des agglomérations situées à 50 kilomètres de leur ambassade leur sont aussi interdites que la lune. Des mesures de rétorsion ont été prises par les 14 gouvernements atlantiques. En France, les diplomates soviétiques doivent désormais, eux aussi, demander une autorisation préalable quand ils dépassent les limites des trois départements de Seine, de Seine-et-Oise et de Seine-et-Marne. Leur vie reste néanmoins d'une fantaisie folle, comparée au vide sidéral dans lequel se meuvent leurs collègues occidentaux à Moscou. Les quelques Russes qui, pendant la guerre, fréquentaient les ambassades de l'Ouest, ont pris l'habitude de changer de trottoir quand ils aperçoivent leurs anciennes relations.

C'est à cet époque que l'ambassadeur américain George F. Kennan se laisse aller à faire une déclaration remarquée : « J'ai été interné par les nazis à Berlin, dit-il. La seule différence, c'est qu'à Moscou, et à condition de ne parler à personne, je puis me promener dans les rues. » A la suite de quoi les autorités soviétiques le déclareront *persona non grata*. L'ambassade des Etats-Unis restera sans titulaire, à partir d'octobre 1952, pendant plusieurs mois.

Cette ambassade américaine gêne d'ailleurs par sa situation même : ses fenêtres donnent sur le Kremlin — à distance respectueuse il est vrai — de même que celles de l'ambassade britannique. L'une et l'autre sont priées de déménager[1]. Sta-

---

1. L'ambassade américaine a effectivement déménagé. A son ancienne adresse, avenue Karl Marx, se trouve la direction de l'*Intourist*. L'ambassade britannique, elle, est restée à la place qu'elle occupait sous Staline, quai Maurice Thorez.

line juge-t-il ce voisinage peu convenable? Craint-il les regards indiscrets? Cède-t-il à l'obsession du fusil à lunette? Un peu plus éloignée du Kremlin mais située sur le trajet des cinq voitures noires, l'ambassade indienne est priée, elle aussi, de s'en aller.

Les quelques délégations admises — rarissime privilège — à effectuer un voyage d'études en U. R. S. S., sont surtout composées de communistes et de sympathisants. Elles voyagent pourtant sous cloche, jalousement protégées de la pollution, c'est-à-dire du contact individuel. Louis de Villefosse qui parcourt, ainsi, en août 1952, plusieurs milliers de kilomètres avec un groupe de « France-U. R. S. S. », ne parviendra jamais à avoir une conversation privée avec un Russe, ni à aller faire ses achats seul dans un magasin, ni même à se promener tranquillement, au hasard des rues de Moscou. Il y a toujours un berger pour faire rentrer la brebis dans le troupeau [1].

Ces rares délégations étrangères, invitées à admirer les réalisations soviétiques, s'étonnent que les dirigeants de l'usine « Staline » refusent de communiquer les chiffres de leur production, et ceux d' « Octobre rouge » l'effectif de leur personnel. Secrets d'Etat. Encore s'agit-il des usines-vitrines, celles qui sont immuablement désignées pour recevoir ces visites. L'industrie de pointe et la recherche s'entourent de barbelés, de miradors et de chiens policiers. Les instituts de recherche n'ont pas d'adresse mais des numéros, comme les secteurs postaux militaires.

Pour percer ces épaisseurs cotonneuses de mystère, les services de renseignements occidentaux ne négligent pas les petits moyens. Dans les camps soviétiques d'Allemagne de l'Est, leurs agents rôdent autour des feuillées. Car, parfois, un soldat utilise à des fins hygiéniques une lettre reçue des siens. Et, malgré les appels à la prudence, malgré la censure, il se glisse parfois dans ces correspondances un petit fait concret. Dans une région de Biélorussie, le bétail a la fièvre aphteuse. A Kiev, on se plaint

---

1. Louis de Villefosse, *L'Œuf de Wyasma* (Julliard).

d'une recrudescence des crimes crapuleux. Les lettres — dûment désinfectées — et leurs modestes secrets vont grossir les dossiers des spécialistes. Le renseignement n'a pas d'odeur.

Beaucoup de Français ont encore la tête bruissante du procès Kravchenko, qui s'est déroulé trois ans plus tôt. Deux thèses inconciliables s'y sont opposées. Les uns venaient dénoncer l'existence en U. R. S. S. d'un immense système concentrationnaire. Les autres haussaient les épaules avec fureur : sottises, grossiers mensonges. Il ne peut pas y avoir de camps de concentration dans un pays socialiste. Seulement des camps de rééducation où l'on remet quelques criminels dans le droit chemin, grâce aux bienfaits du travail. Qui croire? La question est poignante. Entre des affirmations si tranchées, il ne peut y avoir de moyen terme, de juste milieu.

Jean-Paul Sartre et Maurice Merleau-Ponty se sont rangés du côté de l'accusation. Ils ont parlé de dix millions de Russes réduits en esclavage. Ils ont écrit : « *Il n'y a pas de socialisme quand un citoyen sur vingt est au camp*[1]. » Formule vite étouffée sous un tonnerre de protestations.

L'Occident, à quelques exceptions près, ne sait rien.

Les Soviétiques eux-mêmes sont loin de tout savoir.

Dans la Russie de Staline, quand un parent est arrêté, l'on se tait. Telle, dont le mari est mort en déportation, se prétend divorcée. Telle autre, dont le frère est à Kolyma, se dit fille unique. Les plus courageux n'évoquent leurs disparus qu'entre amis sûrs. Que dire, d'ailleurs? Il faut avoir vécu au camp pour comprendre ce qu'est le camp. Et les détenus ne reviennent guère. Et ceux, qui exceptionnellement, reviennent, ne parlent pas.

Le silence de la peur. Peur de répressions nouvelles : tout bavard est un coupable. Peur des ennuis quotidiens : votre logeuse et vos collègues vous tourneront le dos s'ils apprennent

---

1. *Les Temps modernes,* janvier 1950.

que vous êtes le proche parent d'un *ennemi du peuple*. On camoufle donc tout ce qui peut être camouflé.

Le pilonnement de la propagande a porté ses fruits. A quelques infimes exceptions près, les Soviétiques veulent croire à la monstrueuse éclosion des complots. Ils se bercent d'un immense il-n'y-a-pas-de-fumée-sans-feu. On n'arrête pas tout ce monde sans raison. Donc, moi, qui n'ai rien à me reprocher, je n'ai rien à craindre. D'ailleurs, Staline est bon. Il limite la répression à l'indispensable. Juste ce qu'il faut pour sauver cette révolution qui, depuis trente-cinq ans, n'en finit pas de se défendre.

L'on croit aux menaces des agents impérialistes, trotskistes, sionistes. L'on croit à la vertu des policiers, *nos glorieux tchékistes*. Quand les glorieux tchékistes viennent arrêter un fils, un mari, un frère, l'on se dit : « Cette fois, c'est une erreur, une bavure. Mais en général, c'est vrai. » On a honte et peur de voir les siens mêlés aux réprouvés. Et l'on se tait. Et l'on se cache pour envoyer des colis.

Si les bouches s'ouvraient, la répression prendrait ses vraies dimensions. Mais elles ne s'ouvriront qu'en 1956, après le XX⁰ Congrès. En 1952, l'univers concentrationnaire est, pour les Soviétiques, la face sombre de leur planète. De tout leur instinct, ils se cramponnent à la face ensoleillée.

Pourtant, cet univers n'est pas éloigné. Il est à leur porte. Ils vivent côte à côte avec lui.

Car les bagnards ne sont pas tous en Sibérie. Ils sont aussi à Moscou, dans les grandes villes. Vous pourriez les toucher de la main.

Ils sont les hommes à la truelle et à la pioche. Ils sont les ouvriers de tous les grands travaux. La nouvelle université de Moscou, la cathédrale de la science qui dresse sa flèche toute neuve, haute de 240 mètres, a sans doute été construite en partie par des volontaires du Komsomol [1]. Mais derrière eux, combien de centaines de prisonniers, encadrés de gardiens en armes?

---

1. *Komsomol* : jeunesse communiste.

Longtemps, on a conté dans les camps l'histoire d'un détenu qui travaillait sur le chantier de la grande université. Il a confectionné des ailes en contreplaqué, les a fixées à ses épaules, et s'est jeté dans le vide, un soir, du haut de l'immense gratte-ciel. Il prétendait — le fou! — planer jusqu'à l'autre rive de la Moskova et s'évader ainsi. L'histoire finit mal, l'Icare des camps s'écrasant au sol.

De bon matin, les citadins qui vont à leurs affaires rencontrent des colonnes de prisonniers qu'on emmène au travail encadrés de gardiens et de chiens. Parfois, des femmes leur jettent du pain.

Un *lagotdelenie*, un détachement de bagnards, s'est même installé quelque temps en bordure de la place Rouge, effectuant des travaux de construction non loin du Goum. Les *Z/K*[1] n'étaient séparés que par une palissade de la foule des passants.

Du dernier étage de l'école n° 150 à Moscou, non loin du stade Dynamo, l'on a une vue plongeante sur un petit camp d'environ 200 hommes. Elèves et maîtres peuvent en suivre la vie : rassemblement, départ pour le travail, retour...

Au n° 53 de la rue Chabolovka, toujours en plein Moscou, se sont installés les studios de la télévision. Elle n'émet, en 1952, que trois ou quatre heures par jour, mais son personnel commence à s'étoffer. A la porte se croisent ingénieurs, musiciens, cameramen, décorateurs, vingt corps de métiers. Par les belles journées d'été, les speakerines vont relire leurs textes au soleil, dans le jardin, au pied du grand pylône émetteur. A côté, des éclairagistes poursuivent une méditative partie d'échecs en attendant l'heure d'un tournage.

Et l'univers concentrationnaire? C'est en face. Au n° 46 pour être précis. Un petit passage entre deux immeubles, comme il y en a tant dans ce Moscou plein d'arrière-cours et de jardinets. Une haute clôture invisible de la rue, gardée par un homme en armes. Derrière la clôture se trouve la « *Colonie de redressement par le travail n° 1* », appartenant à la « *Direction des Camps et Colonies de travail de la direction du ministère de*

---

1. Z/K : abréviation de *zaklioutchionny*, détenu.

l'Intérieur pour la région de Moscou ». Dans les papiers officiels, une série d'initiales : *I. T. K. n° 1 U. I. T. L. I. K. U. M. V. D. M. O.* Le langage policier a le génie des sigles.

Six cents détenus font marcher là une usine de joints. Des « petits condamnés » — trois à sept ans. Des « politiques » mêlés aux « droit commun », ce qui est contraire à la tendance du temps.

Avec eux, à l'usine sont des travailleurs libres. Quand un travailleur détenu s'adresse à un travailleur libre, il doit l'appeler « citoyen chef ». Jamais par son nom, c'est interdit. Et plus interdite encore l'expression « camarade ». Les travailleurs libres rentrent le soir chez eux, en évitant de parler à leurs femmes de leurs curieux collègues. Les détenus, eux, restent dans la colonie, à 200 hommes par baraque, plus les punaises [1]. La tour de télévision, si proche, qu'il leur semble pouvoir la toucher de la main, les préoccupe beaucoup. Bien sûr, ils ne disposent pas de récepteurs pour en recevoir des images. Mais c'est quand même un peu de magie moderne qu'ils contemplent par-dessus la clôture. Ils imaginent.

« Parfois encore, dit un ancien de la "colonie", cette grande carcasse vient me hanter dans mes rêves, la nuit. »

Quand on croise dans la rue une colonne de bagnards, on cherche à se rassurer. L'on se dit : « Ce sont des voleurs. » Ce qui n'est pas forcément faux : les « droit commun », mieux traités que les *ennemis du peuple,* figurent souvent parmi les condamnés qu'on affecte aux chantiers des grandes villes. Ce sont les meilleurs chantiers, ceux où le climat est moins meurtrier que sous le cercle polaire, ceux où l'on reçoit le plus de colis, parfois même des visites familiales. Et l'on y rencontre plus rarement le *dokhodiaga* — le détenu parvenu au bout de son rouleau, qui s'éteint lentement de faim et d'épuisement. Les

---

1. Dans une « colonie » les détenus vivent sur le lieu même du travail, tandis que dans un « camp », les zones d'habitation et de travail sont séparées.

Z/K de Moscou sont des privilégiés. Ils n'ont qu'une peur, c'est qu'on les envoie crever dans les mines d'or de Kolyma.

Du côté de la rue, du côté des citoyens libres, beaucoup préfèrent ne pas trop savoir ce qui se passe derrière les palissades. Ne pas trop s'occuper de cette énorme nuée, toujours gonflée au-dessus de leurs têtes. Les passants regardent volontiers ailleurs.

Un camouflage décent les y aide. Un groupe de détenus travaillant au barrage de Chirokovskaïa, dans l'Oural reçoit un jour des habits assez corrects. On le filme. On rend aux *Z/K* leurs loques habituelles. Quelques mois plus tard, ils se reconnaissent sur l'écran à la séance de cinéma du samedi (un des bienfaits dispensés par les « sections culturelles et éducatives » des camps). Ils sont devenus des « komsomols enthousiastes, volontaires pour les grands travaux ».

A la gare de Potma passent les trains de voyageurs venant de Moscou ou s'y rendant. La capitale n'est qu'à 450 kilomètres. Non loin de la gare commence un camp de moyenne importance — une cinquantaine de milliers de détenus au milieu d'épaisses forêts[1]. On y lève fréquemment des équipes pour venir décharger des wagons. Mais ce camp de Potma a été mis au « régime spécial ». Ses pensionnaires — des politiques — portent donc de grands numéros, très apparents sur la coiffure, la manche et le genou droits. L'apparition de ces hommes-matricules déclenche, à la gare, un vrai charivari.

« Un train s'arrêta tout près de nous, raconte un ancien bagnard. Les voyageurs se précipitèrent aux fenêtres pour nous regarder. Ils criaient : "Qui sont ces hommes? Qui êtes-vous?" Nous répondions : "Des détenus." Nos gardiens hurlaient : "Silence! Défense de faire la conversation."

« Un homme aux cheveux blancs, grand, élégant, est des-

---

1. Il existe encore un vaste camp à Potma. Parmi ses pensionnaires récents, citons les écrivains Siniavski et Daniel, et le jeune écrivain Youri Galanskov, qui y est mort en 1972.

cendu sur le quai, a ôté son chapeau, et nous a salué à la vieille mode russe, en s'inclinant profondément, la main touchant le sol. Puis il est remonté dans son wagon en pleurant.

« Des camarades qui étaient de Moscou nous ont dit que c'était un acteur connu. »

Les autorités tirent la leçon de l'incident. Désormais, quand une équipe de Z/K est envoyée à la gare, on lui donne d'autres vêtements. Sans numéro.

Et sifflent paisiblement les trains. Les passagers, bien au chaud dans leurs wagons, contemplent d'un œil vague les travailleurs qui s'affairent au-dehors, surveillés par quelques gardiens point trop voyants.

Les plus grands projets industriels, les réalisations les plus spectaculaires sont confiés, très officiellement, au ministère de l'Intérieur. Convenablement décryptée, cette affectation administrative signifie que les grands travaux reposent sur les bagnards. Mais qui, à cette époque, sait décrypter?

Qui connaît la face sombre de la planète? Le 12 août 1952, quelque part en U. R. S. S., sont fusillés 25 écrivains et intellectuels juifs de haute qualité. Auparavant, on les avait gardés en prison et dans des camps pendant des années, on les avait torturés, affamés. Ce n'étaient pas des anticommunistes, beaucoup n'étaient même pas des antistaliniens. Simplement, ils avaient commis le crime de rester fidèles à la culture juive et à la langue yiddish.

La nouvelle de leur exécution n'est communiquée à personne, pas même à leurs familles. Esther Markish, la femme d'un des condamnés — le brillant poète Peretz Markish — continue à errer de prison en ministère à travers Moscou, comme elle le fait depuis trois ans, pour tenter de savoir ce que devient son mari. Et imperturbablement on continue à ne rien lui dire, ou à lui répondre : « L'examen de son affaire se poursuit. »

Semaine après semaine, Esther Markish persiste à confier à la poste de petits mandats, dans l'espoir que l'administration pénitentiaire les fera parvenir à son mari — cette ombre.

DEUXIÈME PARTIE

L'AUTOMNE

1

LE CONGRÈS

La salle, longue comme un jour sans pain, est austère, avec
des murs nus que divisent des pilastres corinthiens. Là où se
trouvait jadis le trône du couronnement de Nicolas II, un grand
Lénine de marbre blanc contemple les 1 192 délégués du
XIXᵉ Congrès du parti communiste de l'U. R. S. S. Ce dimanche
5 octobre 1952, ils viennent de prendre place, pour la séance
inaugurale, dans ce qui était jadis les salles Saint-André et Saint-
Alexandre au grand palais des tsars. On les a réunies pour en
faire ce cube immense.

Il est dix-neuf heures. Staline, fidèle à ses habitudes, a préféré
commencer par une séance de nuit. Les 16 membres du Praesidium font leur entrée à la tribune, non pas tous ensemble, mais
l'un après l'autre, à des intervalles très espacés. Chacun prend
le temps de recevoir son lot d'applaudissements. Ils se suivent
par ordre alphabétique; Staline n'apparaît donc que le quator-
zième.

C'est un délire organisé. Les hourras explosent, dirigés par des
chefs de chœur expérimentés.

« Pour le camarade Staline...

— Hourra!

— Pour notre cher, bien-aimé Staline...

— Hourra!

— Pour notre sage guide...

— Hourra! »

Cela déferle par vagues, sur un fond crépitant d'applaudissements au-dessus du roulement sourd des pieds qui trépignent.
Russes aux yeux clairs, Ukrainiens massifs, Ouzbeks aux

calottes brodées, Kirghizes aux hautes pommettes, tout le monde, debout, rit et crie. C'est très viscéral et très ordonné.

L'objet de cette ferveur va s'asseoir modestement avec les autres membres du Praesidium, tout au bout d'une rangée.

C'est sa coutume. Il est maître dans l'art de s'effacer pour qu'on le cherche des yeux. Le contraste entre la simplicité de sa posture et l'adoration qui monte vers lui impressionne fortement Auguste Lecœur, qui fait partie de la délégation française : « *Cela me paraissait le comble de la modestie et ajoutait encore à mon admiration* [1]. »

Staline, d'ailleurs, supporte de plus en plus difficilement la foule. Ses proches l'ont remarqué : lorsqu'il doit affronter une vaste assistance, il se montre tendu, inquiet. Cela empire avec l'âge. Il s'enfouit alors dans le groupe de ses compagnons, un peu comme dans un cocon protecteur.

Il a choisi, contrairement à son habitude, de ne pas présenter le rapport d'activité, et a confié cette tâche à Malenkov que tout le monde salue, de ce fait, avec la déférence qu'on doit à un prince héritier. Staline se décide-t-il à ne pas être immortel ? Vient-il de désigner publiquement son successeur, de faire son testament ?

Avec lui, rien n'est si simple. Deux jours, tout juste, avant le Congrès, est parue sa nouvelle œuvre, *Les Problèmes économiques du socialisme en U. R. S. S.* Tirage initial de 1 500 000 exemplaires. Reproduction intégrale dans la revue *Bolchevik*, dans la *Pravda*. C'est toujours Staline qui fait l'événement, pas Malenkov. Qu'il prononce son rapport. Le vrai rapport, c'est Staline qui l'a écrit.

Le jour de l'ouverture, ce n'est pas le Congrès que salue la *Pravda*, c'est Staline et son essai. « *Le grand coryphée de la science, écrit Alexis Sourkov, l'architecte génial du communisme, le camarade Staline, dans son nouvel ouvrage d'une énorme importance théorique et pratique nous a indiqué la voie vers la victoire complète du communisme... Le génie de Staline*

_____

1. Auguste Lecœur : *Le Partisan* (Flammarion).

culte : Staline remplace l'étoile de Noël sur la couverture d' « Ogoniok » (décembre 1949).
.S.I.S.)

Pendant un quart de siècle, des centaines de tableaux montrèrent, comme ce dessin de Vassiliev, un Lénine pensif écoutant un Géorgien au regard inspiré — grossissant ainsi démesurément le rôle de Staline pendant la révolution. (E.R.L.)

Ci-contre, en haut: Trois peintres soviétiques, aujourd'hui bien oubliés, ont uni leurs efforts pour peindre cette composition : « Gloire au grand Staline ». (A.P.N.)
En bas: En novembre 1952, à la soirée solennelle célébrant le 35e anniversaire de la révolution d'octobre, Staline se tient en retrait, à demi masqué par Béria et Kaganovitch, eux-mêmes encadrés par un Malenkov et un Khrouchtchev importants. (E.R.L.)

A Érevan, en Arménie, la statue de Staline était haute de plus de 50 mètres. Ainsi les Turcs pouvaient-ils l'apercevoir par-dessus la frontière. (A.P.N.)

Le grand-père universel. « Merci au cher Staline pour notre enfance heureuse », telle était la première devise qu'on enseignait à la jeunesse. (Musée Royal de l'Armée et d'Histoire Militaire - Bruxelles.)
Parfois, on faisait grimper sur le mausolée une écolière éperdue de bonheur, pour qu'il l'embrasse. Ici le 1er mai 1952. (A.F.P.)

Intitulé « Pour le Bonheur du Peuple », ce tableau a pour thème « le plan stalinien de transfo mation de la nature ». Y figurent notamment, assis, Molotov, Béria, Malenkov. Mikoyan et Khrouch chev sont derrière Staline. Vorochilov masque légèrement Kossyguine. (A.F.P.)

Ci-dessous : Le rite du 1er Mai (ici, celui de 1952). A la droite du Guide, les maréchaux. A sa gauch dans l'ordre, Malenkov, Béria, Molotov, Mikoyan, Kaganovitch, Andreïev, Khrouchtchev, Chverni Kossyguine, Souslov, Ponomarenko, Chkiriatov. (Keystone.)

-dessus : **La tombe de Nadejda, la deuxième femme de Staline, au cimetière Novo-Dievitchi**
oll. de l'auteur). *A droite :* **son fils, le général Vassili Staline, au cours d'une parade aérienne.**
ssociated Press.)

Investiture? Sous l'œil d'un Staline vieillissant, Malenkov présente le rapport d'activité du XIXe Congrès, le 5 octobre 1952. (Coll. Sam Russel.)

a découvert la loi fondamentale du socialisme. » Dans le même numéro, trois académiciens, Oparine, Doubinine et Vinogradov [1], tombent en transe : « *L'œuvre géniale du camarade Staline ouvre des perspectives illimitées à un nouvel épanouissement de la science dans notre pays.* »

Le ton est donné. Il ne reste plus aux orateurs du Congrès qu'à louer, l'un après l'autre « *le magnifique cadeau* » du guide.

Pendant des mois, *Les Problèmes économiques* resteront l'affaire majeure, le pilier de toute l'activité politique et culturelle. L'Académie des sciences de l'U. R. S. S., l'université de Moscou, les universités de province leur consacreront des séances spéciales. Les partis communistes étrangers fourniront un effort supplémentaire pour en assurer la diffusion dans le monde entier. En France, la fédération du Cher devra présenter des excuses publiques, pour avoir cru que ce texte vivifiant pouvait être réservé à la méditation des cadres du parti : il doit être aussi le pain du simple militant.

Staline ne s'est jamais satisfait d'être le maître. Il lui faut, de surcroît, les lauriers du théoricien, sans lesquels il ne serait pas le vrai « Lénine d'aujourd'hui », comme l'assure sa biographie.

C'est même là-dessus que se fonde l'essentiel du culte : il est celui qui sait. Celui qui lit dans l'avenir par la puissance du raisonnement. Magie rationnelle. Les journaux le répètent à l'envi : « *La force de Staline réside dans le don de prévision scientifique.* » Nouveau Newton, il a pénétré les lois de la gravitation des sociétés. Armé de cette méthode, il ne peut se tromper.

Cette image d'un Staline penseur a toujours suscité l'hilarité de ses adversaires. Trotski l'appelait « la plus éminente médiocrité de notre parti ». Boukharine assurait : « La première qualité de Staline, c'est la flemme. » Le vieux savant marxiste

---

1. V. V. Vinogradov, un linguiste. Ne pas confondre avec V. N. Vinogradov, future vedette du « procès des blouses blanches ».

Riazanov lui jetait jadis en pleine réunion : « Arrête, Koba[1], ne te rends pas ridicule. Tout le monde sait que la théorie n'est pas ton domaine. » Mais il y a longtemps que les rieurs se sont tus, pour toujours.

A moyenne altitude, son intelligence est claire. Lorsqu'elle veut escalader les sommets, on la voit s'essouffler. *Les Problèmes économiques du socialisme* prétendent retoucher Marx, en substituant à sa loi de « péréquation du taux du profit » une incertaine « loi du profit maximum ». Staline a-t-il lu sérieusement *Le Capital*? On pense à la « flemme » évoquée par Boukharine.

Cet esprit retors s'émousse contre le dur cristal des idées.

Cela dit, c'est un bon vulgarisateur. Simple, convaincant, il a le sens du manuel. Du catéchisme, si l'on veut : le séminaire l'a marqué. Il excelle dans l'aphorisme édifiant tel que « les coups forgent le fer et brisent le verre ».

Certains disent qu'il n'est pas pour grand-chose dans la rédaction de ses œuvres. C'est faire bon marché d'une évidence : il y a un *style* de Staline. Il est certain qu'il fait préparer les matériaux de ses livres par des équipes de collaborateurs. Il est prouvé que, parfois, il s'approprie le bien d'autrui, recopiant des idées ou des phrases de Plekhanov, de Tchernychevski, sans daigner signaler ces emprunts. Mais c'est lui qui donne à ses écrits leur forme définitive.

Soljenitsyne qui, avec une férocité attentive le montre peinant, la nuit, sur une page blanche, est sûrement proche de la vérité. Il a senti le confrère.

Ce style stalinien est lourd, jalonné de pesants *poursuivons, il s'ensuit que*, et de paresseux *il est clair que, l'histoire démontre que*, qui dispensent, précisément, de démontrer. Ce martèlement ne manque pas d'efficacité. Le procédé constant est l'accumulation, la répétition. L'un des chefs-d'œuvre du genre reste le discours triomphal de janvier 1933, dont les paragraphes se balancent sans fin au rythme des « *Nous n'avions pas... nous l'avons maintenant... Nous n'avions pas... Nous l'avons mainte-*

---

1. L'un des premiers pseudonymes de Joseph Djougachvili quand on ne l'appelait pas encore Staline.

nant ». Litanies religieuses dans le serment à Lénine : « *Nous te jurons... Nous te jurons... Nous te jurons...* » Litanies logiques dans l'*Histoire du P.C.* (b) : « *Poursuivons... par conséquent... Poursuivons... par conséquent...* » L'esprit s'engourdit, fasciné. La fantastique aura de l'auteur fait le reste. Dans une édition française de *Matérialisme dialectique et Matérialisme historique*, l'avant-propos déclare en toute simplicité :

« Le texte de l'ouvrage que nous présentons au public a été traduit pour la première fois en français en 1937, trois siècles après la parution en 1637, du *Discours de la Méthode* de René Descartes. Ce sont deux monuments du même effort, deux œuvres de la même taille [1]. »

Le Descartes du Kremlin ne se refuse aucun registre. Il dialogue avec Héraclite, mais il est aussi l'homme du bon sens paysan, bonhomme, les pieds dans la glèbe. « *Mais les semailles, camarade?* » demande-t-il au délégué kolkhozien, perdu dans les nuages de sa propre éloquence.

Il est l'esprit universel, capable de tout embrasser.

A-t-il cru? et qu'a-t-il cru? Au milieu de la pompe du XIXᵉ Congrès, il est difficile d'imaginer le maigre adolescent qui, en 1894, entrait au séminaire de Tiflis. A-t-il adhéré à ce que lui enseignaient les prêtres pour s'en écarter plus tard? ou a-t-il masqué dès l'abord sous une grimace de foi une profonde indifférence?

Et lorsqu'il s'est converti au marxisme, quelle fut la part de la conviction brûlante, et quelle fut celle de la vengeance contre le destin du besoin d'être un vainqueur?

Dans *Le Marxisme et la Question nationale*, écrit en 1913, il semble par moments s'être livré à fond. Dans le jeu souple des idées, il y a comme un bonheur d'écrire et de comprendre. Peut-être parce que, colonisé lui-même, il s'est senti profondément concerné par cette étude de la question coloniale. Peut-être aussi parce que Lénine, littéralement penché au-dessus de lui à cette époque, irriguait cet esprit sec.

---

1. Éditions Liberté, Alger, 1944.

Depuis lors, en revanche, aucun doute n'est plus possible : pendant quarante ans, les idées n'ont plus été pour lui que des instruments, tout juste bons à le servir. Quand il publie un texte théorique, c'est pour justifier des mesures pratiques. Ses articles, essais, traités, discours-programmes sont des actes tactiques destinés à ruiner ses adversaires, à mieux asseoir son pouvoir. Ils suivent le cours de sa politique, sans crainte de se contredire en même temps qu'elle.

Problèmes économiques du socialisme est simplement le portrait de l'U. R. S. S. de demain, telle que Staline va l'imposer.

Ce portrait est refrigérant. Malgré certaines contradictions (il s'agit de quatre textes rédigés à quelques mois d'intervalle et que Staline n'a pas daigné harmoniser entre eux) une idée s'en dégage : exiger encore plus de l'ouvrier et du paysan russes, déjà à bout de souffle. Toujours plus d'acier, encore plus d'acier : la priorité à l'industrie lourde est réaffirmée avec une pesante insistance. Quant aux biens de consommation, ils attendront, le temps de l'abondance étant ajourné *sine die*.

Les campagnes, de leur côté, devront se saigner davantage. On leur supprimera leurs derniers vestiges de libertés économiques — ce que Staline appelle « la production marchande » et « la circulation des marchandises ».

Ces sacrifices supplémentaires sont réclamés à un pays exsangue, qui aspire de toutes ses fibres à un peu de bien-être dans la paix retrouvée. Trente-cinq ans après la révolution, « *le mécanicien de la locomotive de l'histoire* » annonce que le bout du tunnel n'est toujours pas en vue.

En prime, il est vrai, Staline révèle à ses lecteurs une nouveauté surprenante et agréable. Non, il n'est pas certain que le monde capitaliste s'apprête à fondre sur l'U. R. S. S. Il est vraisemblable que les pays du capital vont se faire la guerre entre eux, déchirés par leurs ambitions impérialistes. Les exégètes, au garde-à-vous, rectifient sans tarder leurs commentaires précédents sur le dogme de l'*inévitabilité des guerres*.

Cette appréciation apocalyptique des aigreurs — très réelles — entre Occidentaux fait sourire. En fait, Staline joue une diplomatie de division fort classique. Recevant Louis Joxe à Moscou, envoyant l'important personnage qu'est Gromyko comme ambassadeur à Londres, il flatte l'amour-propre français et britannique, durcissant au contraire son attitude vis-à-vis de Washington.

Cette vision d'une U. R. S. S. moins menacée contraste avec un programme d'économie caporalisée, du type « communisme de guerre ». A lire *Problèmes économiques,* Staline apparaît dans son humeur la plus coercitive. Son problème semble être de faire sentir plus lourdement son autorité, peut-être par crainte qu'elle ne s'émousse, avec les années qui passent et les habitudes qui s'installent. Le tour de vis annoncé sur l'industrie et l'agriculture n'est qu'une partie d'un vaste programme de mise au pas.

C'est dans l'orage qu'il se fait reconnaître comme providentiel. Il est en train, de nouveau, d'assembler les nuées.

Avant le Congrès, les partis *républicains* — c'est-à-dire les partis des 16 républiques qui forment l'Union soviétique — ont tenu leurs assises. De la Géorgie aux pays Baltes, un vent d'épuration a soufflé partout. Partout, la presse découvre des *insuffisances* — dans l'industrie, le commerce, l'agriculture, dans les rouages politiques. L'insuffisance est le dernier stade avant le sabotage, la trahison et le complot.

Le Congrès s'ouvre dans une atmosphère pesante. Il faut aux délégués l'irréductible dose d'optimisme qui caractérise tout personnage politique pour ne pas évoquer leurs prédécesseurs du prestigieux « Congrès des vainqueurs » — le XVIIe, celui de 1934. Plus de la moitié de ces vainqueurs terrorisés — 1 108 sur 1 970 — furent arrêtés, déportés ou massacrés dans les trois années qui suivirent.

La convocation même du Congrès de 1952 est un avertissement. Car ce n'est évidemment pas pour obéir aux statuts du parti que Staline le réunit, les statuts étant violés depuis si longtemps que personne n'y songe même plus (ils prévoient un Congrès au moins tous les quatre ans, et le dernier date de 1939). Il ne s'agit pas non plus de lancer solennellement un plan quinquennal devant cette grande assemblée, comme ce fut long-temps l'usage : le 5ᵉ plan est en vigueur depuis deux ans déjà.

Les moins subtils sentent qu'une grande opération se prépare. Et une opération politique, sous Staline, est toujours un carnage.

Sitôt le Congrès ouvert, il s'éclipse, après avoir reçu son tribut d'acclamations. Pendant huit jours, les séances se déroulent sans lui, interminables. Les discours se suivent et se ressemblent. Chacun commence et s'achève par un hommage dithyrambique à l'absent. Dans le cours du texte, l'on revient sur l'un ou l'autre de ses mérites particuliers.

Comme prévu, Malenkov mène le jeu avec son rapport d'activité. Khrouchtchev lui donne la réplique en présentant les nouveaux statuts, pour lesquels chacun feint de se passionner, en sachant que le seul statut qui compte est l'humeur de Staline. Au passage, Malenkov ne dédaigne pas d'égratigner Khrouchtchev, l'attaquant sans le nommer sur son propre terrain, l'agriculture. L'intéressé contre-attaque en critiquant la gestion du parti, domaine éminemment malenkovien. Affrontement discret de deux rondeurs, l'une molle, l'autre musclée. C'est la rondeur molle qui retient toute l'attention.

Georges Maximilianovitch Malenkov est un homme de fiches, de dossiers. Il n'a que cinquante ans tout juste; mais il a longuement passé par le secrétariat de Staline où il s'est initié aux mystères les plus redoutables. Il sait tout sur tous.

Ses traits, noyés dans la graisse, ont quelque chose de féminin. Ses ennemis l'appellent par dérision *Malania*, ce qui est un prénom de bonne femme. Il compense ce physique peu viril par un langage extrêmement vert. Peut-être le tient-il des cosaques d'Orenburg chez lesquels il a passé son enfance, à moins qu'il ne l'ait acquis au contact de Staline, grand diseur d'obscénités. Du reste, esprit plutôt distingué. Les sources officielles se montrent discrètes sur ses origines, mais l'on pense qu'elles ne furent pas exagérément prolétariennes. Un diplomate se souvient de lui, à cette époque, comme « du seul homme cultivé du groupe dirigeant ». « Il était, ajoute-t-il, capable de parler de Shakespeare. »

Shakespeare faisant partie des goûts déclarés de Staline, il n'est pas inutile, dans une carrière bien comprise, de savoir le citer. Mais Malenkov peut parler aussi de Proust, de Gide, de Montherlant, ce qui est déjà plus surprenant. A part cela, il copie son maître, portant comme lui une vareuse à col montant, coiffant ses cheveux noirs et plats d'une casquette d'allure militaire, alors que presque tous les autres hauts dirigeants ont abandonné cette tenue du temps de la guerre civile.

Il est prudent et avisé comme un gros chat. Un homme politique français qui l'a approché de près dans cette période d'ascension me dit : « Il me faisait penser à Laval jeune. » Auvergnat de l'Oural, il joint à la finesse une extrême maîtrise de soi, beaucoup de circonspection. Djilas, qui l'a rencontré quelques années plus tôt, est du même avis. « *Il donnait l'impression*, écrit-il, *d'être un homme secret, prudent et mal à l'aise. Il semblait que sous les plis et les couches de graisse vivait un autre homme, vif et habile avec des yeux noirs intelligents et pénétrants.* »

Dans l'intrigue, il va loin. Quand Jdanov, son vieux rival, a eu le bon esprit de mourir, il s'est déchaîné contre ses partisans, contre Leningrad, se montrant d'autant plus vindicatif que la victime était plus brillante. Contre Voznessenski, économiste en renom et personnage politique de grand avenir, il s'est particulièrement acharné, jusqu'à ce que Staline, lassé, finisse par lui accorder sa tête. C'est lui qui a inventé les « fiches des cadres », contenant la biographie détaillée de tous les membres du parti. Il n'hésite pas à en faire un usage policier.

Pendant la guerre, il a joué aux côtés de Staline et de Molotov un rôle considérable au sein du « Comité d'Etat pour la défense ». Il y assumait des responsabilités dans le domaine des armements, de la construction aéronautique surtout. Avant de se lancer dans la vie politique, il avait eu le temps de passer un diplôme d'ingénieur.

C'est un bon adjoint, un exécutant lucide, un conseiller qui sait préparer de précieuses synthèses. Mais, habitué à l'ombre, le prestige lui fait défaut. Il a un tempérament de confident, d'homme de couloirs. Il lui manque d'avoir exercé quelque grand commandement. Et la tutelle un peu voyante que Béria exerce sur lui ne le grandit pas.

L'investiture soudaine que représente le rapport d'activité lui confère certes une nouvelle stature. Il lui reste à s'imposer.

Khrouchtchev, maître de l'Ukraine avant comme après la guerre, a eu davantage l'occasion de montrer un tempérament, une autorité. Pendant les années noires aussi, le lieutenant général Khrouchtchev fréquentait davantage les états-majors du front que le Kremlin. Ce provincialisme l'a tenu légèrement éloigné des sommets, mais lui a permis de s'affirmer comme un patron, de constituer des équipes.

Pour l'instant, sa renommée reste relativement modeste. Ce ne sont pas les nouveaux statuts qu'il présente qui peuvent jeter sur lui une grande lumière. Leur innovation la plus voyante est de caractère formel : désormais, l'on dira « parti communiste », au lieu de « parti communiste bolchevik ». L'adjectif disparu rappelait les temps héroïques et Staline, précisément, exècre les « vieux bolcheviks », ces anciens combattants de la révolution qui se figurent avoir des droits sur elle. En outre, la précision, évoquant la vieille scission du parti, en 1903, entre bolcheviks et mencheviks n'avait vraiment plus d'utilité pratique. Il y a beau temps, en effet, que les derniers mencheviks sont passés à la trappe. Quelques représentants particulièrement résistants de cette espèce en voie de disparition sont encore signalés, traînant un reste de vie, dans les camps de Sibérie. Ceux qui se sont ralliés aux vainqueurs quand il en était encore temps ont dû déployer une ardeur de néophytes — comme le zélé procureur Vychinski — pour tenter d'effacer leur souillure originelle.

A part cela, les statuts manifestent les mêmes tendances que les autres textes de 1952 : aggravation de la discipline et mainmise renforcée de Moscou sur la province.

Si le rapport est gris, le rapporteur est haut en couleur. D'abord, il est le seul dirigeant de la génération stalinienne qu'on entende, parfois, s'exprimer simplement. Non certes quand il chausse ses lunettes et suit son texte. Là, morne et bafouillant, il succombe à la loi du genre qui est l'ennui.

Mais quand il se laisse aller à l'improvisation — ce qui, en soi, est déjà une anomalie — il se montre direct et pétulant, appelant un chat un chat, et pis encore, car il est peuple jusqu'à la grossièreté. Qu'il se trouve devant un auditoire d'ouvriers et de paysans, et il jette avec un visible plaisir la rhétorique pardessus les moulins pour retrouver la grosse plaisanterie et le vieux proverbe.

Au lieu de se confiner dans les bureaux à l'instar de ses collègues, il adore se crotter. C'est une boule d'énergie qui roule de tous côtés, mûe par le besoin d'agir. Quand il dirigeait la construction du métro de Moscou, en 1935, il trottait avec enthousiasme dans les galeries, un peu semblables aux mines où il est descendu dans sa jeunesse. Premier secrétaire d'Ukraine, il a pataugé dans la terre noire, tenant aux kolkhoziens médusés de longs discours sur les mérites gastronomiques du lapin.

Parmi les dignitaires soviétiques, tous assez frottés de matérialisme dialectique, il fait presque figure d'analphabète politique. La théorie l'ennuie. Il a la foi du charbonnier, petit pauvre ébloui d'être monté si haut grâce à un régime qui ne peut qu'être excellent puisque lui, Khrouchtchev, lui doit tout. C'est un personnage concret, aimant la chaleur des étables et la fournaise des coulées d'acier, cherchant le contact avec autrui, pour l'algarade ou pour l'effusion

Il n'a ni le temps ni le goût de se concentrer. Ce gros petit homme est tout bruissant d'activité brouillonne, comme l'insecte dont il porte le nom. Un *khrouchtch*, en Ukraine, c'est un hanneton.

Malgré ce nom méridional, malgré sa longue carrière entre Donetz et Dniepr, on ne le considère pas comme un véritable Ukrainien. Né dans le gouvernement de Koursk, terre russe, c'est comme un paysan russe qu'il s'exprime. Pas trace chez lui de cet irréductible accent d'Ukraine qui fait exploser les *g* en un frottement guttural tout à fait inconnu des gosiers moscovites.

Avec les Ukrainiens, il s'est d'ailleurs montré l'homme du pouvoir central, venu mettre au pas cette république, la plus riche de l'Union, aussi peuplée que la France, et prompte à fronder Moscou. Lorsque Staline l'a envoyé à Kiev en 1938, c'était pour y achever les grandes purges. Il a fait couler le sang avec zèle et s'en est fait gloire. La *Pravda d'Ukraine* écrivait alors :

« *L'impitoyable extirpation des ennemis du peuple — des trotskistes, des boukhariniens, des nationalistes bourgeois et de tous les autres cochons d'espions — n'a commencé qu'après que le Comité central du parti communiste de toute l'Union eût envoyé l'inébranlable bolchevik et stalinien Nikita Sergueïevitch Khrouchtchev en Ukraine.* » Eloge à donner le frisson.

Pourtant, la lourde tête aux petits yeux perçants, la mâchoire massive aux dents très écartées, renforcées par un bridge en acier, parlent de colère, de brutalité, plus que de méchanceté systématique et persévérante. Il est cruel à chaud. Son entourage redoute ses rages, ses cris, ses caprices. C'est un carnassier dont il est périlleux d'exciter le courroux. Ce n'est pas un termite.

Nul ne sait le nombre de morts et de déportés qu'il a sur la conscience en Ukraine. On porte, en revanche, à son crédit le fait, que, dans les purges d'après-guerre, c'est Malenkov, et non lui, qui s'est rué au carnage. Rappelé à Moscou à la fin de 1949, entré véritablement dans le petit cercle des intimes de Staline, il n'a pas pris de part à la meurtrière « affaire de Leningrad » alors loin d'être achevée. Certains y voient un effet de son bon naturel. D'autres, le désir, plus prosaïque de contrarier l'ascension de Malenkov.

Du reste, rusé comme un maquignon, avec des bonheurs d'improvisation, une façon d'échafauder dans la minute une combinaison et de la ruiner la minute d'après. Un tempérament de théâtre, que la peur du maître ne lui permet pas encore de déployer dans tout son éclat. Un humour tonitruant. Parmi les fonctionnaires glacés, il étonne en riant fort et en s'attendrissant bruyamment.

L'alcool aide ces effusions. Il boit comme une éponge, mange comme un ogre, gobant la nourriture sans grand discernement. Ses capacités d'absorption font merveille aux repas nocturnes de Staline. Il a la grosse lèvre du sensuel et, parfois, les faiblesses du sentimental. Lorsqu'il visite une usine, la présence d'une jolie ouvrière peut nuire à sa capacité d'attention.

Sa seconde femme, Nina Petrovna est une militante aux bandeaux sages, qui l'aide et l'appuie dans son travail. De ses deux mariages, il a cinq enfants, ce qui est beaucoup dans une Russie qui devient malthusienne.

Il est monté très haut, mais on lui refuse un plus grand avenir. Il ne fait pas assez sérieux. Il a déjà cinquante-huit ans et les photographies officielles, fidèles au parti pris d'embellir, ajoutent des cheveux blancs sur son crâne sérieusement dégarni.

C'est un pragmatique, pas un cynique. Même abîmé par le pouvoir, il est resté du peuple. De ce peuple russe, mi-ouvrier, mi-paysan, qui a cru à la révolution comme au Christ.

2

SOYEZ PATRIOTES

Le monde communiste a défilé à la tribune. Thorez le Français et Liou Chao-chi le Chinois. Gottwald le Tchèque et Hodja l'Albanais. Près d'une centaine d'orateurs ont parlé, du vieux maréchal Vorochilov à la blonde et fraîche Catherine Fourtseva, l'énergique adjointe de Khrouchtchev au *Gorkom*[1] de Moscou. Le Tatar Mouratov a salué Staline, « meilleur ami du peuple tatar », ce peuple qu'il a dispersé et exterminé. Fadeev, grand patron des écrivains — beaux yeux clairs de fanatique — s'est frappé la poitrine : « Nous n'avons pas su appliquer en littérature l'ouvrage génial du camarade Staline, *A propos du marxisme en linguistique.* »

Malenkov, associé à Staline par de nombreux orateurs, respire un encens épais. L'écrivain ukrainien Korneïtchouk le félicite d'avoir « apporté dans son rapport une grande contribution à l'esthétique marxiste ». Leonid Brejnev, premier secrétaire de Moldavie, unit dans un même hommage le guide et son dauphin : « Le camarade Malenkov... a brillamment montré les victoires historiques du peuple soviétique, obtenues sous la direction géniale du camarade Staline. » Mikoyan surenchérit : « Comme l'a fort justement dit le camarade Malenkov, le problème des céréales est définitivement résolu. » Des milliers de Soviétiques écriront au parti pour demander pourquoi, dans ces conditions, le pain manque à certains endroits.

Le soir du dixième jour, Staline reparaît, monte à la tribune.

---

1. *Gorkom* : Comité du parti dans une ville.

Il a toujours aimé la lenteur, dont il tire de grands effets. Une lenteur magistrale qui signifie : attention, chacune de mes syllabes compte. Maintenant, l'âge y ajoute sa fatigue. Pourtant, il paraît solide. « Un robuste paysan », se dit Roger Garaudy qui, des sièges de la délégation française, contemple, le cœur battant, cette carrure trapue, ce teint basané.

Il n'a pas revêtu l'uniforme aux brillantes épaulettes, mais son austère vareuse grise un peu fripée. Il n'est pas le généralissime mais le militant, le chef de tous les prolétaires. Sur sa poitrine, une seule étoile d'or, l'insigne des héros du Travail socialiste.

Aux congrès de jadis, ses interventions pouvaient se prolonger pendant une journée entière. Celle-ci dure moins de dix minutes. De cette fatigue de vieillard, qui redoute l'épreuve d'un long discours, il tire un effet de sobriété, de bonhomie. Il choisit le mode familier, parle sans notes, en cherchant un peu ses mots. Avec sa voix monocorde, son attitude gauche, son vocabulaire pauvre, il a toujours été le contraire d'un tribun. Mais ce soir, il est le grand-père des peuples, racontant les combats de sa jeunesse, mesurant le chemin parcouru : « Maintenant, la lutte de notre parti est devenue plus facile et le travail lui-même se fait plus gaiement. » La salle fond d'attendrissement.

C'est un orateur immobile, mais dans son prodigieux accent géorgien, il y a la gesticulation des pays de soleil. Il sait le russe, mais il en fait autre chose. Cette langue qu'il a apprise tard, à l'école, n'est pas sa vraie langue. Il en transforme profondément la musique, le rythme interne, en tire des sons à la fois plus âpres et plus mous. Par moments, l'on perd un peu le fil du discours parce qu'on a buté sur un mot bizarrement articulé.

Ce 14 octobre, son élocution paraît plus incertaine encore que de coutume. Dans la salle, quelques-uns pensent un instant aux rumeurs persistantes sur son état de santé.

Ces inquiets ne sont même pas une poignée. Le Congrès, soulevé par l'enthousiasme, éclate en une ovation qui dure plus longtemps que le discours. Une foule d'hommes en noir et de femmes en gris tend les bras vers son prophète.

110

Staline s'est adressé plus particulièrement aux délégations des « partis frères », plus nombreuses qu'à l'accoutumée. Et tout spécialement aux communistes d'Occident, aux hommes de Thorez, de Togliatti — nommément désignés —, à tous ceux qui ne sont pas au pouvoir.

Il leur a dit : Soyez patriotes.

« *La bourgeoisie vend les droits et l'indépendance de la nation pour des dollars. Le drapeau de l'indépendance nationale et de la souveraineté nationale est jeté par-dessus bord. Il ne fait pas de doute que ce drapeau, c'est vous, représentants des partis communistes et démocratiques, qui devrez le relever et le porter en avant, si vous voulez être des patriotes, si vous voulez devenir la force dirigeante de la nation.* »

On admire au passage l'humour grinçant : l'homme qui verse un pleur sur les indépendances nationales est celui qui est en train de mettre de l'ordre dans les pays satellisés, en y massacrant les militants communistes les plus glorieux. Mais l'intérêt de l'appel est qu'il fixe aux communistes occidentaux une direction précise : celle des fronts nationaux. Rechercher des alliances à leur droite pour s'opposer à l'influence américaine, à l'OTAN, aux débuts de l'Europe unie. La mission que Staline leur assigne est, une fois de plus, beaucoup moins de faire la révolution que de servir une diplomatie planétaire — la sienne.

Ces alliés, qu'il mobilise aux avant-postes de la guerre froide, ont droit à tous les honneurs de cette fin de Congrès. C'est eux qui sont les héros du grand banquet de clôture qui se déroule le lendemain soir à la salle Saint-Georges, la plus gaie, la plus belle des salles du Kremlin, ruisselante de blancheur.

3

UN GAI COMPAGNON

Vorochilov préside. Il est le *tamada*, comme disent les Géorgiens, celui qui dirige les toasts. Il en porte, effectivement, à chacun des 44 partis communistes et ouvriers présents, ce qui l'oblige à vider, cul sec, autant de petits verres de *pertsovka*, de vodka au poivre. Le digne maréchal s'acquitte de cette épreuve sans trop de dommages apparents.

Staline, lui, se surveille, se ménage. Il ne boit pas de vodka, mais seulement du vin, et en quantité modérée. A chaque toast, il se lève, emportant avec lui sa bouteille et son verre, et va trinquer avec le chef de la délégation qui vient d'être nommée. Il échange avec lui quelques propos, revient à la table d'honneur, traînant toujours verre et bouteille.

Chacun peut ainsi mesurer sa sobriété, car le niveau de la bouteille ne descend guère. Mais l'on s'extasie bien plus encore sur sa simplicité. Ce *moukouzani*[1] qu'il promène ainsi de table en table, avec son air de bon gros ours, quelle leçon! Il est l'anti-Hitler, l'anti-Mussolini. Pas de fanfares comme à Nuremberg, pas de balcon comme à Venise. Le plus modeste des grands hommes. Nul ne s'avise que, dans cette façon de transporter sa boisson avec soi, il entre peut-être une bonne dose de méfiance. Il y avait pourtant, dans les grands procès des purges, quelques mémorables histoires de poison.

Il couvre d'attentions particulières la délégation française et son chef. Maurice Thorez sort tout juste de la ville d'eaux du Caucase où l'on soignait les suites de la congestion cérébrale qui

---

1. Cru du Caucase.

l'a frappé en octobre 1950. Colosse malade, il s'appuie sur une canne. Mais il a entièrement retrouvé l'usage de la parole, et il peut travailler quelques heures par jour. Staline vient à plusieurs reprises à la table du P. C. F., plaisante avec Thorez et Jeannette Vermeersch, offre aux Français un peu de *moukouzani* de sa bouteille.

Journalier comme les vieillards, il semble avoir surmonté ses défaillances d'août, montre une forme physique excellente. Jovial, détendu, il fait honneur aux innombrables *zakouski* qui couvrent les tables, aux viandes, aux corbeilles de fruits somptueux qu'on importe spécialement de Moldavie et du Caucase, pour le Kremlin. Chaque grappe de raisin représente au moins la journée de salaire d'un ouvrier. Il exhume de sa poche la pipe que les médecins lui déconseillent, mais qui s'harmonise si bien avec son personnage de père tranquille, tire dessus parmi les cristaux et les fleurs, l'œil plissé comme un vieux paysan. Puis il s'anime, lance des plaisanteries, rit aux éclats. On l'entend crier, de sa place, pour réclamer aux musiciens ses morceaux préférés, qui sont des chansons populaires. Quand décidément la musique lui plaît, il gesticule pour marquer la cadence, applaudit bruyamment, chante même, pour accompagner les artistes. Un joyeux compagnon, la voix sonore, un peu chahuteur, enchanté de sa petite fête et bien décidé à s'amuser.

La chaleur russe et l'exubérance caucasienne se donnent la main. La salle plonge dans l'euphorie. Les musiciens en habits ou robes longues, les marbres où sont inscrits en lettres d'or les noms des régiments et des officiers décorés par les tsars de l'ordre de Saint-Georges, fournissent la note de respectabilité indispensable, rassurante. Nous sommes les héritiers de l'ancien monde et nous avons le droit d'être gais. Le monumental Gottwald, le vieux Wilhelm Pieck, le petit Hongrois Rakosi, tous ces chefs chargés de ruses et de soucis mortels s'interpellent de table à table avec de grands éclats de rire. Puisque Staline est gai, demain n'existe pas. Cette nuit n'aura pas de fin.

4

LES PARTIS FRÈRES

Pendant que son patron Gottwald festoie à Moscou, Arthur London croupit dans une prison de Prague.

Voilà vingt mois que ce vice-ministre des Affaires étrangères du gouvernement tchécoslovaque est arrêté. Vingt mois d'interrogatoires. A force de nuits sans sommeil, de coups, d'injures, de menaces, de dépositions extorquées, de tortures physiques, d'escroqueries morales et de casuistique truquée, les « référents » ont fini par avoir raison de sa volonté. Ce 15 octobre, il est très occupé à apprendre par cœur les « confessions » qu'on lui a dictées et qu'il doit absolument réciter sans faute à son procès, prévu pour le mois suivant.

Dans des cachots voisins, 13 autres accusés de marque révisent également leur leçon. Parmi eux, l'ancien ministre des Affaires étrangères Clementis et, surtout, l'ex-numéro deux du régime, Rudolph Slansky. Tous sont des communistes de toujours. Plusieurs ont, eux-mêmes, pourchassé sans tendresse les déviationnistes en tous genres. Mais ils devront se présenter, le jour du procès, comme des « *traîtres trotskistes-titistes, sionistes, nationalistes bourgeois, des ennemis du peuple tchécoslovaque, du régime démocratique populaire et du socialisme* [1] ».

Ils devront reconnaître qu'ils ont vendu les secrets de leur patrie aux puissances occidentales, notamment à l'ambassadeur français Dejean.

---

1. Compte rendu d'audience de l'Agence de presse tchécoslovaque, cité par la *Pravda* du 21 novembre 1952.

Onze seront pendus, les trois autres condamnés à la détention à vie. Tous seront plus tard réhabilités — les vivants et les morts. Et Arthur London, l'un des trois rescapés, écrira *l'Aveu* pour expliquer comment l'on obtient d'un militant fidèle et fanatique qu'il s'accuse d'infamies imaginaires.

Pour les démocraties populaires, l'heure des purges a sonné en 1948. Tito, le plus connu de tous les dirigeants de l'Europe de l'Est, venait de rompre avec Staline. Celui-ci, pour éviter tout risque de contamination, a eu recours à ses procédés habituels. Le ministre des Affaires étrangères hongrois Rajk, le vice-Premier ministre bulgare Kostov, le vice-président albanais Xoxe ont été exécutés dès 1949, avec des fournées de « titistes » supposés, au milieu d'un concert d'imprécations sauvages. Des centaines de dirigeants, petits, moyens ou grands, ont été jetés en prison, tels Gomulka en Pologne, Kadar en Hongrie, Husak en Tchécoslovaquie. Derrière ces personnages connus, des foules innombrables et sans visage. Des Balkans à la Baltique, policiers et procureurs sont débordés. Des équipes de conseillers soviétiques sont sur place pour les surveiller, les instruire, leur montrer comment on monte de beaux procès.

Tito était, dans une certaine mesure, un self made man, un homme qui s'était emparé du pouvoir avec des fusils et des partisans au lieu de tout attendre de Staline et de l'Armée rouge. Les Yougoslaves voulaient être indépendants parce qu'ils estimaient l'avoir mérité. La leçon n'est pas perdue. Dans tous les « pays frères », on fait la chasse à ceux qui ont porté les armes pour le communisme au lieu de rester dans des écoles de cadres à Moscou. Les plus suspects sont les anciens des brigades internationales. Outre qu'ils ont un grand passé, ce qui les rend incommodes, ils ont fait en Espagne des rencontres inavouables : des trotskistes, des anarchistes. Staline les fait massacrer, comme il liquida déjà, une dizaine d'années plus tôt, les Russes qui s'étaient illustrés à Madrid et à Guadalajara. Il s'en prend aussi aux « cosmopolites », c'est-à-dire aux Juifs. Sur les quatorze condamnés du procès Slansky-London, neuf le sont. Juive, la Roumaine Anna Pauker — fidèle des fidèles, plus stalinienne que Staline lui-même — est disgraciée. Rakosi, juif aussi, est président du Conseil, en revanche, à Budapest. Il est vrai qu'il fait du zèle. Les prisons hongroises regorgent des condamnés les plus divers. On y trouve même un pianiste admirable que l'Europe découvrira quelques années plus tard. Il se nomme Gyorgy Cziffra et, pour l'heure, ne donnerait cher ni de sa carrière ni de sa vie.

Avec un parallélisme rigoureux, le parti communiste français s'épure aussi. Le 16 septembre, *L'Humanité* a brusquement dénoncé le « travail fractionnel » mené par André Marty et Charles Tillon. Ces dirigeants de premier plan (l'un membre du secrétariat, l'autre du bureau politique) sont des anciens des brigades internationales; ils ont été responsables des francs-tireurs et partisans. Comme Rajk, comme London, ils font partie de cette race combative, à l'échine raide, que Staline n'aime pas. Leur condamnation revêt évidemment des aspects moins dramatiques : ils peuvent, eux, se retirer dans une retraite amère mais paisible.

Personnage controversé mais illustre, Marty — le mutin de la mer Noire, le seul Français vivant dont le nom soit cité dans *l'Histoire du parti communiste (bolchevik)* — dégringole brutalement de ce piédestal historique et devient pour ses anciens camarades *le policier Marty.* L'usine qui portait son nom en U. R. S. S. est débaptisée. Commentaire de la *Pravda* : « *Marty et Tillon avaient tendance à rabaisser le rôle de l'Union soviétique dans la libération de la France*[1]. »

Ce parti durement secoué est privé de son chef, Maurice Thorez, soigné en U. R. S. S. depuis l'attaque qui l'a frappé deux ans plus tôt. L'absence de cette forte personnalité, volontiers transformée par la propagande en héros providentiel, se fait lourdement sentir, même si des émissaires font la navette entre Paris et le Caucase. La nouvelle annonçant qu'il a reparu à Moscou, pour prendre la parole au Congrès, est saluée avec transports. Le sommet du culte de la personnalité « à la fran-

---

1. *Pravda*, 10 décembre 1952.

çaise » est le poème dans lequel Aragon, prince des poètes communistes, chantera la résurrection de son héros :

« ... On avait beau se dire Au pays de Staline
Le miracle n'est plus un miracle aujourd'hui
Deux ans l'attendre avec ce que l'on imagine
Et les propos des gens deux ans c'est long sans lui
Mais voici qu'on apprend que dans le Kremlin rose
Aux assises d'un peuple il est venu debout
Dire au milieu de ce bilan d'apothéose
Comme au Vel' d'Hiv' alors qu'il était parmi nous
Ce qu'il disait naguère et nous disons encore
Jamais non jamais le peuple de France non
Jamais nous ne ferons la guerre à cette aurore
Nous saurons museler l'atome et le canon[1] *»*

Dans de tels hommages, il est d'usage d'associer le maître et le disciple, le soleil et son reflet. Pour la presse du P. C. F., Thorez est « le meilleur stalinien de France ».

De tous les « partis frères », celui qui paraît donner les plus hautes satisfactions à Moscou est le parti chinois. La « grande amitié » est l'un des thèmes les plus souvent exaltés par la presse soviétique de 1952.

Euphorie artificielle. Le P. C. chinois a peu de raisons de se sentir reconnaissant. Il a conquis, durement, un pays de près de 600 millions d'habitants, avec un soutien soviétique faible et réticent. Staline sent, depuis toujours, que ces amis-là seront des rivaux. Aussi, à la fin de la guerre, avait-il préféré conclure un traité d'alliance avec Tchang Kaï-chek.

Volant au secours de la victoire, il envoie depuis 1950 des milliers de conseillers et de techniciens à la jeune république populaire, contribue à son équipement économique pour 300 millions de dollars. Cette coopération technique se pare de couleurs resplendissantes dans les journaux soviétiques. « *Le*

---

1 *L'Humanité*, 8 avril 1953.

peuple chinois, y lit-on, *lève les yeux avec une immense reconnaissance vers sa grande amie, l'Union soviétique... Le succès du
peuple soviétique est l'étoile qui montre le chemin*[1]. » Un
journaliste chinois écrit : « *Merci, frère aîné*[2]. » Et Chou En-Laï
lui-même remercie humblement pour « *la façon cordiale et
patiente avec laquelle les camarades soviétiques nous ont transmis leurs connaissances*[3] ». Cela à l'occasion de la restitution
par les Russes du chemin de fer de Mandchourie qu'ils s'étaient
attribués à la fin de la guerre (mais ils garderont deux ans
encore le contrôle de Port-Arthur).

Le frère aîné, cuirassé de bonne conscience, considère avec
une condescendance amicale le frère cadet, sans penser que
celui-ci a peut-être grande envie de devenir majeur.

Ilya Ehrenbourg conte l'histoire d'une usine construite en ce
temps-là en Chine par les Russes. Les machines s'y révèlent
sensiblement trop hautes pour la taille des ouvriers chinois.
« Qu'à cela ne tienne, disent les Russes, grands et gros, nous
vous construirons des plates-formes en planches devant les
machines pour surélever vos ouvriers. » Les petits Chinois, tout
sourire, prient qu'on n'en fasse rien : ils régleront le problème
eux-mêmes. Avec de grands efforts, ils diminuent la hauteur
des machines en enfouissant leur base dans le sol. « Apparemment, ajoute Ehrenbourg, il y avait dans les plates-formes
quelque chose de blessant pour eux[4]. »

---

1. *Pravda*, 7 février 1952.
2. *Ibid*, 6 novembre 1952.
3. *Ibid*, 1er janvier 1953.
4. Ehrenbourg : *Lioudi, Godi, Jizn* (*Novy Mir*, avril 1965).

5

SUR LE MAUSOLÉE

Nous avons vécu sous la main de
[*Dieu.*
Dans sa main, juste à son côté.
Il ne vivait pas dans le bleu des
[*cieux ;*
Nous pouvions, quelquefois, le voir
Vivant. Sur le mausolée.
Il était plus méchant, plus sage
Que l'autre — nommé Jéhovah.
BORIS SLOUTSKI.

7 novembre 1952

Trente-cinquième anniversaire de la révolution. Peu avant
onze heures, Staline sort du Kremlin pour présider la grande
parade, sur la place Rouge.

La cérémonie est annuelle; la présence de Staline ne l'est pas.
D'habitude, il se réserve pour le défilé du 1er Mai, passant
novembre au Caucase sans se montrer. Sa fille assure qu'il
n'aime pas ces fêtes de la révolution parce que c'est à leur issue
que sa deuxième femme est morte tragiquement, vingt ans plus
tôt.

Mais, cet automne, le XIXe Congrès l'a retenu à Moscou. Il a
revêtu son uniforme militaire, avec les épaulettes de généralissime — un grade qu'il a créé à sa propre intention. Ainsi
harnaché, il paraît rajeuni, grandi même. Son bottier est expert
dans l'art de lui faire gagner un centimètre ou deux. Les personnalités qui le voient passer de près le jugent en bonne forme
physique — malgré l'heure très matinale pour lui. Il escalade à

toute allure, de son pas léger de montagnard, l'escalier conduisant à la tribune du mausolée.

Après trois heures passées là-haut, dans le froid aigre, il ira, à la fin de la cérémonie, saluer les diplomates étrangers et ceux-ci lui trouveront bonne mine.

Le voici sur le mausolée de Lénine — le héros vivant au-dessus du héros mort dont le corps embaumé repose sous ses pieds, au fond de la crypte.

C'est Staline qui a fait bâtir ce monument de granit et de porphyre, inspiré du tombeau de Xerxès, pour qu'on vienne y adorer le fondateur de l'Union soviétique. C'est lui qui a fait prévoir, tout en haut, cette tribune permettant à l'héritier d'être associé au culte du maître. En face de lui, comme un écho de leur double présence, il voit leurs deux effigies géantes, accrochées au mur du Goum, le grand magasin d'Etat.

Cet édifice commercial, vis-à-vis du lieu le plus saint du régime, gêne considérablement les chroniqueurs soviétiques. Pratiquant le style noble, ils n'osent, dans leurs comptes rendus des cérémonies, appeler le magasin par son nom, s'en tirent par une périphrase : « Le bâtiment situé en face du mausolée. »

Pour l'instant, cette construction utilitaire et lourdement tarabiscotée disparaît sous l'étamine, les blasons, les slogans en lettres d'or sur fond écarlate. Sur la place immense, entre la masse rouge du musée historique et les coupoles multicolores de Basile-le-Bienheureux, les régiments défilent. L'arme à la hanche, les soldats de la plus puissante infanterie du monde exécutent un « tête droite » impeccable vers Staline. Le mugissement des cuivres, le grondement des blindés, montent vers lui comme un encens. Il est le *veliki polkovodiets*, le grand stratège. Parmi les titres qu'il s'est fait décerner, il en est peu qu'il prise davantage. Il en est peu qui soient plus contestables.

Ses débuts dans l'art militaire, pendant la guerre civile, la campagne de Pologne, sont médiocres, pleins d'aigres querelles avec des stratèges mieux doués, comme Trotski ou Toukhatchevski (ceux-là mêmes qu'il a fait tuer plus tard). Nulle part, le coup d'œil du jeune Condé, ou l'imagination pétulante qui attire déjà l'attention sur le petit capitaine Bonaparte. Il voit lentement, pas très juste.

En 1941, il n'a pas préparé les armées soviétiques à l'invasion imminente, évidente — pour ne pas irriter Hitler. Par sa faute, les Allemands ont eu la joie de trouver en face d'eux des fortifications inachevées, des aérodromes non camouflés, des états-majors sans instructions et des divisions à peine arrivées à l'état d'alerte. Mais, depuis, tant de soldats, tant de jeunes lieutenants sont tombés en criant « pour la patrie et pour Staline » que leur sacrifice l'a consacré, a fait de lui ce dieu de la Guerre, ce drapeau d'un peuple. Dans le sang versé, dans les douleurs sans nom, dans l'apothéose de la victoire finale, les Soviétiques ont voulu voir en lui l'image même de la patrie.

Après l'armée, le peuple le lui crie. Un million de Moscovites passent à ses pieds.

Chacun des 12 arrondissements de Moscou a formé sa colonne. Dans chaque entreprise, chaque usine, la direction a désigné les membres du personnel qui participeront à la manifestation, a fait fabriquer par l'atelier de décoration des panneaux, des banderoles, des maquettes, suivant les directives du jour. On voit s'élever au-dessus de cette mer humaine des diagrammes exaltant les derniers succès du plan, des tableaux au réalisme naïf représentant la nouvelle station de métro, le nouveau gratte-ciel de la capitale. La délégation de l'arrondissement « Sovietski » se signale en portant un livre géant où l'on peut lire en lettres d'or : J. *Staline, Problèmes économiques du Socialisme en U. R. S. S.* Des milliers de panneaux exaltent *le parti de Lénine-Staline* et reproduisent les directives de son dernier congrès. Des milliers de portraits beaucoup plus grands que nature se promènent au-dessus des têtes. Son portrait, à lui, d'abord. Et puis ceux de Marx, Engels, Lénine, ceux des *soratniki*, ceux des dirigeants communistes étrangers. Galerie de têtes remise au goût du jour à chaque purge. Lui ne change pas : il a toujours quarante ans, des traits lisses, une chevelure noire, sur ces énormes effigies dont le petit vieillard, là-haut, n'est qu'une réplique lointaine.

Un atelier spécialisé produit en série ces portraits de dirigeants. La technique est simple : un projecteur envoie sur une grande toile blanche les traits, convenablement embellis, du personnage qu'il faut représenter. Le peintre suit les contours de cette projection, fait ressortir les reliefs et les ombres avec un peu de peinture noire (cela s'appelle « peindre à pinceaux secs »).

Puis la toile se déplace, la projection tombe trois mètres plus loin. On recommence. Un bon spécialiste abat ses quatre ou cinq Béria ou Molotov dans la journée. C'est, pour les jeunes artistes impécunieux, une source de revenus intéressante.

Sous un flot de drapeaux rouges, il y a là, environ, un habitant de Moscou sur sept (dans les villes de province, petites ou moyennes, c'est l'ensemble de la population active qu'on fait défiler, ce même jour). Toutes les professions sont représentées, les métallos et les académiciens, les médecins et les postiers, ceux du rail et ceux de la truelle comme ceux de la paperasse ou du compas. Les corps de métiers ne se mélangent pas; les manteaux de fourrure restent séparés des vestes molletonnées. Il y a de l'ordre. On est en service commandé. Les chefs de groupe ont longtemps répété les slogans, le soir, sur la place Rouge. Pourtant, l'enthousiasme n'est pas feint. Quand les colonnes arrivent vers la tribune, il y a des rires, des cris de joie, on brandit gaiement les fleurs en papier distribuées par les responsables, on lève la tête avec bonheur vers la petite silhouette qui rend de temps à autre les saluts en agitant la main. De-ci de-là, un enfant, juché sur les épaules de son père, cahote au-dessus de la foule et fait provision de souvenirs. De joyeux drilles ont emporté leur accordéon et, en marchant, se jouent leur petite musique, en marge des haut-parleurs qui vomissent des hymnes triomphaux.

Au pied du mausolée, les diplomates et les correspondants étrangers se tordent le col pour apercevoir la tribune et évaluer les changements survenus dans la hiérarchie.

A la gauche de Staline se tiennent en effet les hauts dirigeants. Or le XIXe Congrès a apporté parmi eux des changements notables.

Tout d'abord, Kossyguine a disparu du mausolée où il figurait régulièrement depuis 1946. L'affaire de Leningrad n'a pas fini de porter ses fruits empoisonnés. Membre titulaire du Politburo, il a été brutalement rétrogradé au rang de suppléant.

Le Politburo [1] lui-même, le plus prestigieux des organismes dirigeants, a été rebaptisé Praesidium. Ses effectifs, brusquement devenus obèses, ont été portés de 12 à 25 membres, sans compter 11 suppléants. Les vieilles gloires y figurent encore, mais pour la forme, déjà noyées dans cet afflux d'arrivants : la relève est prête. Molotov et Mikoyan, que Staline a attaqués publiquement devant le Comité central, le 16 octobre, trouvent que leurs nouveaux collègues ont des têtes d'héritiers.

Pour mieux montrer que le glorieux ex-Politburo a fait son temps, que les choses sérieuses se passent ailleurs, Staline a d'autre part renforcé le Secrétariat du Comité central qui est sa chose, sa propriété depuis trente ans. Il y a fait entrer des nouveaux venus qu'il juge capables et dévoués. L'un d'eux se trouve pour la première fois sur le mausolée, tout au bout de la rangée, à l'extrême gauche. Il n'a pas encore quarante-six ans. Sous la toque de fourrure, le visage est plein, charnu, coloré. Il s'appelle Leonid Brejnev.

Il est né en décembre 1906, sur le Dniepr, le grand fleuve d'Ukraine. Son bourg natal, Kamenskoïe, est devenu après la révolution une ville industrielle, qu'on a rebaptisée Dnieprodzerjinsk, en l'honneur du fondateur de la Tchéka. Cela se trouve à 1 500 kilomètres de Leningrad et de ses nuits blanches. Comparé au pâle et silencieux Kossyguine, Brejnev, avec ses cheveux noirs, son rire sonore et sa voix un peu grasse est le portrait même du Méridional.

Il est fils d'un ouvrier métallurgiste, ce qui est bien la meilleure origine possible pour un dirigeant communiste. Lui-même se flatte d'avoir eu, jeune, les mains calleuses, d'avoir été apprenti à quinze ans. Comme tous les membres de la nouvelle élite, ou peu s'en faut, il a gagné ses galons de technicien et d'ingénieur, d'abord dans une école d'agriculture puis dans un institut métallurgique. Mais il a vite quitté les champs et l'usine

---

1. *Politburo* : Bureau Politique du Comité central du Parti Communiste. Devenu Praesidium en octobre 1952, il redevint Politburo en 1966.

pour devenir un homme de « l'appareil », un fonctionnaire du parti, expert à manier cette lourde machine. Ayant échappé aux purges de 1937, il a vite volé haut. A trente-deux ans, il était secrétaire de la région de Dniepropetrovsk — déjà notable de haut rang.

Pendant la guerre, il a gravi avec la même facilité apparente les échelons de la hiérarchie militaire sans quitter sa spécialité qui est la politique. On l'a chargé de la « direction politique » de divers fronts et, en mai 1945, le jeune général Brejnev, la poitrine couverte de décorations a défilé sur la place Rouge.

De cette période, il a gardé des amis sûrs dans les milieux militaires et un goût marqué pour les problèmes d'armement.

Bâti en force, une encolure de taureau, le menton carré, il paraît brutal mais on le sait prudent. Sous les énormes sourcils, les yeux clairs sont malins, un peu ironiques. Dans les interminables réunions du parti, il a appris à se contrôler, à se montrer solennel et neutre, à enfiler les formules toutes faites l'une après l'autre, en longues périodes oratoires. Dans le privé, il rit et s'attendrit facilement, se montre bon valseur et grand chasseur.

Il connaît bien le système, les rouages, les hommes. Nul n'est plus habile à remonter les circuits administratifs compliqués, les longues filières. Il a la longue patience de l'homme du sérail, et les bureaux l'aiment bien. De temps à autre, quand il sent une affaire mûre, il tranche, avec le geste prompt du sanguin. Il a la corpulence lourde, mais le pas vif. Et quand il se décide à donner de sa grosse voix, on l'entend.

Khrouchtchev, quand il était premier secrétaire d'Ukraine, a remarqué cet *apparatchik* doué, qui savait ne pas lui créer de problèmes. C'est à lui, pour une large part, que Leonid Ilytch Brejnev doit d'être devenu, en cet automne 1952, l'un des hommes les plus puissants d'Union soviétique.

Le voici membre suppléant de l'ex-Politburo — le nouveau Praesidium « élargi ». Surtout, le voici membre du Secrétariat, ce prestigieux groupe de dix hommes. Le premier des dix, le secrétaire général, s'appelle Joseph Staline. Brejnev peut se dire à bon droit qu'il se trouve au cœur de toutes choses, au centre même du pouvoir. Sans doute, dans ce collège, ne peut-il encore s'égaler aux « grands » secrétaires, aux Malenkov, aux Khrouchtchev. Sans doute ses attributions y restent-elles restreintes et délimitées. Mais il fait partie des 25 hommes qui montent tout en haut du mausolée, et qui regardent à leurs pieds la foule battre comme une mer le lourd monument rouge et brun.

Dans son discours au XIXᵉ Congrès, un mois plus tôt, il a longuement exalté « *le plus grand homme de notre époque... l'architecte génial du communisme... un homme d'une inépuisable énergie révolutionnaire... le sage chef et maître... notre Joseph Vissarionovitch Staline* [1] ». Il l'a aussi appelé « *le libérateur de la Bessarabie* ».

Entre le Dniestr, le Prout et les Bouches du Danube, la Bessarabie est une région fertile, convoitée, tiraillée tout au long des siècles entre des maîtres divers. Jadis, ce furent les princes hongrois, les sultans turcs, les hospodars grecs. Au XIXᵉ siècle, la lutte s'est circonscrite entre les Roumains et les Russes. En 1918, les Roumains s'y sont installés, mais les Soviétiques y sont revenus en 1940 et, après les flux et les reflux de la guerre, y sont restés.

La Bessarabie est désormais la République socialiste soviétique de Moldavie.

C'est là que se trouvait Brejnev en dernier lieu, avant de « monter » à Moscou. Nommé à Kichinev en 1950, en qualité de premier secrétaire du parti moldave, il a régné pendant deux ans au pays de la flûte de Pan et des chaudes mélopées roumaines. On dit que ce bon vivant a aimé cette terre de jolies femmes et de bons vins.

Mais c'est une contrée périphérique s'il en fut, travaillée par les courants centrifuges; et la tâche d'y faire régner l'ordre russe n'est pas légère. Comment s'en est-il tiré? Les Moldaves, qui viennent vendre leurs cerises et leur raisin au poids de l'or sur les marchés kolkhoziens de Moscou et de Leningrad soupirent discrètement : « Ça ne va pas trop mal chez nous. »

_____

1. *Pravda*, 8 octobre 1952.

L'AUTOMNE

Cet homme à double menton n'est pas un idéologue froid comme Souslov, son compagnon de mausolée, son collègue du Secrétariat. Ce n'est certes pas un tendre ni un libéral, mais il sait se montrer compréhensif, de temps à autre. On dit qu'en Moldavie, l'épuration a été un peu moins dure que dans la plupart des Républiques.

6

PREMIER PARMI LES ÉGAUX

Que Brejnev, d'ascendance russe et né en Ukraine, gouverne les Moldaves, c'est évidemment une entorse à la « politique stalinienne des nationalités », si glorieusement claironnée, et qui promet à chaque peuple de l'Union soviétique la gestion de ses propres affaires. Mais ces entorses sont si habituelles qu'on y prête à peine attention. La constitution donne aux 16 Républiques fédérées de l'U. R. S. S. [1] tous les droits, y compris celui — hautement théorique — de quitter la fédération. Les Lettons et les Turkmènes, les Moldaves comme les Azerbaïdjanais, les Ukrainiens ou les Kirghizes ont leur gouvernement, leur parlement, leur justice. En fait, Moscou tient tout. Les Russes sont partout.

Une formule orwellienne résume la situation : « *Le peuple russe, premier parmi les peuples égaux* [2] ». L'hymne soviétique — qui a remplacé en 1944 l'*Internationale* — oublie de parler du parti communiste mais retrouve des accents très traditionnels pour exalter la *Grande Russie*, fondatrice de l'Union soviétique.

Et, en mai 1945, pour son toast de la victoire, Staline a levé son verre au peuple russe, « *force dirigeante de l'Union soviétique, parmi tous les peuples de notre pays* ».

La force de Staline, c'est son ambiguïté. Révolutionnaire et

---

1. Nombre réduit depuis à quinze, la république carélo-finnoise ayant été intégrée purement et simplement dans la république de Russie.
2. *Pravda*, 5 mars 1953.

conservateur, il est fait pour plaire à tous. L'ancien agitateur habille ses sujets d'uniformes renouvelés du temps des tsars. Les diplomates ont le leur, les procureurs aussi, comme les écoliers et les écolières. Jusqu'aux mineurs qui reçoivent une tenue de sortie, verte à passements dorés. Les grades administratifs sont copiés sur le *tchin* d'antan. L'armée — qui n'est plus l'Armée rouge — a retrouvé les épaulettes de l'ancien régime. Et le patriarche orthodoxe est décoré de l'ordre du Drapeau rouge.

Sur le problème des « nationalités », l'ambiguïté est plus profonde encore. Colonisé, Staline se fit le théoricien d'une certaine décolonisation, et Lénine le qualifia pour cela de « miraculeux Géorgien » : dans la nouvelle communauté des républiques soviétiques, chaque peuple de l'ancien empire russe pourrait entrer ou sortir librement. Cela dura ce que durent les roses, le temps de reconnaître l'indépendance de la Finlande en 1918. Puis Staline revint au centralisme russe, sous un épais vernis de propagande « multinationale ».

Pendant la guerre, on l'a entendu invoquer à la radio saint Alexandre Nevski. Opportunisme ? Il fallait bien, sans doute, tendre le sentiment national devant l'Allemand qui avançait. Mais, la guerre gagnée, il a continué de se plaire dans ce rôle de patriote russe. Les portraits de Souvorov et de Koutouzov sont restés pendus au mur de son bureau. Il fait remplacer, Place des Soviets, l'Obélisque de la Liberté, érigé sur la recommandation de Lénine, par une statue de Youri aux Longues Mains, un prince féodal mais un prince russe, et fondateur de Moscou.

Faire tenir debout l'Union soviétique, cette énorme pyramide de peuples divers, de traditions contradictoires est une tâche effrayante. Pour y faire face, il a jeté au panier les constructions égalitaires qu'il avait imaginées dans sa jeunesse. Avec le sourire en coin des « réalistes » il s'appuie sur les plus nombreux et les plus forts. Les Russes, qui représentent alors 50 pour cent, environ, de la population, sont qualifiés de « frères aînés ». Peu importe que la Kiev des Ukrainiens ou la Samarkande des Ouzbeks, vieille de près de deux mille ans, aient aussi quelques droits d'aînesse à faire valoir.

Les Russes sont patriotes. Ils ont le droit et le devoir de l'être. Chez les autres peuples de l'Union, la fierté nationale est une pente glissante, qui conduit tout droit au nationalisme bourgeois, déviation détestable, grande pourvoyeuse de camps de concentration.

Et l'on voit Korneitchouk, président des écrivains ukrainiens, se frapper la poitrine. Travaillés par un nationalisme diabolique, les critiques ukrainiens ont omis d'accabler un poème qui ose s'appeler « *Aime l'Ukraine* ». Pis : certains l'ont loué. Et voilà qu'un autre ose « *opposer le poète ukrainien A. Malychko au grand chantre-tribun du peuple russe Vladimir Maïakovski*[1] ». Horreur!

Nationaliste bourgeois, l'opéra *Manas*, consacré au héros des vieilles chansons de geste kirghizes. Nationalistes bourgeois, les écrivains géorgiens Gamsahourdia et Dadiani qui ont « *idéalisé le passé de la Géorgie* », « *mal interprété l'amitié séculaire entre les nations russe et géorgienne*[2] ». Les peintres estoniens sont priés d' « *étudier davantage les grands peintres russes* » et l'Estonie tout entière de chanter « *des chansons d'une plus grande résonance, comme il y en a beaucoup dans le peuple russe*[3] ».

La doctrine officielle est que la supériorité du « frère aîné » ne date pas de l'ère soviétique : depuis toujours, c'est lui qui a apporté la lumière aux populations sous-développées de l'empire russe. La *Pravda* réhabilite donc les tsars conquérants, foudroie les musées du Kazakhstan qui cachent « *ce fait historique que le peuple kazakh vit dans son rattachement à la Russie le moyen de surmonter son caractère arriéré*[4] ». Elle pourfend un historien qui a osé écrire que le tsarisme chassait les populations du Daghestan au fond des montagnes[5].

Il va de soi qu'il ne s'agit pas seulement de querelles muséographiques et littéraires. Avant le XIXᵉ Congrès, les partis des

1. *Liberatournaïa Gazetta*, 2 août 1951.
2. *Pravda*, 20 septembre 1952.
3. *Pravda*, 21 septembre 1952.
4. *Pravda*, 29 mai 1952.
5. *Pravda*, 12 décembre 1952.

16 Républiques ont tenu les leurs. Leurs résultats donnent le frisson. En Turkménie, le tiers des dirigeants du parti s'est trouvé éliminé en une année. En Ouzbekistan, quatre premiers secrétaires viennent d'être successivement limogés au comité de la ville de Tachkent. Partout, la même explication : nationalisme bourgeois. Le président du Soviet suprême de Lituanie, Juste Paletskis, a dû faire une autocritique publique : il avait succombé à l'indulgence — voire à la complicité — vis-à-vis des nationalistes bourgeois lituaniens.

Les pays baltes et l'Ukraine occidentale qui ont vécu vingt ans hors de l'orbite soviétique, sont les plus suspects. Plusieurs années après la guerre, des partisans antisoviétiques s'y dissimulaient encore dans les forêts. La Biélorussie, cousine proche, paraît en revanche à peu près exempte du péché antirusse. L'épuration y est seulement motivée par la « carence économique ». C'est pour non-accomplissement du plan que vient d'être rétrogradé un secrétaire du Comité central biélorusse. Il se nomme Piotr Abrassimov, et on le retrouvera beaucoup plus tard dans les postes clefs de la diplomatie soviétique, à Berlin puis à Paris.

Car l'épuration des dirigeants n'est pas obligatoirement mortelle. Mais ces cas heureux contrastent avec d'autres éliminations plus radicales. En Géorgie, parmi les vergers et les vignes, la chasse aux déviationnistes se colore de lueurs sanglantes. La république est encore secouée par l'affaire mingrélienne où le nationalisme bourgeois se compliqua, luxe suprême, d'espionnage proturc. Au-delà des convulsions locales, c'est l'influence de Béria qui est en jeu. Mguéladzé, le nouveau premier secrétaire du parti géorgien, passe pour ne pas être de ses amis.

7

NAIF VOLTAIRE

Dans l'une des nombreuses versions de *Zadig,* Voltaire conte l'histoire d'un grand seigneur trop satisfait de ses mérites. Pour le corriger, le roi lui envoie « un maître de musique avec 12 voix et 24 violons ». Cet ensemble a pour mission de lui chanter, toutes les trois minutes, le refrain suivant :

> *« Que son mérite est extrême!*
> *Que de grâces! Que de grandeur!*
> *Ah! combien Monseigneur*
> *Doit être content de lui-même! »*

Le cinquième jour, n'y tenant plus, Monseigneur supplie le roi de reprendre ses musiciens.

Naïf Voltaire! Staline lui, n'est jamais las de s'entendre chanter. Le 5 décembre, voici « le jour de la Constitution stalinienne » — l'anniversaire de la Constitution qu'il a octroyée en 1936 tandis que, de l'autre main, il déclenchait les purges. C'est une fête nationale. Dans les clubs d'entreprises, les théâtres, les universités, les maisons de la culture, des conférenciers, des chœurs et des orchestres d'amateurs, des peintres du dimanche célèbrent « *Staline, fondateur de la Constitution du socialisme vainqueur* ». Dans les usines, des milliers d'orateurs enseignent aux ouvriers que « *la Constitution stalinienne est la plus démocratique du monde* ». Liberté de parole, de réunion, de la presse, droit au secret de la correspondance, à l'inviolabilité du domicile, elle garantit tout ce que la police nie. Les ouvriers écoutent sagement et applaudissent aux bons endroits.

La fête est célébrée avec une particulière solennité par l'usine métallurgique de Roustavi, en Géorgie : elle vient d'être autorisée à s'appeler « usine Staline », suivant ainsi l'exemple de milliers d'entreprises, clubs, kolkhozes, régions, districts, quartiers, lieux-dits...

Outre Stalingrad, la ville symbole, la ville martyre, d'autres cités soviétiques portent le nom vénéré : Stalino, Stalinsk, Stalinabad, Staliniri, Stalinogorsk (les pays satellites, de leur côté, ont leurs Stalinstadt, Stalinogrod, Stalin, Stalinvarosh, etc). Dans le Pamir, le pic Staline, sommet de l'U. R. S. S., domine du haut de ses 7 495 mètres, le pic Lénine qui n'en mesure que 7 134. Et, partout, ces Staline de marbre, de bronze, immenses, obsédants. Dominant le Danube à Budapest. Contemplant fixement la Turquie, par-dessus la frontière, depuis Erevan. Au sommet de l'Elbrouz, dans le Caucase, avec sur le piédestal cette inscription : « Sur le plus haut sommet de l'Europe, nous avons érigé le buste du plus grand homme de tous les temps. »

Le calendrier des éditions d'Etat soviétique pour 1953, tiré à 15 millions d'exemplaires, vient d'être mis en vente. Le nom de Staline y figure 367 fois; la date de chacun de ses articles ou de ses discours y est inscrite. On y trouve aussi 12 portraits de lui et 20 poèmes le célébrant.

Des millions de jeunes komsomols continuent à potasser la *Biographie abrégée* : « *Tout le monde connaît la force irrésistible, foudroyante, de la logique de Staline, la lucidité de cristal de son esprit, sa volonté d'acier, son attachement au parti, sa foi ardente dans le peuple et son amour pour lui. Tout le monde connaît sa modestie, sa simplicité, sa sollicitude envers les hommes, son implacabilité pour les ennemis du peuple. On sait qu'il ne souffre pas le tapage, les phraseurs et les bavards, les pleurnicheurs et les semeurs de panique. Staline est réfléchi; il ne montre pas de précipitation lorsqu'il s'agit de résoudre les problèmes politiques complexes, à propos desquels il faut savoir tenir compte de tous les aléas et de tous les avantages. Et en même temps Staline a la haute maîtrise des solutions révolutionnaires audacieuses et des tournants énergiques.* »

La biographie comprend 70 pages, à peu près du même style.

Les résultats de cette imprégnation sont parfois inattendus. Certains jeunes mobilisés, en arrivant au régiment, profitent de leur premier quartier libre pour se faire tatouer un grand portrait de Staline sur la poitrine.

La petite Liouda, sept ans, a reçu à l'école, pour une fête, deux pommes et un paquet de bonbons. En rentrant chez elle, elle halète d'émotion :

« C'est Staline qui me les a donnés. Je l'aime, c'est le meilleur des hommes. »

Moscou s'enfouit sous la neige. Les cinq voitures noires continuent leurs va-et-vient entre Kountsevo et Moscou, par l' « itinéraire gouvernemental » soigneusement déblayé. A. S... un ingénieur chimiste, les rencontre un jour vers midi dans l'Arbat, remontant vers le Kremlin, et s'arrête, pétrifié, tout en pensant avec un peu d'irrévérence que les sirènes font un cri de canard. Beaucoup baissent les yeux, craintivement : à moins de 100 mètres de Staline, n'importe qui est un suspect. I..., le fils d'un déporté, habitait chaussée de Mojaïsk, sur le passage du cortège. Il se gardait bien de mettre le nez à la fenêtre quand il entendait les sirènes mais, tout de même, son père, un intellectuel, avait été arrêté en 1937 et n'était pas revenu. Mauvais antécédent. Il se savait soupçonnable. Un jour, son entreprise l'a prié de partir en mission pour un travail en province. A la première gare après Moscou, les tchékistes sont montés dans son wagon pour l'arrêter.

Le cortège a laissé derrière lui son sillage de peur.

8

UN OUVRIER

Pavloucha, ouvrier à l'usine de tracteurs de Kharkov, se frotte les mains avec satisfaction. Il vient de recueillir la trente-deuxième et dernière signature nécessaire pour partir en congé.

Il a consacré tout son temps libre pendant une semaine à collecter tous ces paraphes, à patienter dans les bureaux. L'on doit faire signer d'abord en marge de la demande de congé. Puis, dans un deuxième temps, sur une fiche spéciale que vous délivre le service du personnel. L'on doit faire signer même les magasiniers, pour certifier qu'on n'emporte pas le moindre marteau, même la bibliothécaire qui atteste que vous ne conservez ni livre, ni journal.

Tout est en règle; il pourra partir le 15 décembre.

Partir signifie rester chez soi. Pavloucha n'a pas reçu la *poutiovka*, la feuille de route, qui lui aurait permis d'être admis dans une « maison de repos » de l'usine, à la campagne. Dommage! La nourriture n'y est pas fameuse, mais on y tue agréablement le temps, entre camarades, au bon air, en jouant aux dominos. Malheureusement, l'usine ne dispose de *poutiovki* que pour un salarié sur quinze. Et elles vont en priorité aux cadres.

Faute de feuille de route, Pavloucha passera son congé annuel réglementaire — vingt-quatre jours ouvrables — à Kharkov. Mais les occupations ne lui manqueront pas. Le cinéma peut-être : on joue en ce moment *Le Chanteur de Leningrad* avec un bon ténor, et *Le Serment*, où Guelovani est formidable dans le rôle du camarade Staline. Le stade éventuellement : la saison de hockey sur glace bat son plein, mais les billets sont difficiles à obtenir. Et les amis sûrement : on va chez eux, ils viennent chez vous, on boit du thé en faisant marcher le vieux phonographe, les soirées passent vite.

Mais d'abord les occupations utiles : réparer chez lui deux tabourets branlants. Rallonger le lit de sa fille, qui grandit sérieusement, avec les planches qu'un copain magasinier à mises « à gauche » à son intention. Tâcher de faire mettre une nouvelle doublure ouatinée à son vieux manteau. Et, surtout, aider sa belle-mère pour les queues.

Il partage la chambre que son entreprise lui a fait attribuer avec sa fille, sa femme et la mère de celle-ci. Dix mètres carrés, et une cuisine « communautaire » qu'il faut utiliser avec trois autres familles, dans une cascade de criailleries pour un fourneau sali ou pour l'évier bouché. Sa femme est comptable et n'a droit comme employée de bureau, qu'à deux semaines de congé annuel. Elle les a prises en octobre, et en a profité pour faire la tournée des villages qui entourent Kharkov. Elle en a, Dieu merci, rapporté une bonne provision de pommes de terre. A lui, maintenant, de trouver le nécessaire pour les fêtes de fin d'année. Pavloucha est bon père et bon époux; il n'est pas de ceux qui laissent tout le fardeau du ravitaillement aux femmes.

Il entre dans le foyer, en comprenant la petite pension de la grand-mère, environ 2 400 roubles[1] par mois. Pour un ménage de travailleurs, c'est déjà un revenu remarquable. La famille de Pavloucha n'hésite pas, de temps à autre, à recourir au marché kolkhozien où tout est cher, mais de meilleure qualité. On y trouve, au lieu de l'éternelle saucisse des magasins d'Etat, de la viande, que les paysans barbus découpent à la hache. A 35 roubles le kilo. Et aussi des œufs, quelques légumes : notre Ukraine est riche.

Au prix d'un cadeau discret à une vendeuse, la grand-mère s'est procuré deux kilos de farine, pour les gâteaux. Pavloucha va battre les magasins pour acheter des conserves de poisson,

----

1. Voir ci-dessus, page 64.

découvrir quelques jouets. Pour la vodka, pas de problème, on en trouve à volonté.

Au fond, c'est une bonne chose que l'usine ne lui ait accordé son congé qu'en fin d'année et non en juillet comme il l'avait espéré. Et décembre, on n'a jamais le temps de s'ennuyer.

En juin 1946, il était sur le point d'être démobilisé. Des gens de Kharkov sont venus à la caserne faire de la propagande pour leur usine. « Nous vous offrons un bon travail, les gars. On touche comme il faut! Et il peut y avoir des primes d'émulation socialiste quand on se remue. » Pavloucha, qui sort d'un petit bourg de Russie centrale, s'est laissé tenter par le dynamisme ukrainien. Il a franchi pour la première fois, le cœur battant, la majestueuse porte d'entrée principale de l'usine, avec son portique, ses banderoles :

« GLOIRE AU TRAVAIL »,
« ACCOMPLIR LE PLAN AVANT TERME ! »

Pavloucha est fier de son labeur, à l'atelier de fonderie, dans la flamboyante chaleur, le vacarme des ponts roulants, des meules, des cylindres de dessablage. Dommage que les fours soient en mauvais état, les pièces détachées défaillantes, les coulées pleines de rebut. Le temps manque pour fournir un travail propre, et l'envie aussi : les ouvriers sont payés aux pièces. Pour ne pas perdre d'argent, il faut « accomplir le plan ». Et le plan, c'est la quantité. La qualité, on en parle bien dans les discours, les jours de fêtes, mais personne n'arrive jamais à la définir, à la faire entrer dans les salaires. Si Pavloucha ralentissait la production à cause de ses scrupules, par souci de fignoler, ses camarades lui casseraient la figure parce que, par sa faute, la brigade n'aurait pas accompli la tâche imposée. Et que tout le monde toucherait moins. Donc, « faisons le plan », même si nous ne le faisons pas très brillamment.

D'ailleurs, quand on a un peu de moralité, le plan, c'est sacré.

Il existe, bien sûr, des tricheurs. Comment réaliser le plan sans se fatiguer? C'est une vieille et longue histoire aux multiples épisodes. Des brigades arrivent à comptabiliser leur production deux fois. Elles la ressortent du magasin des produits finis, avec la complicité des magasiniers, puis la livrent à nouveau. Les chauffeurs de camions, les conducteurs de télègues [1] exigent imperturbablement une feuille de route certifiant qu'ils circulent à pleine charge, même s'ils roulent presque à vide. Si un ingénieur fronce les sourcils, les camions se mettent à tomber en panne et les chevaux à boiter. Car le « plan » pour les conducteurs, c'est la combinaison kilomètres parcourus-charge transportée.

Il y a pléthore d'ingénieurs plus ou moins diplômés. Souvent, on les utilise comme simples contremaîtres. En revanche, les bons ouvriers sont rares. Pavloucha, conscient de sa valeur, aimerait bien aller travailler dans une aciérie, où l'on paie plus et où on loge mieux. Ou peut-être même se faire embaucher dans un de ces petits « trusts » d'Etat, où les débrouillards arrivent à « dépasser le plan » et à toucher de grosses primes. Mais son passeport intérieur et son livret de travail sont gardés sous clef au service du personnel. Et sans eux, il ne peut partir.

L'avantage du système, c'est qu'il ignore le chômage. Tous les jours, avant la prise de travail de son poste, Pavloucha assiste à la *piatiminoutki,* les « cinq minutes » d'instruction politique obligatoire (en fait, on convoque les ouvriers une bonne demi-heure avant l'horaire légal, pour être sûr que personne ne fera défaut). L'hiver dernier, l'ingénieur leur a lu un article de la *Pravda* — la grande, pas la *Pravda d'Ukraine* — intitulé « *Dans la ville des chômeurs* ». C'était une description de Detroit, aux Etats-Unis : « *Dans les rues de la ville, du matin jusqu'à une heure avancée de la soirée, errent des foules aux visages émaciés, sombres, soucieux. Des chômeurs, des chômeurs, partout des chômeurs...* ». Ceux qui arrivent à trouver du travail sont soumis à de telles cadences que « *beaucoup ne supportent pas le rythme enragé du travail, tombent en syncope ou même*

---

1. *Télègue* : voiture à cheval.

meurent sur place, devant la chaîne, d'une crise cardiaque [1] ».
Au fond de son cœur, Pavloucha a remercié le pouvoir soviétique qui lui épargne tout cela.

Bien sûr, il ne prend pas au pied de la lettre tout ce qu'il lit dans les journaux. A la fin de la guerre (une blessure, deux décorations) il a passé quelques mois en Allemagne. Ces fascistes quand même! Il fallait vraiment qu'ils aient pillé l'Europe pour vivre aussi grassement. Ce n'est pas comme nous, qui aidons tous les pays socialistes, et qui manquons de ficelle et de clous. Et de papier : tous les rapports de l'ingénieur de Pavloucha sont écrits sur du papier d'emballage.

A plusieurs reprises, l'organisation du parti pour l'usine lui a fait des avances : « Tu devrais faire une demande pour entrer chez nous. Tu es travailleur, sérieux. Tu n'es pas un ivrogne. Il nous faut des communistes comme toi. » Pavloucha connaît les usages. Il ne dit pas non. Oui, oui, il va y penser; il rédigera sa demande un de ces jours... Voilà deux ans qu'il fait traîner ainsi les choses. Etre au parti, cela signifie, bien sûr, un peu plus de considération. A vos propres yeux. A ceux de la direction. Mais cela signifie également des responsabilités, des réunions le soir. C'est la fin de la vie personnelle.

---

1. *Pravda*, 7 février 1952.

9

GRANDEUR ET SERVITUDES DES CHEFS

L'année touche à sa fin pour les millions de Pavloucha comme pour les puissants directeurs d'usine, trônant au fond de leurs bureaux à double porte capitonnée, esclaves et seigneurs. Esclaves des ministères qui ont tout prévu : la moindre opération technologique au micron près, le salaire du dernier manœuvre au rouble près.

Tout est fixé un an d'avance. Un directeur à qui le plan attribue 5 000 ouvriers n'a pas le droit d'en embaucher 5 001. Et ce n'est pas à lui de décider s'il commandera ses boulons à Stalingrad ou à Vladivostok : les services du plan, à Moscou, savent cela mieux que lui. On lui alloue tout de même 1 000 roubles par mois (600 francs d'aujourd'hui) pour « achats non réglementés [1] ». C'est-à-dire qu'en cas d'extrême pénurie, il peut acheter quelques rames de papier et quelques kilos de clous sans passer par les bureaux.

Bien entendu, il lui faut tricher, s'il veut faire tourner ses machines au milieu de cet océan de paperasse. Ce haut personnage, doté de pouvoirs à la fois techniques et politiques (il est, en général membre du comité local du parti), est donc un petit garçon, camouflant toutes sortes de désobéissances et d'astuces subalternes.

Il est d'ailleurs surveillé de toutes parts. Des services de contrôle géants vérifient que chaque étape de la production est conforme aux normes imposées. Il doit aussi supporter, au sein

---

1. Ceci dans une usine qui faisait, à l'époque, cent millions de roubles de chiffres d'affaires (soixante millions de nos francs).

de son entreprise, une antenne permanente de la sécurité d'Etat, le « Service spécial », lequel, forcément, ne lui dit pas tout.

Son chef du personnel est également recruté de préférence parmi les membres de la police, en activité ou à la retraite.

Le directeur d'usine est, en contrepartie, doté de tous les attributs du pouvoir : longue ZIS noire, *poutiovki* pour les villes d'eaux du Caucase, appartement confortable. Quelquefois même — ce qui est le comble de l'aisance — sa femme se permet de n'exercer aucun métier. Il puise à son gré dans l'approvisionnement des cantines de son établissement (elles sont toujours mieux ravitaillées que les magasins de la ville). C'est un baron.

Son fief vit en état d'autarcie aiguë : les usines construisent elles-mêmes leurs bâtiments, leurs routes, leurs voies ferrées, leurs canalisations d'eau, les logements de leurs employés. Elles fabriquent, tant bien que mal, une bonne partie de leurs pièces détachées et de leur matériel de rechange. Elles ont leurs propres services de ressemelage et de blanchissage. Elles ont, surtout, leur propre police — dizaines de gardes armés patrouillant nuit et jour autour des murs, avec leurs chiens, afin d'empêcher les vols.

Chaque entreprise dispose d'un « service de ravitaillement technique » : d'ingénieux émissaires sillonnent l'immense pays, leur serviette bourrée de bouteilles de vodka et autres cadeaux. Leur mission : obtenir tout ce qui manque, toutes les livraisons promises par le plan et non effectuées, le minerai et les bois de charpente comme les vis, les ampoules électriques et les tuyaux de caoutchouc. Leur arme : la persuasion...

Pas plus que les ouvriers, les cadres ne savent ce qu'ils gagneront à la fin du mois. Que l'usine cesse de « faire le plan » et leur prime est supprimée. Or la prime représente facilement la moitié des émoluments : « Quand nous ne remplissions pas le plan, se souvient l'ingénieur B. M..., je craignais les réactions de ma femme encore plus que celles du ministère. »

La discipline de ce temps est pesante, mais ne manque pas d'imprévu. Pour avoir tenté d'emmener quelques déchets de tôle, une ouvrière est condamnée à deux ans de prison. Mais un ouvrier qu'on a trouvé ivre mort pendant ses heures de travail fait appel de la décision de renvoi qui le frappe. Il assigne l'usine, gagne son procès. C'est son ingénieur qui est puni à sa place : il n'avait qu'à éduquer ce travailleur, lui enseigner à ne pas boire. On le prive de sa prime pour lui apprendre à avoir de meilleurs subordonnés.

Ces usines, pesantes et figées comme les mammouths des glaces sibériennes, travaillent beaucoup pour l'équipement, très peu pour le consommateur. Symboliquement, l'industrie lourde est dite « catégorie A », l'industrie légère n'étant que la « catégorie B ». On est beaucoup plus mal payé, logé et considéré dans la seconde que dans la première.

Dans un pays où les forêts couvrent vingt fois la superficie de la France, il faut passer par le marché noir pour se procurer une planche. Mais Staline a ordonné en 1945 de tripler la production d'acier, telle qu'elle existait avant la guerre. Et la gageure sera tenue en quinze ans.

10

MOSCOU, DÉCEMBRE 1952

Le 21 décembre, la presse se montre discrète sur le soixante-treizième anniversaire de Staline.

Le soixante-dixième avait été fabuleux. De l'univers entier avaient afflué les trains chargés de présents, pour lesquels il avait fallu ouvrir à Moscou le fameux « Musée des Cadeaux ». La *Pravda* avait mis plusieurs mois à insérer tous les messages de félicitations, à raison d'une ou deux colonnes chaque jour. A la soirée triomphale du Bolchoï, tous les grands du communisme mondial avaient prononcé des discours enflammés, pendant quatre heures (lui n'avait pas daigné desserrer les dents).

Depuis lors, il ne souhaite pas vieillir ostensiblement.

Sa fille, qui lui rend visite à Kountsevo, ce jour anniversaire, lui trouve mauvaise mine. Il souffre d'une tension trop forte, a des malaises, se fatigue vite. Il lui annonce avec fierté qu'il a réussi à se passer définitivement de tabac, se privant de ses pipes Dunhill — souvenirs de la grande alliance — comme des *papirossi* [1] « Kazbek » qu'il fumait à la manière des étudiants, en tordant leur bout de carton entre ses doigts.

Il se ménage parce qu'il ne juge pas sa tâche achevée. Le monde a besoin de lui. D'ailleurs, après une flambée d'enthousiasme malenkovien, qui a suivi immédiatement le XIXᵉ Congrès, les journaux soviétiques réduisent progressivement leurs citations du « successeur ».

Ce 21 décembre 1952, la « une » est pour les nouveaux lau-

---

1. La *papirossa* est une cigarette à long bout de carton.

réats des prix Staline de la paix : Yves Farge, Ilya Ehrenbourg, Salfuddin Kitchlu, Elisa Branco, Johannes Becher, James Endicott et le chanteur noir américain Paul Robeson.

Mais la seule vedette est Staline. Nouvelle Bible, ses *Problèmes économiques du socialisme* atteignent 20 millions d'exemplaires, trois mois après leur lancement.

Sur le plan international, il fait également parler de lui : le *New York Times* publie les réponses qu'il a adressées à un questionnaire de James Reston. Surprise! Il y évoque l'éventualité d'une rencontre avec Eisenhower pour diminuer la tension internationale. C'est plus que vague et plus que froid. Mais l'opinion occidentale saute sur ce message lancé — il ne laisse rien au hasard — la veille de Noël. Churchill déclinant, qui voudrait frapper un grand coup avant de quitter la scène, s'accroche à l'idée d'une « rencontre au sommet » à laquelle il pourrait prendre part, s'entête à jouer les courtiers entre Eisenhower débutant, flanqué d'un Foster Dulles intraitable, et le vieux fauve tapi dans son mystère.

A l'intérieur, l'année s'achève en douche froide. Le 24 décembre, Michel Souslov, décidément préposé aux tâches doctrinales, flétrit dans un éditorial de la *Pravda* les théories économiques « antimarxistes, volontaristes, subjectivistes » de Nicolas Voznessenski. Condamnation éminemment rétrospective : voilà trois bonnes années que Voznessenski a été exclu du Politburo, que son célèbre ouvrage *l'Economie de guerre de l'U. R. S. S.* et tous les livres d'économie politique qui s'en étaient pieusement inspirés ont été jetés dans l'enfer des bibliothèques, où n'ont accès que des lecteurs munis de laissez-passer très spéciaux. L'on se demande avec inquiétude si, à travers lui, d'autres, encore en place, sont visés. Les réflexions seraient encore plus moroses si l'on savait que Voznessenski n'est pas seulement disgracié mais mort. Mais, très peu ont été informés de son exécution, qui date de septembre 1950.

Quand les journaux de cette fin d'année ne pratiquent pas l'anathème politique, ils dénoncent les scandales. Des colonnes austères des *Izvestia* à celles du satirique *Krokodil*, l'on trouve une riche collections d'aigrefins. Tel ce Nicolas Pribytkov qui, à Iaroslavl, a gagné plus de 250 000 roubles — 25 fois le salaire annuel d'un instituteur — dans des transactions frauduleuses sur le bois de construction. Tel ce Chemadaïev, industriel de la fraude qui, en Moldavie, a reçu le surnom très capitaliste de « roi des parfums ». Tel ce spéculateur de Bachkirie, compromis dans un vol de chevaux, qui « s'arrange » avec les juges — fastueusement [1].

A côté de la fraude organisée, la délinquance artisanale. Les jeunes surtout, sont invités à bien se surveiller entre eux, à « démasquer » les petits trafiquants du marché noir, les voyous, les terreurs de faubourg [2]. Justement, le Komsomol vient de recevoir un nouveau et énergique premier secrétaire, Alexandre Chelepine.

Pour faire bonne mesure, la *Pravda* du 15 décembre appelle à la délation au sein des familles :

« *Voilà une famille vivant, selon l'expression, « au-dessus de ses moyens ». Bien sûr, on peut admettre que le chef de famille ne met pas les siens au courant de toutes les sombres combines qu'il réalise. Mais eux, des Soviétiques adultes, réfléchissent-ils au fait que le salaire de leur mari ou de leur père ne correspond pas au luxe de la vie qu'ils mènent?... Ils sont moralement responsables de ses actes devant la société soviétique. Dans certains cas, il peut aussi s'agir de responsabilité devant la loi.*

« *Il n'est recommandé à personne de l'oublier.* »

Décembre ramène sur Moscou les jours blêmes et fugitifs. A trois heures, c'est déjà le crépuscule, l'heure entre chien et loup.

Une foule noire circule sur la neige grise et gelée. Noires, les vestes matelassées, les bottes de feutre. Noirs, les manteaux, les complets. Sur la tête, la plupart des femmes nouent l'éternel fichu qui fait tomber les cheveux, déjà fatigués par les lavages au savon — noir lui aussi, et très caustique.

---

1. *Izvestia*, 2 décembre, 1952 ; *Pravda*, 10 décembre 1952.
2. *Komsomolskaïa Pravda*, 11, 16 et 18 décembre 1952.

Dans les « Pobiéda » qui roulent sur la chaussée, quelques taches de couleur. Les femmes d'officiers portent des robes coupées dans de belles soies chinoises, des fourrures, arborent de hautes coiffures compliquées.

Staline a toujours aimé une société hiérarchisée. A la fin du mois, dans les bureaux, certains hauts fonctionnaires reçoivent en plus de leur salaire, une « enveloppe d'argent » — une liasse de billets sous enveloppe cachetée, sans reçu ni signature. Ceux qui refusent ce privilège exorbitant au nom de la vieille pureté bolchevique, se font mal voir : « Le parti vous donne une marque de confiance. Vous devez l'accepter. »

En ce temps-là, Moscou est encore, en grande partie, une ville de bois. En plein centre, on trouve des quartiers entiers d'isbas, poétiques comme des contes russes et délabrées comme des masures. Le surpeuplement est effrayant. Souvent les caves sont habitées, sortes de sous-sol prenant l'air par une petite ouverture, à ras de terre. En passant, on voit de la lumière, on aperçoit une famille qui vit dans ce trou.

Au-dessus de cela, les flèches des gratte-ciel. Il y en a sept, tous achevés ou sur le point de l'être. C'est aussi une idée de Staline. Il a senti qu'une capitale doit se découper hardiment sur l'horizon, comme les villes américaines. Dociles, les architectes dessinent des horizons hachés de verticales. Malheureusement, le style de l'époque n'est pas inspiré. A l'instar du maître, il recherche le lourd, le riche, le tape-à-l'œil. Les gratte-ciel sont des hybrides géants de la mosquée et du donjon, avec des clochers gothiques et des colonnades grecques. Grands, mais comme accroupis, avec quelque chose de menaçant. Leur seule beauté est dans leur pierre, qui se dore aux rayons du soleil.

Des artères de prestige, pleines de portiques monumentaux. Les vieilles maisons de bois sont cachées derrière des alignements de lourds immeubles neufs aux façades de granit, aux corniches compliquées. La rue Gorki, reconstruite, atteint près de 60 mètres de large. Deux groupes de statues optimistes — de vigoureux travailleurs avec leurs bambins bien nourris — y contemplent, du haut des toits, la foule qui fait la queue pour chaque achat.

Moscou est mieux ravitaillée que la province. On s'écrase

dans les magasins d'alimentation « chics ». Dans l'ancien magasin Elisseiev, devenu le *Gastronom n° 1*, parmi les cristaux, les ors et toute la pâtisserie architecturale du style russe 1900. Dans l'ancienne boulangerie Philipov où le pain est mieux cuit, moins rassis qu'ailleurs. Le pain noir reste la norme. Le blanc est pour les riches — quatre roubles.

La vodka est l'un des produits les plus abordables. Trop chère, pourtant, pour qu'on puisse en boire tous les jours. C'est heureux, car l'ivrognerie est un sport national. Les jours de paie, les alentours des usines sont pleins d'hommes zigzagants.

L'autre plaie urbaine est le banditisme. On détrousse, on déshabille, on poignarde parfois en plein jour, dans les jardins publics ou dans les rues discrètes. Dans la cohue des tramways, les vêtements sont artistement découpés au rasoir; les portefeuilles disparaissent. A Leningrad, un marché noir de l'or fonctionne presque ouvertement à deux pas de la perspective Nevski. Des truands se chargent du ravitaillement en métal précieux, organisent des filières avec l'étranger.

Staline ne dormant pas, Moscou travaille la nuit. Des milliers de fonctionnaires font, le jour, une apparition de quelques heures à leur bureau. Mais ce qui compte, c'est de revenir tard le soir et de rester à son poste jusqu'à trois ou quatre heures du matin. L'on attend un coup de téléphone, un appel. Les plus haut placés, ministres ou directeurs, meublent ces insomnies forcées en se faisant projeter des films. Occupation noble, éminemment loyaliste. Staline n'a-t-il pas consacré une part importante de ses nuits à sa salle de projection du Kremlin? S'intéresser au cinéma est donc plus qu'un droit, un devoir. E. R..., une interprète d'anglais, gagne d'appréciables honoraires à faire la tournée des ministères, la nuit, pour traduire des films américains. Staline, on le sait, aime Chaplin, et aussi les westerns.

A l'hôtel *Moskva*, construction grandiose et triste d'une quinzaine d'étages, la salle du restaurant ne désemplit pas jusqu'à l'aube. On boit sec, mais l'on danse sagement, de préférence sur des rythmes désuets : mazurkas, csardas... Pas de jazz, c'est interdit. Deux ou trois tangos dans la nuit, un ou deux fox-trot, voilà l'extrême limite de l'admissible. Un peu partout, des professeurs de danse enseignent aux célibataires timides les rudiments de la polka.

La moralité est victorienne. A l'école, les sexes sont séparés, de sept à dix-sept ans. La directrice d'un institut, rencontrant une étudiante qui porte une robe sans manches, la foudroie d'un : « Je ne supporterai pas la prostitution dans mon établissement. » Le seul vice officiellement toléré est l'alcool.

Deux luxes sont considérés comme du plus mauvais goût : les chiens et les voitures personnelles. L'on y voit la marque de tendances bourgeoises, et presque d'un esprit antisoviétique. D'un vieux bolchevik qui avait survécu à la répression de 1937 l'on m'a dit : « Il ne craignait plus rien, il se moquait des on-dit : il avait un chien et une voiture. » Malgré une production insignifiante, les délais de livraison des automobiles sont raisonnables, et leurs prix modérés : 9 000 roubles — environ 5 500 de nos francs actuels — pour une « Moskvitch ». 16 000 roubles pour une « Pobiéda ». Personne n'en achète. Pas seulement parce que tout passe dans le ravitaillement; parce qu'il ne faut pas.

En revanche, la voiture de service, agrémentée d'un chauffeur, se montre avec orgueil. On l'utilise sans grand scrupule pour ses besoins personnels.

L'un des lieux les plus curieux du Moscou de l'époque est le *Cocktail-Hall* de la rue Gorki. Curieux, d'abord, à cause de ce nom étranger qui, malgré la vague de chauvinisme, n'a pas été transformé en appellation russe. Ensuite parce qu'on y trouve ce qu'il y a de plus rare à Moscou : une poignée de jeunes gens mi-contestataires, mi-*houligans* qui, à leurs risques et périls, affectent d'admirer ouvertement l'Amérique. Une nuit, dans les dernières semaines de 1952, l'un d'eux, très ivre, a voulu rendre hommage au président sortant des Etats-Unis. Il a crié « *Long live to Harry Truman* ». Une dizaine de minutes plus tard, des hommes, parfaitement sobres eux, faisaient leur entrée dans la salle, lui frappaient sur l'épaule et l'emmenaient.

Des sapins illuminés, hauts de 20 ou 30 mètres, sont apparus sur les places principales de Moscou. Le 1ᵉʳ Janvier, fête officielle, a récupéré tout le vieux folklore russe de Noël : le Grand-Père Gel, la fée Snegourotchka. Quant à ceux qui veulent vraiment célébrer Noël, ils pourront le faire le 7 janvier, conformément au vieux calendrier julien qui reste celui de l'Eglise orthodoxe. Mais il leur faudra se montrer discrets. L'on ne peut pas s'avouer croyant si l'on occupe une place, petite ou grande, dans la société. Seules, les vieilles femmes, très pauvres et très entêtées, qui n'ont plus rien à gagner ni à perdre, pratiquent ouvertement.

L'Eglise orthodoxe russe est tout juste tolérée, marginale. Mais Staline couvre ses chefs d'honneurs. Les jours de grande cérémonie au Kremlin, l'ancien séminariste Djougachvili s'avance jusqu'à la porte de la salle Saint-Georges pour accueillir le vieux patriarche Alexis.

Il est vrai qu'en retour le clergé ne s'oppose pas au culte de Staline. Au contraire il prie et fait prier pour « le guide aimé des peuples de notre grand Etat [1] ».

Le guide a compris pendant la guerre que les Russes se battraient mieux s'ils pouvaient associer à l'idée de patrie la vieille imprégnation religieuse. Il a donc fiévreusement rouvert une partie des églises qu'il avait fait fermer (et Goebbels, qui ne sous-estimait pas l'adversaire, l'a grandement loué, dans son journal intime, de cette habileté).

La guerre finie, pourquoi s'arrêter en si bon chemin? Staline était devenu un patriote russe; cette Eglise au caractère national si accusé lui plaisait, servait son dessein de russification. En Ukraine, il l'a installée à la place du clergé catholique uniate, convenablement déporté et persécuté.

Mais c'est à l'extérieur surtout que les services rendus par le patriarcat sont éminents. Son porte-parole, le métropolite Nicolas court le monde, de congrès en conférence, majestueux, barbu, éloquent. Il harangue les Partisans de la paix, fait acclamer le père des peuples, dénonce la guerre bactériologique et

---

1. Journal du Patriarcat de Moscou, mai 1952.

les Américains. Il est la caution spirituelle du Kremlin. Il fait impression, avec sa crosse et sa grande croix pectorale, quand il jure que les Soviétiques ne sont pour rien dans le massacre des officiers polonais de Katyn.

Grâce à lui, de Paris à Jérusalem, un certain nombre de paroisses des Eglises émigrées russes ont accepté de se rattacher à la hiérarchie de Moscou.

En somme, le patriarche et le secrétaire général peuvent être contents de leur mutuelle compréhension. Du côté de la religion, on s'applaudit des 22 000 églises ouvertes au culte orthodoxe, contre 4 200 avant la guerre, des 30 000 prêtres en activité, et des huit séminaires à nouveau ouverts [1]. Du côté du pouvoir, l'on se montre assez satisfait de cet allié discipliné, correct, efficace.

Staline pense que dans ces conditions, un chrétien qui va à la messe est moins dangereux qu'un communiste qui a lu Trotski. Il dose sa sévérité et sa mansuétude en conséquence.

D'ailleurs, qu'on soit mystique ou non, peu lui chaut, il n'y entend rien. Pour lui, l'Eglise est une organisation, une hiérarchie. Il en apprécie le fonctionnement en connaisseur.

Et puis, l'Eglise orthodoxe, ce sont ses dix-huit ans. A son âge cela compte.

Il se méfie davantage des autres religions, parce qu'elles ne sont pas russes. Musulmans d'Asie ou catholiques d'Asie centrale représentent pour lui des gens d'une autre race, des forces centrifuges, donc des éléments dangereux. Il les traite comme tels. Les baptistes vont pourrir dans les camps, avec un doux entêtement.

Quant aux Juifs, peu importe qu'ils pratiquent ou ne pratiquent pas. Ils sont, de toute façon, persécutés depuis cinq ans. Mais ce n'est qu'un début. Ils seront les victimes de la prochaine purge, les sacrifiés de l'hiver qui vient.

---

1. Ces chiffres diminueront considérablement à l'époque de Khrouchtchev, qui fera fermer beaucoup d'églises.

TROISIÈME PARTIE

L'HIVER

1

LES BLOUSES BLANCHES

13 janvier 1953

L'éditorial de tête de la *Pravda*, massif et somnolent comme de coutume, est intitulé : « Construire vite, solidement, à bon marché. » On le saute et l'on va plus loin.

Au-dessous, quelques lignes moins banales : la veille, au Bolchoï, Staline a honoré de sa présence un concert d'artistes polonais. Mais c'est un titre, en haut et à droite de la première page, qui crève les yeux : « DE MISERABLES ESPIONS ET ASSASSINS SOUS LE MASQUE DE PROFESSEURS DE MEDECINE. »

« *En U.R.S.S.*, explique l'article, *les classes exploiteuses sont depuis longtemps vaincues et liquidées, mais il reste encore des survivances... des porteurs d'opinions bourgeoises et de morale bourgeoise, DES HOMMES VIVANTS* (la composition en caractères gras souligne l'intention), *ennemis cachés de notre peuple.* »

Le style de 1937. La rhétorique des purges. Les vieilles terreurs se réveillent.

En dernière page, un communiqué de l'agence Tass résume l'affaire :

« *Il y a quelque temps, les organes de la sécurité d'Etat ont découvert un groupe terroriste de médecins dont le but était d'abréger la vie de personnalités dirigeantes d'Union soviétique au moyen d'un traitement nocif.* »

Les victimes? D'abord l'illustre André Jdanov, longtemps

157

tenu pour le dauphin de Staline, et Alexandre Chtcherbakov, comme lui membre du Politburo, comme lui grand cardiaque. L'un et l'autre sont morts, et l'on croyait que c'était de mort naturelle. Mais non : les médecins assassins, en leur prescrivant un régime funeste, avaient abrégé leurs jours.

Autre cible : une série de très hautes personnalités militaires, parmi lesquelles le maréchal Vassilievski, ministre de la Guerre, le maréchal Koniev, l'un des vainqueurs de Berlin, le maréchal Govorov, un amiral, des généraux. Tous bien vivants : avec eux, les terroristes en blouses blanches ont raté leur coup.

Les criminels? « *Au nombre des participants de ce groupe terroriste : le professeur Vovsi M.S., généraliste, le professeur Vinogradov V.N., généraliste, le professeur Kogan M.B., généraliste, le professeur Kogan B.B., généraliste, le professeur Egorov P.I., généraliste, le professeur Feldman A.I., oto-rhino-laryngologiste, le professeur Etinger Ia.G., généraliste, le professeur Grinstein A.M., neurologue, Maïorov G.I., généraliste.* »

Sur ces neuf noms, six sont immédiatement identifiés comme juifs. Les Soviétiques sont experts dans cette onomastique d'un genre un peu douteux.

Noyés dans la masse du texte, deux petits mots : *i drouguié*, « et d'autres ». Donc, la liste n'est pas complète. Il existe aussi des accusés qu'on ne nomme pas.

Ceux qui sont nommés, en tout cas, sont des sommités. Tous, à l'exception de Maïorov, sont chargés de chaire. Plusieurs font partie de l'Académie de médecine. Trois sont connus de leurs collègues occidentaux qui les ont rencontrés à des congrès, fait très rare en ce temps où le rideau de fer sépare aussi les savants.

Autre trait commun : ce sont des « médecins du Kremlin » c'est-à-dire ceux à qui se confient les hautes personnalités. Certains ont soigné Maurice Thorez — et l'ont sauvé. Mais pourquoi ces hommes couverts d'honneurs et de roubles ont-ils donc trahi?

« *La plupart des membres du groupe terroriste,* répond le communiqué, *étaient liés à l'organisation internationale juive nationaliste bourgeoise* « Joint », *créée par les services de renseignements américains soi-disant pour apporter une aide matérielle aux juifs des autres pays... Le prévenu Vovsi a déclaré à l'instruction qu'il avait reçu la directive de « détruire les cadres dirigeants de l'U.R.S.S. » des U.S.A., de la part de l'organisation « Joint », par l'intermédiaire d'un médecin de Moscou, Chimeliovitch, et du nationaliste bourgeois juif bien connu Mikhoels. »*

Chimeliovitch était médecin-chef du grand hôpital Botkine. Mikhoels, proche parent du professeur Vovsi, était le directeur et l'une des gloires du célèbre « Théâtre juif de Moscou », un acteur inspiré. Staline l'avait convoqué à plusieurs reprises pour lui faire dire, en privé, du Shakespeare. Puis il l'a fait assassiner, de façon assez atroce, en donnant l'ordre de camoufler ce meurtre en accident de la route.

Mais cette mort remonte à janvier 1948. Donc, le complot durerait depuis cinq ans? Qu'ont donc fait, tout ce temps, les services de sécurité soviétiques? Négligence? Complicité? Déjà l'on distingue l'une des directions dans lesquelles partent les coups.

Enfin, toujours selon le communiqué, trois des médecins étaient « *les agents des services de renseignements anglais* ». Le contraire eût surpris, Staline témoignant un respect quasi superstitieux à l'égard de l'Intelligence Service. Ses premières lectures politiques, à la fin du siècle précédent, lui ont laissé une image grandiose et terrifiante de l'Angleterre, pays du capitalisme triomphant. De l'Allemagne, il s'est toujours moins méfié, même aux pires heures de la guerre : Hitler n'entrait pas dans les schémas intellectuels de sa jeunesse.

Un grand procès répond à trois mobiles.

D'abord Staline croit aux complots. Et il les craint. Quand la presse parle de tentative pour assassiner « *les cadres dirigeants* », c'est son nom qu'il faut lire dans le filigrane. Bien sûr, cela ne s'écrit pas, ne se formule pas : on ne tue pas Dieu. Mais les tchékistes savent à quoi s'en tenir, eux qui passent leur temps à prévenir des menées contre sa personne. Menées imaginaires, sans doute, mais leur situation, leur sécurité, dépendent de ce zèle à l'égard du patron.

Et voilà combien d'années déjà que les membres du Comité central, dotés d'un permis de port d'armes depuis la guerre civile, ont été priés de laisser leur revolver au vestiaire quand le secrétaire général les reçoit?

Même s'il sait, au fond, les médecins innocents, il y a toujours, dans un coin de sa cervelle méfiante, un « on ne sait jamais ». Après tout, certains de ces médecins l'ont soigné lui aussi.

En second lieu, un grand procès est un signal. Un moyen de faire démarrer une épuration, de l'élargir en cercles concentriques. L'instruction fabrique des suspects par une série de réactions en chaîne : quiconque connaît un accusé est lui-même un accusé en puissance. Et, surtout, des « révélations » bien orchestrées créent un climat. Elles réveillent la fièvre obsidionale, la hantise de l'encerclement et du sabotage. L'affaire de Leningrad, purge des cadres, les épurations limitées de 1949, n'étaient que des galops d'essai. Voici revenu le temps des ennemis du peuple, armée sans nombre.

Enfin, un grand procès permet de régler les affaires de famille. Dans cet ordre d'idées, on voit assez bien qui est visé.

Les dirigeants du ministère de la Santé, d'abord. « *Ils n'ont pas été à la hauteur*, dit la *Pravda*. *Ils n'ont pas soupçonné l'activité de terrorisme et de sabotage de répugnants dégénérés.* » Smirnov, ministre de la Santé, passe à la trappe, remplacé sans tapage par André Trétiakov.

Plus remarquables sont les accusations proférées contre les policiers. « *Certains de nos organes soviétiques* [1] *et leurs dirigeants ont perdu leur vigilance... Les organes de la sécurité d'Etat n'ont pas découvert à temps... Cependant ces organes devaient être particulièrement vigilants...* » Abakoumov, ministre de la Sécurité d'Etat, vient d'être limogé pour s'être refusé à « démasquer » les médecins. Il était le protégé person-

---

1. « Les organes », en U. R. S. S., désigne souvent, par abréviation, les organismes de la police politique.

nel de Béria, qui se trouve maintenant en première ligne pour recevoir les coups.

Ces difficultés de Béria rejaillissent même légèrement sur son vieil associé Malenkov (on les voit parfois cheminer, bras dessus, bras dessous, comme deux bons copains). Cela se lit au baromètre des citations dans la presse.

Hasard ou pas, Ignatiev, nouveau patron de la sécurité Etat — où il pourchasse férocement les hommes de Béria — est un homme de Khrouchtchev [1].

Il est des procès où les juges d'instruction prennent leur temps. Arthur London n'avait « avoué » qu'au bout de vingt ans. Ici, tout se déroule dans la hâte. Les accusés sont battus, battus et encore battus, signe d'impatience. Il faut qu'ils signent leur confession, et vite. Staline est pressé. Il se fait tenir personnellement au courant des interrogatoires, exige la brutalité et la célérité, tempête, menace.

Le professeur V. Kh. Vassilenko, l'un des *i drouguié* — des anonymes que Tass n'a pas cités — revenait de Chine où il avait soigné une haute personnalité — peut-être Mao Tsé-toung lui-même. On l'arrête à la frontière, on le ramène à Moscou de toute urgence, on le jette à Lefortovo, vieille prison tsariste devenue un des hauts lieux de la détention stalinienne. Et on le roue de coups. Au bout de quelques semaines, il ne lui restera à peu près plus de dents.

L'illustre professeur Vinogradov, septuagénaire, prix Staline, est chargé de chaînes. Certains pensent, avec un sourire amer, qu'il s'agit d'un juste retour des choses. En 1938, Vinogradov avait été cité comme expert au procès de deux de ses confrères accusés — déjà — d'avoir empoisonné d'illustres personnages

---

1. Khrouchtchev, pendant de longues années, défendra Ignatiev contre toutes les attaques. Dans son discours au XXe Congrès, il tentera de minimiser le rôle de son protégé dans l'affaire des médecins — alors que celle-ci coïncide pourtant avec l'arrivée d'Ignatiev à la tête de la Sécurité d'État. Il le présentera comme un malheureux, terrorisé par les menaces de Staline.

(Maxime Gorki, Kouïbychev, Menjinski). Et il les avait acca-
blés sans merci.

Les accusés doivent être non pas fusillés, mais pendus. Un
décret du temps de guerre a rétabli ce mode d'exécution, plus
sinistre et plus infamant.

Après quoi, la purge aura tout loisir de s'étendre.

2

A JÉRUSALEM, ET AILLEURS

Le 13 janvier au soir, à Jérusalem, le rabbin Jacob Kalmans écoute les nouvelles à la radio. Apprenant l'arrestation des médecins soviétiques, le vieil homme s'affaisse, mort, foudroyé par une crise cardiaque. Le rabbin avait exercé son ministère à Moscou jusqu'en 1933. Son fils vit encore là-bas. Professeur de médecine, il ne répond plus aux lettres depuis six mois.

Nombreux sont ceux qui, en Israël, ressentent l'annonce du « complot » comme une menace directe contre leur pays.

L'Union soviétique avait pourtant poussé à la création du nouvel Etat. En mai 1948, moins de cinq ans plus tôt, elle avait été la première grande puissance à le reconnaître « de jure ». Et Golda Meïr, nommée ambassadeur d'Israël à Moscou, y avait, cette même année 1948, reçu un accueil triomphal — trop triomphal sans doute pour le Kremlin, qui s'était offusqué des marques d'enthousiasme que les juifs soviétiques prodiguaient à la représentante d'un Etat étranger.

Depuis, la diplomatie soviétique a pris un virage à 180°, dont les immenses conséquences sont encore loin d'être perceptibles. L'affaire des médecins, même si elle trahit des tensions intérieures, s'inscrit dans une opération de politique internationale. En portant à son point culminant la campagne antisioniste, menée depuis de longs mois dans tous les pays socialistes, elle montre que l'U. R. S. S. est maintenant, sans esprit de retour, du côté des Arabes. Dans moins d'un mois, une bombe éclatant opportunément à la légation soviétique de Tel-Aviv, donnera à Moscou l'occasion de rompre ses relations diplomatiques avec Israël.

Staline fait toujours d'une pierre deux coups.

Machination du capitalisme mondial, attaque contre la patrie du socialisme : d'emblée, le « complot des blouses blanches » a été placé sur le terrain de la guerre froide. Ainsi sollicités, les communistes du monde entier ne peuvent répondre autre chose que : présents. On ne fait pas la petite bouche quand est évoquée la menace d'encerclement contre l'U. R. S S. Les militants se serrent les coudes et étouffent les questions insidieuses qui pourraient germer dans l'arrière-fond de leur conscience.

La violence même des réactions hostiles les y aide. En face, on ne se prive pas de comparer l'antisémitisme de Staline à l'antisémitisme de *l'autre*. Titre de l'*Aurore* : « STALINE COMME HITLER! » Titre du *Daily Mail* : « MEIN KAMPFSKI. » Plus nuancé mais aussi vigoureux, Raymond Aron dans sa chronique du *Figaro*, note « *la surréalité qu'inventent les policiers. La pauvreté de l'invention*, ajoute-t-il, *la répétition mécanique des thèmes trahissent une pensée qui se développe toute seule, sans contrôle rationnel, comme dans les rêves ou les délires mécaniques d'un dément* ». Pour un fidèle, si la droite proteste ainsi, c'est que Staline a, comme toujours, raison. Le *Figaro* envoie ses journalistes enquêter dans la rue. Ils recueillent dans les quartiers ouvriers des réponses percutantes :

Un chauffeur, rue de la République à Saint-Denis :

Les médecins sont faits pour soigner les gens et non pas pour les assassiner. J'espère qu'ils vont passer à la casserole.

M. P. R..., maçon-plâtrier à Saint-Denis :

Ce qu'ils ont fait n'était pas régulier, et il y a longtemps qu'ils auraient dû être arrêtés. J'espère qu'ils seront vite exécutés comme ceux d'Oradour.

M. Bertrand Jardel, rue de Belleville, tourneur :

Je ne connais pas grand-chose à tout ça, mais je dis que ces traîtres-assassins, payés par les capitalistes, doivent être exécutés.

M. H. P...., ouvrier chez Simca, à Nanterre :

Ces médecins criminels sont des lâches; alors que des

malades se confiaient à eux, ils en profitaient pour les assassiner. J'espère bien qu'ils seront pendus.

Mlle P. A..., étudiante :

Je trouve suspect qu'un israélite soviétique, attaché à la construction de son pays et se sentant citoyen soviétique, ait éprouvé le besoin d'adhérer au mouvement sioniste qui a son siège à Washington et non à Jérusalem.

Je crois à la culpabilité des médecins, car il me semble normal après expérience de faire confiance à la Pravda *et à* L'Humanité *plutôt qu'au* Figaro *et au* New York Herald Tribune.

Dix médecins français, dont cinq d'origine israélite, écrivent à *L'Humanité* pour approuver l'arrestation de leurs confrères soviétiques.

Du reste, les convaincus ne manquent pas d'explications pour se rassurer : non, bien sûr, l'antisionisme n'a rien à voir avec l'antisémitisme. Et lorsqu'en U. R. S. S. on condamne un *nationaliste bourgeois juif*, c'est évidemment comme nationaliste et comme bourgeois, jamais comme juif.

3

NATIONALITÉ : JUIVE

Clins d'œil rassurants à l'extérieur. Clin d'œil meurtrier à l'intérieur.

Car, à l'intention de l'opinion soviétique, Staline ne cherche nullement à minimiser l'aspect antisémite de l'affaire. Tout au contraire, *il l'exagère.*

Quinze médecins au total ont été arrêtés, dont six seulement sont d'origine israélite. Mais, grâce au communiqué officiel, cette minorité devient lourde majorité : Tass ne livre que neuf noms dont les six noms juifs. Six sur neuf! Le peuple comprend à demi-mot, parle de « complot juif ». Sollicité d'en haut, le vieil esprit de pogrome répond sans effort [1].

L'impact du communiqué est inouï. Dans les hôpitaux, les malades affolés refusent leurs médicaments. Certains se battent avec les médecins. A Tambov, dans la rue, un ivrogne veut rosser un intellectuel à lunettes : « Misérable, c'est toi qui as donné des pilules à mes enfants. Ils sont au plus mal. Vous, les juifs, vous êtes tous des assassins! » Par chance, un colonel passe, qui connaît la victime. L'uniforme respecté calme le pochard et sauve l'intellectuel à lunettes qui n'était d'ailleurs ni juif ni médecin.

---

1. Les *i drouguié* — les six médecins arrêtés et torturés avec les autres, mais que le communiqué avait omis de nommer — étaient les professeurs Vassilenko, Zelenine, Préobrajenski, Popova (une femme), Zakoussov et Cherechevski. Il y a là une collection de noms russes et ukrainiens qui, si on les avait livrés au public, auraient fortement slavisé le « complot juif ».

De la rue, la psychose gagne les couches supérieures de la société. Le jeune historien Georges Haupt, d'origine roumaine, étudie à cette époque à l'université de Leningrad. Malade, hospitalisé, il a dû à sa qualité d'étranger d'être placé dans une chambre de « chefs ». Ses voisins sont le directeur adjoint des immenses usines Kirov, un colonel « héros de l'Union soviétique » et un haut fonctionnaire du parti. Comme un seul homme, ces trois notables, dès qu'ils ont lu le communiqué, demandent à changer de médecin. Celui qui les soignait portait un nom suspect, un prénom biblique.

Ehrenbourg raconte : « *Un agronome, celui qui s'était entretenu avec Sartre, passait ses vacances à Yalta. Il revint plus tôt que prévu, me raconta que sa femme avait pris peur : « Quittons le sanatorium aujourd'hui. On va nous empoisonner, ici. »* *Une femme médecin disait : « Hier, j'ai dû toute la journée avaler des pilules, des poudres, des dizaines de médicaments pour des dizaines de maladies. Les malades avaient peur que je sois une « comploteuse »... » Au marché Tichinski, un braillard éméché criait : « Les juifs ont voulu assassiner Staline* [1]. »

A Iaroslavl, un malade, très souffrant, téléphone pour demander un médecin à domicile. Le docteur, qui est une doctoresse, arrive, parle de piqûre. Elle est juive. La femme du malade intervient : non, son mari n'a plus besoin de soins, il est tout à fait remis.

Les grandes peurs collectives remontent du fond des âges. On pense aux « émeutes du choléra » du temps des tsars. Les juifs eux-mêmes ne sont pas les derniers à croire à la véracité des faits. A Moscou, M..., un jeune poète de haute culture, rencontre un ami, le 14 janvier, éclate en sanglots : « Nous, les juifs, nous sommes des salauds. Le pouvoir soviétique nous a tout donné. Et voilà comment nous lui montrons notre reconnaissance! »

En Sibérie, les rumeurs, filtrées par la distance, perdent de leur virulence. Et les gens sont solides. A Kemerovo, des mineurs plaisantent :

---

1. Ilya Ehrenbourg : *Lioudi, Godi, Jizn* (*Novy Mir,* avril 1965).

« Ces polycliniques! Il paraît qu'on vous y empoisonne par-dessus le marché. »

Les polycliniques sont de moroses dispensaires où les malades sont reçus avec une indolence rogue. Au pays de Staline, la médecine ne fait pas partie des objectifs priori-taires. A côté de quelques spécialistes de haute volée, tels que les professeurs qui viennent d'être arrêtés, le corps médical se compose surtout de pauvres femmes sous-payées. On fabrique un médecin en quatre ans, ce qui gonfle majestueusement les statistiques. Mais la Russie paraît se soigner pour une large part avec des remèdes de bonnes femmes, des frictions à la vodka, des simples. L'hygiène, pourtant, progresse.

Ici et là, on signale des héros incrédules. S. P. Pissarev, cadre permanent du parti, profondément troublé par l'affaire des blouses blanches, écrit à Staline. Il émet quelques doutes sur le travail de la sécurité d'Etat, suggère que la culpabilité des médecins soit vérifiée par d'autres enquêteurs. Il paiera sa lettre de deux années d'hôpital psychiatrique.

La renaissance de l'antisémitisme ne date pas d'hier. Pen-dant la guerre, déjà, la propagande soviétique qui dénonçait si vigoureusement les crimes nazis s'est montrée singulièrement discrète sur le plus évident d'entre eux : le massacre des juifs. Et plus d'un officier juif, au front, s'est étonné de voir son avancement bloqué au profit de ses camarades russes.

C'est en 1948 que les choses se sont précisées, lorsque Staline a dissout le « Comité antifasciste juif » qui lui avait rendu de si grands services pendant la guerre, arrêté ou supprimé la quasi-totalité de ses dirigeants, liquidé le Théâtre juif de Mos-cou et toutes les institutions culturelles juives en général. A partir de ce moment, il purge l'appareil du parti et les ministères des éléments juifs, à tous les échelons de direction. Il introduit un numerus clausus de fait dans certains établisse-ments d'enseignement supérieur, dans les instituts scienti-fiques, et même dans diverses usines.

Et les personnalités israélites prennent le chemin des camps ou de la fosse commune. Un ancien détenu se souvient que, dès 1949, à la prison de la Loubianka, il était le seul Russe dans une cellule de six personnes. Ses cinq compagnons étaient juifs.

Un Balte avait reçu, en 1945, un « diplôme d'honneur » des autorités pour avoir, pendant l'occupation allemande, camouflé des juifs soviétiques. Quatre ans plus tard, ces mêmes autorités le mettent en prison pour « complicité avec les sionistes ».

Ceux qui avaient échappé aux pogromes allemands en Ukraine et en Biélorussie voient s'abattre une autre répression. D'abord sournoise, elle devient une répression de masse.

L'intelligentsia est spécialement visée. Le renouveau de la culture juive — très sensible en Russie dans le premier tiers du siècle — doit être sapé dans ses fondements. Quelques jours après le début de l'affaire des blouses blanches, Esther Markish, femme écrivain, traductrice de nombreux auteurs français, est déportée en Asie centrale avec ses deux fils. Motif : « Membre d'une famille de traître à la patrie[1]. » Son mari, Peretz Markish, a, nous l'avons vu, été fusillé avec 24 autres intellectuels juifs le 12 août. « C'était, dit Manès Sperber, le meilleur poète yiddish de notre génération. Il ressemblait exactement à l'image qu'un adolescent se fait d'un poète. »

Sa femme ignore toujours qu'elle est veuve. La police ne parle pas.

Staline s'était senti comblé d'horreur et d'amertume quand sa fille, à seize ans, s'est éprise d'un juif, le cinéaste Alexis Kapler. Et lorsqu'un peu plus tard, elle s'est mariée à Grigori Morosov, juif aussi, il a refusé de rencontrer ce gendre.

---

1. C'est une catégorie administrative. Les « membres d'une famille d'un traître à la patrie », sont désignés dans les documents de l'époque par les initiales TCHSIR — le langage officiel ayant prévu aussi ce sigle-là.

Cette aversion date de loin. Jeune bolchevik, il se permettait déjà des plaisanteries insolites sur les « talmudistes » dont le parti, alors, était plein. Ces fiévreux intellectuels à lorgnons, ces Trotski, Kamenev, Zinoviev, Radek, l'exaspéraient. Ils l'ont réduit longtemps au rôle de lourdaud, du dernier de la classe. Il les a minutieusement détruits. Et, avec ses bottes et sa blouse, il a voulu incarner la revanche du gros bon sens. La revanche du peuple, qui a peu appris dans les écoles, mais qui a les pieds sur terre, dans la terre. Ou mieux encore, la revanche de la classe moyenne russe, à laquelle il avait accédé en entrant au séminaire.

De là jusqu'au nationalisme chauvin et raciste de son âge mûr, le chemin n'était pas long.

D'ailleurs l'antisémitisme est payant. Les Soviétiques ont faim, ils ont peur. Il est bon de leur livrer un bouc émissaire, et plus précisément celui-là, dont ils ont déjà l'habitude.

Sacré dépositaire du passé national russe, le généralissime n'a plus de juifs dans son entourage immédiat, hormis Kaganovitch, qui applaudit pieusement à toutes les mesures antisémites. Le frère de Kaganovitch, dénoncé, a préféré se suicider [1].

Parmi les écrivains d'origine israélite, Ilya Ehrenbourg surnage, reçoit avec componction le prix Staline de la paix, le 27 janvier : « *Il m'est fait un grand honneur : le droit de porter sur la poitrine l'image de l'homme qui vit dans le cœur de tous les Soviétiques.* » Tout de même, il évite dans son discours la référence — devenue presque obligatoire — aux « assassins en blouse blanche ». Mais d'autres intellectuels juifs l'accusent des pires compromissions.

Staline excelle à détruire à petit bruit les conquêtes de la révolution. Il reprend aux juifs leur dignité, en fait à nouveau des citoyens de deuxième ordre.

Il y quelques années, déjà, que la « nationalité » juive n'est

---

1. Mekhlis, autre dignitaire d'origine israélite, mourra le 13 février 1953. Mais il n'a plus de fonctions de premier plan.

plus très prisée. « Nationalité » parce qu'en U. R. S. S., Etat
« multinational », l'on est à la fois membre de la grande
collectivité et d'un groupe ethnique plus restreint. Cela s'inscrit
sur deux lignes différentes du passeport intérieur :

CITOYENNETE : Soviétique

NATIONALITE : ...

Béria est un Soviétique de nationalité géorgienne, Mikoyan
un Soviétique de nationalité arménienne, Kossyguine un Soviétique de nationalité russe, Kaganovitch un Soviétique de nationalité juive.

G. R..., une femme médecin qui avait fait toute la guerre
dans les hôpitaux du front, et qui était fort bien notée, s'est
entendu demander au moment de sa démobilisation :

« Si vous voulez, nous pourrions mettre sur votre passeport :
nationalité russe? »

Elle a répondu qu'elle avait toujours été juive. Idéaliste et
jeune, elle n'avait pas compris qu'on lui proposait une faveur.
Elle le regrette : après le communiqué sur les médecins assassins, beaucoup de médecins perdent leurs places dans les hôpitaux et vont soigner des rhumes dans les polycliniques de
banlieue.

Après des arrestations innombrables, mais conservant encore
un caractère individuel, va-t-on vers une déportation collective
des juifs? Staline a souvent frappé les « petites nationalités ».
Tatares de Crimée, Allemands de la Volga, Kalmouks, Tchét-
chènes et Ingouches du Caucase du Nord ont été — entre
autres — rayés collectivement de la carte, envoyés dans le
Grand Nord, l'Asie centrale ou la Sibérie. Veut-il procéder de
même avec deux millions et demi de ressortissants de la
« nationalité juive »?

Roy Medvedev cite un meeting tenu à l'usine de tracteurs de
Stalingrad — l'un des hauts lieux de l'industrie soviétique.
L'on y fait adopter par les ouvriers une résolution demandant
que les juifs soient déplacés, regroupés dans des endroits *ad
hoc*. Collectivement [1].

---

1. Roy Medvedev, *Le Stalinisme* (Seuil).

Fin janvier 1953. Après dix années de détention, Ignacy Szenfeld, un Polonais arrêté par les Soviétiques, a été libéré de son
camp, mais reste déporté dans le district de Kazatchinskoïé, en
Sibérie.

La contrée est inhospitalière, le froid mortel. Ayant vendu
une vieille paire de chaussures, il dispose de quelques roubles
et entre dans une *tchaïnaïa* pour se réchauffer avec un verre
de thé.

Une voiture s'arrête. Paraît un personnage cossu, portant
manteau fourré, et ses culottes de cheval bouffantes que les
Soviétiques appellent « gallifet[1] ». Il commande un repas
confortable, s'attable. Un peu plus tard survient un autre personnage du même type. Ce sont deux policiers, l'un local,
l'autre du chef-lieu — Krasnoïarsk — tous deux d'un certain
rang. Ils se reconnaissent, engagent la conversation sans faire
attention au consommateur minable dans son coin :

« Qu'est-ce que tu fais chez nous ?

— Je prépare l'installation de camps pour les juifs. Je
cherche des endroits qui fassent l'affaire. »

---

1. En souvenir du général français de Gallifet.

4

LES COSMOPOLITES

Pendant ce temps, dans toutes les administrations, tous les ministères, on recherche les juifs. Pour les licencier.

C'est que beaucoup d'entre eux ne sont pas déclarés juifs sur leur passeport, mais russes, ukrainiens, biélorusses... La *vigilance* impose de les démasquer. On explore donc les antécédents, on s'intéresse aux profils aquilins, on dresse l'oreille à un accent un peu nasal, on scrute les noms de famille, les prénoms, les patronymes qui pourraient déceler un juif caché. Dans certaines administrations, des commissions spécialisées viennent aider le service du personnel dans ce travail. Quand elles ont siégé, on affiche des listes de licenciés. Pour cause de compression d'effectifs, est-il précisé courtoisement.

En privé, les manières peuvent être plus rudes. Un jeune rédacteur, déclaré « russe » sur son passeport, est convoqué chez son chef de service qui ferme la porte à clé et lui intime de lui montrer, sur-le-champ, s'il n'est pas circoncis.

A la radio travaille un fonctionnaire assez obscur, nommé Driesen. Nom suspect[1]. Il sent les soupçons s'amasser dangereusement sur sa tête.

Or, Driesen n'est pas juif, mais baron. Baron von Driesen. Baron balte. Cette origine violemment contre-révolutionnaire, il a réussi à la cacher pendant plus de trente ans, ce qui est un exploit. Tout Soviétique, en effet, doit remplir un immense questionnaire, long de cinq pages, à chaque étape de son exis-

---

1. Les Isréalites russes ont fréquemment des noms de consonance germanique.

tence : pour entrer dans une université, avant son service militaire, quand il demande une place, quand il change d'emploi. Et, en général, chaque fois que l'autorité le juge bon (il est recommandé de ne pas se contredire d'une fois à l'autre). Les questions ne laissent rien dans l'ombre : Avez-vous résidé à l'étranger? Y avez-vous des parents? Quelqu'un de votre famille a-t-il subi une condamnation? Dans quelles circonstances? Quelqu'un de votre famille a-t-il servi, jadis, dans les armées blanches? Chaque « oui » vous éloigne des places intéressantes et vous rapproche des pires ennuis.

A force de pertes de mémoire et de flou astucieux, Driesen a réussi, année après année, sans jamais se couper, à cacher qu'il était un aristocrate, un ennemi de classe. Grâce à quoi il s'est installé dans ce bon petit travail. Et le voilà sur le point d'être chassé pour un quiproquo!

Licencié pour licencié, il décide de tout dire, exhume d'une profonde cachette les parchemins familiaux, les quartiers de noblesse, arrive au service du personnel en se frappant la poitrine. « Je vous ai menti. Voilà qui je suis. »

Devant lui, les visages se détendent. L'on fait la grosse voix pour le principe, mais paternellement.

« Ah bon! C'était donc ça... Mais pourquoi ne pas l'avoir dit plus tôt? Vous étiez sur le point d'avoir de graves ennuis. »

Et le baron retourne à son travail, l'âme légère.

Le chauvinisme officiel va de pair avec l'antisémitisme. Un chauvinisme presque émouvant dans ses enfantillages. Ce peuple souffrant, qui n'en finit pas de panser ses plaies, est invité — diversion classique — à s'extasier sur son propre génie. Popov a tout inventé. Chaque grande découverte a pour père un Russe méconnu dont la presse s'emploie, à cor et à cri, à rétablir l'antériorité. Cette revendication n'est pas toujours sans fondement : de la lampe à incandescence à la transmission par radio, les inventeurs russes ont eu beaucoup de traits de génie. Ce qui est absurde, c'est sa systématisation. Dans un *Manuel de radiologie et de radiothérapie*, publié à cette époque, le nom de Roentgen ne figure même pas. C'est Lomo-

176

nossov, le grand autodidacte russe, qui avait pressenti, près d'un siècle et demi plus tôt, les rayons X.

S'il ose rendre hommage aux travaux étrangers, un scienti fique est coupable d' « obséquiosité et de flagornerie à l'égard de la pseudo-science bourgeoise ». Bref, de « cosmopolitisme ». C'est très grave. Car la recherche, si elle bénéficie de crédits importants, est en contrepartie minutieusement tyrannisée par le pouvoir. Trophime Lyssenko, fanatique aux joues creuses, promu grand généticien, fait expédier dans les camps de concentration ses collègues qui osent douter de l'hérédité des caractères acquis — ces « disciples du moine Mendel ».

Parfois, ces chercheurs terrorisés osent chuchoter, de bouche à oreille, une de ces histoires qui vengent de la réalité en la caricaturant. Celle-ci, par exemple : un physicien soutient sa thèse de doctorat. Il s'y réfère fréquemment aux théories d'un certain Odnokamouchine — nom russe mais inconnu. A tout hasard, on complimente le candidat. Puis, la soutenance terminée, on le tire discrètement par la manche.

« Mais qui est Odnokamouchine?

— Einstein, bien sûr [1]. »

Que des histoires drôles puissent naître à une telle époque donne une grande idée du courage humain. Tout bon mot peut être un suicide. L'intelligentsia vit dans la hantise des mouchards, qui écoutent et rapportent, des *provocateurs,* qui font parler, puis dénoncent. Nul n'est définitivement sûr. L'élève préféré, le jovial garçon de laboratoire, le souriant collègue, le patron respecté peuvent, un jour, devenir des indicateurs, par ambition, par crainte des ennuis, par bêtise, par conviction ou conformisme politique. Et, le plus souvent, par peur.

Situation que résume une autre histoire de ce temps, parfaite dans sa brièveté :

---

1. Odnokamouehine — littéralement : « d'une pierre » — est un équivalent russe du nom allemand Einstein.

Un Soviétique contemple son image dans son miroir. Et il murmure, sévère :

« L'un de nous deux est certainement un provocateur. »

Suivant la vague de chauvinisme officiel, le langage se russifie à outrance. Dans les pharmacies, le « sel anglais » contre la constipation devient « sel amer ». Les boulangeries transforment le « pain français » en « pain citadin ». Le café « *Nord* », de Leningrad, est rebaptisé « *Sever*[1] ». Sur les terrains de football, il ne faut plus parler de *penalty*, mais de *chtrafnoï*.

« Parmi les prairies de malachite, la rivière Khripan déroule son ruban d'argent... Au-delà des prairies, une forêt centenaire se dresse comme une muraille de bronze. Dans les trouées des pins, ici et là, apparaissent des datchas, semblables aux maisons des contes[2]. »

Tranchant sur le ton habituellement austère de la *Pravda*, cet exorde fleuri annonce un *feuilleton*. Rien de commun avec ce que l'on nomme ainsi dans les quotidiens français : il ne s'agit pas d'un roman à épisodes. Le *feuilleton* soviétique est une satire doublée d'un sermon. Et surtout, c'est une dénonciation. Le ou les « vilains » du jour y sont désignés à la vindicte populaire avec leurs noms, leurs titres et qualités. Bureaucrates corrompus, apparatchiki négligents, voyous et « houligans » à la petite semaine, escrocs de haut vol sont ainsi livrés au grand public. Etre attaqué de la sorte signifie, au mieux, la fin d'une carrière, en général bien pis. Des fonctionnaires se sont suicidés, simplement parce qu'en ouvrant le matin leur journal, ils ont trouvé leur nom dans le *feuilleton*.

Dans le cas présent, les auteurs — ils se sont mis à deux pour faire cela — dénoncent les trafics sévissant dans une coopérative de construction de villas, près de Moscou. Créée

---

1. Le mot russe signifiant précisément « nord».
2. *Pravda,* 7 février 1952.

jadis pour permettre aux travailleurs méritants de venir se reposer au grand air, cette coopérative est maintenant le royaume des trafiquants.

L'on nous décrit, non sans verve, l'admission d'un nouveau candidat, directeur technique dans un combinat.

« En quoi, lui demande-t-on, pouvez-vous être utile à notre coopérative?

— Mon combinat, répond-il négligemment, fabrique des articles de feutre, des *valenki*... »

L'on se comprend à demi-mot. Les membres du conseil d'administration recevront quarante paires de bottes de feutre. Et le nouveau membre de la coopérative emménagera dès le samedi suivant dans sa datcha.

« *On loue, on vend, et on revend de la main à la main,* poursuit l'article, *on inscrit sous un nom puis sous un autre des pièces, des étages avec leurs vérandas, des villas entières avec leurs dépendances. Derrière le dos de la coopérative fonctionne un cabinet privé d'hommes d'affaires entreprenants.* »

Ce tableautin de mœurs ne manque pas d'intérêt. Ce qui est plus intéressant encore, ce sont les noms. L'article parle-t-il d'une victime, d'un modeste retraité qui attend depuis des années la datcha à laquelle il aurait droit? Il porte un bon vieux nom russe : Trophime Mikhaïlovitch Klimov. Mais parmi les aigrefins qui le trompent, on trouve à profusion des Kristall, Galpérine, Raïssa Khaït, Fabrikant, Lévitova. Des noms à sonorités étrangères qui feront dire au lecteur : « Encore des juifs. »

Le procédé est constant. Pendant toute l'année 1952, tout le début de 1953, on retrouve dans tous les *feuilletons* une préférence marquée pour citer des filous portant des noms juifs [1].

Ainsi entretenue, la méfiance raciale fermente en rumeurs inouïes. Quelques vieux Moscovites se souviennent encore d'une histoire à laquelle leurs femmes de ménage croyaient dur comme fer et qui date de ce temps-là : l'histoire du complot

---

1. Cf. notamment les *Pravda* des 4 et 11 août 52, 27 octobre 52, 18 novembre 52, 1er et 7 février 53, etc.

juif qui avait son centre aux usines automobiles Staline et dont
le but était — simplement — de faire sauter Moscou.

La presse ne se compromet pas dans ces outrances populaires; elle se contente de les susciter avec une délicate hypocri-
sie. La presse stalinienne est une machine de précision, au
travail minutieux comme une orfèvrerie. Des noms juifs dissé-
minés dans les feuilletons, quelques profils crochus dans les
caricatures, cela suffit. Parfois, un jeu de mots : tel ce dessin,
sur la couverture du *Krokodil*, représentant le cinéaste Mikhaïl
Romm plongé dans un livre de Gide. Gide, en caractères cyril-
liques, s'écrit comme *Jid* qui veut dire juif (ou plutôt youpin,
le mot étant hautement péjoratif).

Inutile d'appuyer davantage en mangeant du rabbin dans
chaque colonne. Les lecteurs soviétiques ont l'habitude de
comprendre à demi-mot.

Les étrangers, eux, ne comprennent pas grand-chose. Ceux
— ils sont rares — qui déchiffrent laborieusement leur *Pravda*
ne voient la plupart du temps dans ces feuilletons que la leçon
de morale et passent à côté des allusions meurtrières.

Ce n'est pas Staline qui, comme Hitler, ce lourdaud, irait
clamer son antisémitisme sur les toits. En privé, à la bonne
heure! Recevant Djilas en 1948, il lui disait avec un rire sar-
castique :

« Dans notre Comité central, il n'y a pas de juif... Vous êtes
un antisémite, vous aussi Djilas, n'est-ce pas? »

Propos de table. En public, il préfère rester celui qui a
proféré un jour, vertueusement : « L'antisémitisme, forme la
plus extrême du chauvinisme racial, est la survivance la plus
dangereuse du cannibalisme. »

Comme les frontières closes, les mots à double sens filtrent
la réalité. Des expressions comme « sionistes », « cosmopolites
sans racines » ont l'avantage de pouvoir être décryptées immédiatement par n'importe quel Soviétique, tout en rassurant
quelques consciences occidentales alarmées.

5

LE LOUP ET LES PAYSANS

Une nouvelle étoile monte au ciel de la vigilance : Lydia Timachouk, une femme médecin. C'est elle qui a dénoncé « les bêtes féroces à figure humaine », c'est elle qui a fait échouer le complot des médecins. La *Pravda* conte son histoire.

« *Voici que deux personnes en blouse blanche se sont rencontrées au chevet d'un malade. L'une est un savant de grand renom, aux grands titres. L'autre n'a pas de diplômes importants mais une expérience et des connaissances étendues, amassées en plus de vingt ans de pratique.* »

La modeste praticienne s'aperçoit que les diagnostics de l'éminent professeur sont faux, que le traitement qu'il prescrit est erroné. Cette sommité ne peut pas se tromper si grossièrement. Donc, c'est un ennemi.

« *Oui, elle avait devant elle un ennemi, et non pas un seul mais une bande d'ennemis de l'Union soviétique, méchants, rusés et bien camouflés...*

« *Le combat commença, un combat très dur. Car les autres, ceux qui avaient des titres, étaient haut placés, ils s'étaient entourés de gens à eux; mais la femme se battait comme on se bat avec les ennemis de la Patrie, à mort. Peut-être, en ces jours, revoyait-elle en pensée un avion en flammes, et dans cet avion un aviateur soviétique, son fils unique.* »

Lydia Timachouk reçoit l'ordre de Lénine. La presse publie d'innombrables lettres de félicitations qu'elle est supposée recevoir des quatre coins du pays. Avec une profusion de détails touchants. On lui réclame son portrait : « *Tous, petits et grands, l'accrocheraient dans un cadre à l'endroit le plus pré-*

cieux, le mettraient dans l'album de famille. » Un soir, elle a entendu dans son téléphone une voix inconnue, très émue : « *Merci d'avoir rendu la propreté et l'honneur à notre blouse blanche*[1]. »

Lydia Timachouk est, en réalité, radiologiste à « l'hôpital du Kremlin » et collaboratrice de la Sécurité d'Etat. La dénonciation lui a probablement été soufflée.

Deux péchés capitaux sont mis en lumière : *bespetchnost,* qui veut dire insouciance, et *rotozieïstvo,* qui est la naïveté, la jobardise, la badauderie. Insouciance et naïveté ont permis aux ennemis de s'infiltrer; les espions sont parmi nous.

Partout on hurle à la vigilance, on suspecte, on dénonce. Les enfants ne sont pas oubliés. Le « Théâtre du Jeune Spectateur » reprend à leur intention un classique du genre : *Pavlik Morozov.* C'est l'histoire d'un jeune garçon qui, au temps de la collectivisation, a dénoncé son propre père, puis a été tué par les koulaks. Héros fort connu puisqu'on le donne volontiers en exemple aux écoliers, et qu'il a une rue à son nom à Moscou. A en croire les comptes rendus, garçons et filles, dans la salle, applaudissent à tout rompre la scène où le petit Paul démasque son papa.

Se montrant volontiers, en ce début d'année, Staline reçoit, le 7 février, l'ambassadeur argentin Léopold Bravo, à qui il parle commerce. Dix jours plus tard, c'est le tour de l'ambassadeur de l'Inde, K. P. R. Menon, et du Dr Kitchlu, président du mouvement indien des « partisans de la paix ». Les trois visiteurs trouvent un Généralissime apparemment en bonne santé, l'esprit mobile, brillant causeur même. Mais l'ambassadeur Menon[2], un bel Indien au visage apaisé et serein, note avec surprise que son interlocuteur dessine des loups, l'un après

---

1. *Pravda,* 20 février 1953.
2. Ne pas confondre avec le célèbre homme politique Krishna Menon qui fut délégué aux Nations unies et, plus tard, Ministre de la Guerre.

l'autre, sur un bloc de papier. Remarquant que ces griffonnages l'intriguent, Staline lui dit que les paysans russes connaissent bien les loups et savent s'y prendre avec eux. Ils les extermi-nent. D'ailleurs les loups le savent et agissent en conséquence. Avec ses yeux jaunes et son air aux aguets, il est à la fois le loup et ces paysans furieux.

6

EN PARCOURANT LA PRAVDA

21 janvier 1953.

POEME, par M. Doudine

« ... Sois en tout plus vigilant et plus sévère,
Plus nous sommes forts, plus méchant est l'ennemi. »

24 janvier

LES NAIFS

« ... Nous ne doutons pas que Rogovaïa-Levitskaïa-Koullaï
sera punie selon ses mérites. Une seule chose nous inquiète :
les juges n'oublieront-ils pas de mentionner dans leur verdict
les naïfs qui ont aidé l'aventurière dans ses démarches crimi-
nelles? Ces naïfs doivent subir une sanction sévère et méritée. »

31 janvier.

EDUQUER LES TRAVAILLEURS DANS UN
ESPRIT DE HAUTE VIGILANCE POLITIQUE

« Le journal *Lituanie soviétique* indique que, dans la république, on a démasqué des cosmopolites sans attaches, des
nationalistes bourgeois juifs et lituaniens, de vils mercenaires

185

de l'impérialisme américain qui se livraient à l'espionnage et au sabotage. »

Même date.

ASSEMBLEE GENERALE DE L'ACADEMIE DES SCIENCES

« En conclusion, déclara l'académicien Nesmeïanov, je voudrais rappeler que le devoir patriotique des savants est de toujours accroître la vigilance dans tous les secteurs de leur travail, de lutter résolument contre la naïveté, par la faute de laquelle une misérable bande de médecins saboteurs a pu rester cachée pendant longtemps. »

Même date.

LES NAIFS SONT LES AUXILIAIRES DE L'ENNEMI

« On ne peut expliquer autrement que par la naïveté le fait qu'à l'Académie Krylov de Leningrad, une chaire a été dirigée pendant plusieurs années par un certain I. G. Khanovitch qui ne méritait pas de confiance politique, qui était en admiration devant ce qui est étranger. Il a publié plusieurs livres dans lesquels il divulguait des renseignements absolument secrets. »

6 février.

LA VIGILANCE REVOLUTIONNAIRE

« Il y a quelque temps, les organes de la Sécurité d'Etat ont arrêté un trotskiste fieffé, un agent des services de renseignements étrangers, S. D. Gourevitch. Il a été élevé dans la famille d'un menchevik membre du Bund[1].

---

1. *Bund* : ancien mouvement socialiste juif en Russie.

« ... Gourevitch entraîna à se livrer à l'espionnage l'ex-collaboratrice d'un des instituts de l'Académie des sciences de l'U. R. S. S. E. A. Taratouta, qu'il chargea d'obtenir des renseignements sur les découvertes des savants soviétiques. A cause de l'insouciance et de la naïveté de quelques collaborateurs de l'Institut, Taratouta put ravir plusieurs documents secrets. »

7 février.

Critique dramatique par V. Frolov

L'ART D'ACCUSER

« La mission de la satire est de démasquer avec colère, sans pitié, avec haine, les naïfs et ceux qu'ils protègent.

« S. Mikhalkov sent bien la nature de l'art comique... Mais dans sa pièce, il n'y a pas assez de satire accusatrice, démasquant les gens dangereux et nocifs. »

14 février.

L'ACTE TERRORISTE DE TEL-AVIV ET LE DOUBLE JEU DES DIRIGEANTS D'ISRAEL, par Iouri Joukov

« ... Le peuple soviétique tirera les conclusions nécessaires : il consolidera sans relâche ses forces armées et les organismes de renseignements de notre Etat. Il cautérisera avec un fer rouge la dangereuse maladie de l'insouciance, extirpant la naïveté de ses rangs. »

20 février.

LE COURRIER DE LYDIA TIMACHOUK

27 février.

UNE ATTITUDE FORMALISTE

« Ces derniers temps, les travailleurs du ministère parlent beaucoup de vigilance, de lutte contre la naïveté. Mais ce qui se passe au ministère n'est pas en accord avec ce qui s'y dit. Des documents qui sont des secrets d'Etat traînent en grosses piles dans des tiroirs ouverts, des armoires, quand ce n'est pas sous les tables, sur les radiateurs et les appuis de fenêtres. »

1ᵉʳ mars.

« Les succès de l'Union soviétique suscitent la rage et la haine dans le camp impérialiste... Dans ces conditions, on demande aux travailleurs de renforcer leur vigilance politique, d'extirper la naïveté et l'insouciance. »

7

LA GRANDE MAISON

> « *La terreur est le règne de gens
> eux-mêmes terrorisés.* »
> FRIEDRICH ENGELS.

Dans une telle atmosphère, la Loubianka est débordée de
travail. Du crépuscule à l'aube, dans les interminables nuits
d'hiver, on la voit briller de ses centaines de fenêtres, comme
un paquebot géant ancré au cœur de Moscou.

La Loubianka, c'est un ministère : le M. G. B., le ministère de
la Sécurité d'Etat. La plus grande institution du pays. Celui qui
la dirige est bien plus puissant que les maréchaux, avec leurs
jouets atomiques et leurs divisions blindées (d'ailleurs, il a lui
aussi ses divisions équipées du matériel le plus moderne,
depuis les gardes-frontières jusqu'aux troupes spéciales qui
gardent les points sensibles à l'intérieur du territoire).

Là siègent Ignatiev, le nouveau ministre, son adjoint Rioumine qui est personnellement chargé de l'affaire des blouses
blanches, et tout un état-major de hauts fonctionnaires en civil
ou en uniforme, qui sont en train d'élever le pays à l'état de
vigilance souhaité. Leurs bureaux sont vastes et somptueux
comme l'étaient les bureaux de prestige à la fin du siècle
dernier, lorsque l'immeuble était occupé par la compagnie
d'assurances « La Russie ». Mais ils savent qu'ils peuvent les
quitter à tout moment pour se retrouver quelques corridors
plus loin, dans un cachot. La dernière purge, qui a accompagné le limogeage discret du précédent ministre, Abakoumov,

189

est à peine achevée. La profession de tchékiste[1] est la plus honorifique qui soit, mais elle n'est pas exempte de périls. Dans les camps, lorsque les détenus reconnaissent parmi eux leurs anciens geôliers ou leurs anciens procureurs, ils manifestent une tendance fâcheuse à les étriper.

Ministère, la Loubianka est aussi, est surtout une prison. La plus célèbre des « prisons intérieures » qui dépendent directement de la Sécurité d'Etat. Un univers clos et secret, en plein centre de la ville. Tout autour, la capitale bruit d'activité. Le théâtre Bolchoï, le théâtre Maly, les célèbres hôtels-restaurants Métropole et Savoy[2], recherchés des élégants, ne sont qu'à quelques centaines de mètres. Le Kouznetski Most, avec ses librairies, commence à deux pas. Le ministère des Affaires étrangères se trouve encore installé juste en face. Tout à côté, aussi, rue Malaïa Loubianka, l'église catholique Saint-Louis-des-Français, ouvre ses portes à quelques étrangers de passage. De tous côtés, les klaxons des voitures, le vrombissement des autobus, le sifflement feutré des trolleybus et le piétinement des piétons sur les larges trottoirs, inlassable comme la mer. Dedans, les détenus n'entendent rien, plongés dans un silence épais, sans nouvelles, sans visites, coupés du monde aussi complètement que s'ils vivaient sur Mars.

De l'extérieur, une pesante construction brunâtre, avec des soubassements de granit. Cela tient tout l'espace entre la place Loubianka[3], les rues Dzerjinski, Kirov et Fourkassovski. On reconnaît, à son ornementation tarabiscotée, la partie construite peu avant 1900, à la gloire du capital (la plupart des grandes compagnies d'assurances étaient établies dans ce quartier et rivalisaient d'opulence). Après la guerre, on l'a prolongée par une partie neuve encore plus massive. Mise à part la taille, qui frappe, le tout a l'aspect d'une banale administration

---

1. La police politique s'est d'abord appelée Tchéka (Tch. K., initiales des mots russes qui signifient « Commission extraordinaire »). On l'a rebaptisée ensuite successivement G.P.U., O.G.P.U., N.K.V.D., M.G.B. (et aujourd'hui K.G.B.). Mais l'usage s'est conservé d'appeler ses membres des « tchékistes ».
2. Aujourd'hui hôtel Berlin.
3. Rebaptisée place Dzerjinski, en l'honneur du fondateur de la Tchéka.

soviétique, avec ses fenêtres voilées par les fronces désuètes de grands rideaux à l'italienne.

De face, en prenant du recul et en regardant tout en haut, on aperçoit vaguement quelques superstructures métalliques, d'aspect militaire, des grillages : les prisonniers, parfois, font leur promenade sur le toit, sans voir la rue et sans en être vus.

Les passants qui grouillent place Loubianka préfèrent d'ailleurs ne pas trop regarder vers le grand bâtiment. C'est dangereux. Un journaliste français en a fait l'expérience. Envoyé spécial du *Monde* à la conférence de Moscou, en 1947, André Pierre explorait consciencieusement la capitale soviétique. Intrigué par cette majestueuse façade surmontée d'un drapeau rouge, il s'est planté devant pour l'examiner, ce qui était par excellence la chose à ne pas faire. Pis encore, il a consulté un vieux plan de la ville qu'il avait apporté avec lui. Or, aucun guide de Moscou n'était plus ni édité ni vendu depuis fort longtemps — pour dérouter les espions. L'instant d'après, on le priait de pénétrer à l'intérieur. Par miracle, deux de ses confrères français passaient par là à cet instant, et ils l'ont entendu crier. L'ambassade de France a réussi — après toute une journée de démarches — à faire libérer l'imprudent.

Le lourd édifice n'est pas isolé. C'est plutôt le vaisseau amiral de toute une flotte. Dans les rues voisines, dix autres vastes immeubles sont également occupés par le M. G. B.

Beaucoup de prisonniers de la Loubianka ne savent pas à quoi ressemble leur prison. Transférés de quelque province, ils sont arrivés là au fond d'un « corbeau noir » (ce sont les voitures cellulaires). Rue Dzerjinski, une porte cochère en fer s'est ouverte discrètement. Ils se sont retrouvés au fond d'une petite cour profonde comme un puits, encaissée entre douze étages de bâtiments. Ce monde-là, ils ne le connaîtront jamais que de l'intérieur.

Un soir (presque tout se passe le soir dans cet univers), les occupants d'une cellule voient arriver un nouveau compagnon, un gros homme égaré, qui demande :

« Où suis-je?

— A la Loubianka, voyons!

— Ah! » dit le gros homme. Il s'évanouit. On le ranime et il s'explique.

« Quelle coïncidence! Il y a dix jours, à Shanghaï, je lisais dans *Life* un article où l'on parlait des prisons de Moscou. Et il y avait justement une photo de la place Dzerjinski, avec la Loubianka au fond. »

Valentin Sergueïevitch Presiajnikov, écrivain et journaliste, était l'un des nombreux Russes vivant en Chine. Il demandait depuis des années l'autorisation de regagner la mère patrie.

En arrivant à Moscou, il a été prié de prendre place dans une belle voiture noire et conduit dans un bureau où des personnages en uniforme l'ont informé qu'il était un espion connu.

Il est passé à la fouille, au déshabillage, à l'anthropométrie, on lui a rasé le crâne, on l'a conduit dans une cellule. Mais les geôliers ne sont pas bavards. Personne ne lui a encore expliqué où il se trouvait.

La Loubianka est la plus silencieuse des prisons. Dans leurs cellules inondées d'électricité, les prisonniers ont l'ordre de ne pas parler fort. Et ils ont du mal à deviner l'arrivée des gardiens qui, dans les couloirs, marchent à pas feutrés, en chuchotant.

Dans le vieux corps de bâtiment, les cachots ont de beaux parquets. L'affreuse soupe est servie dans les vestiges d'une vaisselle élégante : outre une compagnie d'assurances, l'immeuble a abrité jadis un hôtel, dont on utilise le matériel. Les douches, même, sont acceptables. Mais leur propreté est déplaisante. On y a, dit-on, beaucoup fusillé, en rinçant le sang à grande eau.

La femme médecin de la Loubianka, qui inspecte les entrants sans pudeur excessive pour s'assurer qu'ils n'ont pas de maladies vénériennes, suscite aussi quelques commentaires flatteurs. « Une beauté », m'assurent plusieurs ex-détenus. Il est vrai qu'en matière de charme féminin, les reclus ont les idées larges.

Malheureusement, cette prison si convenable est surpeuplée. La campagne de vigilance la remplit avec une telle profusion qu'on fait séjourner les prévenus des jours et des jours dans des « box » de trois ou quatre mètres carrés, sans fenêtres.

Le confort recommence dans les couloirs, recouverts de tapis moelleux, qui vous conduisent jusqu'aux bureaux de ceux qui instruisent votre procès. Dans chaque bureau, un grand portrait de Staline suit, d'un œil paternel, les interrogatoires.

Lui est-il arrivé d'être présent autrement qu'en effigie? Un récit circulera quelques années plus tard, dans des cercles très proches du pouvoir : Staline quittant discrètement le Bolchoï après le deuxième acte du *Lac des cygnes,* se faisant conduire en voisin à la Loubianka et faisant feu de sa main sur quelques condamnés à mort.

Trotski lui attribuait un goût physique pour le sang, le montrait se divertissant à égorger des moutons, à mettre le feu à une fourmilière après l'avoir arrosée de pétrole [1]. La fille de Staline juge ces accusations absurdes. Un monstre moralement, peut-être, dit-elle, mais physiquement, il ne tue pas.

Laissons donc ces scènes d'apparitions nocturnes, peu certaines. Un fait, lui, n'est pas contestable : tout ce sang est bien répandu sur son ordre, et en son nom.

En 1953, l'on bat assez peu à la Loubianka. C'est la maison mère; on y évite le mauvais genre. Le mouvement d'entrants et de sortants, de gens amenés pour des confrontations, des interrogatoires, est important. Les hurlements des suppliciés seraient d'un fâcheux effet.

L'instruction préfère en général prendre son temps. On interroge, on interroge. Le prisonnier est systématiquement privé de sommeil pour être traîné, nuit après nuit, à l'instruction. Le

---

1. Léon Trotski, *Staline* (Grasset).

jour, on lui interdit de dormir. Hagard, il finit généralement par signer tous les aveux demandés. Les prévenus coriaces qui ne signent pas évitent le jugement, mais pas la condamnation. La « Conférence spéciale près le M. G. B. » a le pouvoir de déporter les éléments socialement dangereux sans passer par les tribunaux.

On bat davantage à Lefortovo — là où précisément se trouvent les « blouses blanches ». Une vieille prison, massive derrière ses hauts murs, au milieu d'un faubourg animé et populaire.

Grandes et nombreuses sont les prisons de Moscou. Il y a la Boutirskaïa, elle aussi vieille bâtisse du type forteresse, mais pourvue d'un bâtiment neuf et fonctionnel, à l'américaine. Il y a la prison de transit de Krasnaïa Presnia, immense, installée dans une ancienne usine. Il y a la Taganka, où l'on envoie surtout les droits communs. Il y a la Petite Loubianka, en face de la grande. Et d'autres encore. Toute une géographie pénitentiaire au cœur de la capitale. Tout cela engorgé, surchargé de travail, dans le va-et-vient fiévreux des « corbeaux noirs » tellement bondés que les prisonniers s'y trouvent à moitié asphyxiés, tandis que les procureurs au teint blême, les juges d'instruction surmenés font des heures supplémentaires, accusant et accusant toujours, en attendant d'être eux-mêmes accusés.

La vigilance réclamée commence à battre son plein. Insouciance et naïveté n'ont qu'à bien se tenir.

Il arrive que la police frappe à votre porte la nuit, comme dans les romans. Mais à ces arrestations à domicile, elle préfère souvent des méthodes plus sophistiquées. L'ordre de mission est très utilisé. La victime part pour un voyage professionnel, et ne revient pas. Pendant quelques jours, les relations, les collègues ne se doutent de rien. « Piotr Petrovitch est en mission. » On parle de lui sans se gêner, on répond pour lui au téléphone; il paraît que cela facilite le travail des enquêteurs. Et puis, l'on commence à s'apercevoir que Piotr Petrovitch a disparu. Alors, discrètement et sans scandale, l'on se tait.

« Un jour, se souvient un ancien infirmier, mon hôpital, à Tachkent, m'a prié de me rendre dans une localité voisine. Au moment où je quittais mon domicile, j'ai rencontré, dans la rue, un homme de la plus grande courtoisie. Il m'a demandé si cela ne me dérangeait pas trop de l'accompagner dans un bureau voisin pour donner un petit renseignement. Cela ne me prendrait que cinq minutes, littéralement cinq minutes. »

Le petit renseignement demandé se révèle être le suivant : « A quelle date précise avez-vous été recruté par l'Intelligence Service? » L'intéressé se montrant incapable de le fournir, car il ne connaît l'Intelligence Service que par le cinéma, les cinq minutes annoncées se prolongeront pendant dix ans.

A Moscou, l'ingénieur Chichkine est chargé par son usine d'aller chercher quelques informations techniques à l'autre bout de la capitale. Au moment où il attend le trolleybus, une voiture s'arrête.

« Salut, mon vieux! Comment vas-tu? Est-ce que tu veux qu'on t'accompagne? »

Le jeune ingénieur ne reconnaît pas bien ces camarades si aimables. Mais il est sportif, sociable, il a tant de relations. « J'ai dû les rencontrer sur un stade. » Il monte. Chemin faisant, la voiture tourne brusquement à droite, une porte en fer s'ouvre. Il se retrouve au fond de la célèbre petite cour de la Loubianka, en forme de puits.

« Te voilà arrivé », lui disent les gentils camarades.

Quiconque entre là n'est jamais reconnu innocent. Le M. G. B. ne relâche pas. Le M. G. B. ne se trompe pas.

C'est un empire énorme à donner le vertige, avec ses centaines de milliers d'officiers en civil et en uniforme, ses millions d'indicateurs et de collaborateurs de tout genre, ses généraux et ses lingères, ses agents secrets et ses garçons coiffeurs, ses ingénieurs, ses soldats, ses procureurs, son armée de bureaucrates et de juristes, ses femmes du monde, ses bourreaux. Le M. G. B. a ses réseaux à l'étranger et ses modestes représentants dans la dernière usine de province. Il est responsable du contre-espionnage comme des crimes économiques, il veille sur le moral de la nation, sur la discrétion des savants, sur la bonne tenue des ambassadeurs dans le monde entier. Il verrouille les frontières avec ses hélicoptères et ses vedettes rapides, comme avec son armée de manœuvres ratissant la terre meuble du no man's land. Il garde les ponts, fournit aux dirigeants leurs cuisiniers et leurs chauffeurs, « purge » les serveuses de l'hôtel National, coupables d'avoir servi le caviar et le bortsch aux impures délégations étrangères. De lui dépendent les militaires à casquette verte qui vérifient les passeports aux gares et aérodromes comme les beaux soldats à casquette bleue qui s'en vont, au pas de parade, assurer la garde du mausolée, et aussi les troupes spéciales hérissées de mitraillettes qui, chaque jour de défilé sur la place Rouge, s'entassent dans le GOUM désert, invisibles et muettes, attendant on ne sait quoi. On lui a même à cette époque affecté la police des rues, les braves miliciens avec leur sifflet à roulette, si rogues avec les camionneurs et si patients avec les pochards.

Le M. G. B. a ses propres points de vente, destinés à son personnel. Les produits y sont d'une qualité très supérieure à ceux que l'on trouve dans les magasins ordinaires. Le cinéaste M. R... a, un jour, été autorisé, à titre de récompense, à acheter un complet dans l'une de ces boutiques très particulières. Mais ce beau costume, reconnaissable puisqu'on ne le trouve que *là*, le fait prendre par les policiers pour l'un des leurs. Invité à une grande réception au Kremlin, le cinéaste, arborant le complet neuf, s'apprête à faire honneur au buffet quand on lui frappe sur l'épaule.

« Le colonel vous rappelle qu'aujourd'hui, nous ne devons pas boire beaucoup, nous autres. Nous ne sommes pas là pour ça. »

C'est également au M. G. B. qu'appartient l'illustre club « Dynamo », peut-être la plus prestigieuse des associations sportives d'U. R. S. S. Ses succès font beaucoup pour le renom

de la redoutable institution. Les Soviétiques sont chauds sup-
porters. Le football surtout est, à cette époque, une religion, un
rite populaire et gouvernemental.

Le petit lieutenant Kornblitt était un homme heureux. Fils
d'un vieux tchékiste, qui fut l'ami personnel de Dzerjinski, il
servait tout naturellement au M. G. B., mais il n'avait à s'occuper ni d'interrogatoires, ni d'arrestations : il était l'un des dirigeants de « Dynamo ». Et, ne vivant que pour le sport, il ne
comptait guère que des amis. Pourtant, ses camarades sont
venus un jour fouiller sa maison, lui ont arraché ses épaulettes, lui ont cassé la figure au cours d'un ou deux interrogatoires préliminaires, et l'on envoyé à Soukhanovo, la pire des
prisons moscovites. Située en grande banlieue, très isolée, cette
petite prison est renommée pour le sadisme des tortures physiques et morales qu'on y inflige. Là-bas, il faudrait être un
héros pour ne pas signer n'importe quoi.

Avant de disparaître, le petit lieutenant a tempêté, menacé
de faire intervenir les relations familiales. Cet ingénu ne savait
pas que le stalinisme doit, jour après jour, dévorer ses propres
enfants.

Le glaive et le bouclier : c'est l'emblème de cette police.
Frapper pour défendre. Et défendre d'abord l'objectif suprême,
celui que sont censés viser tous les contre-révolutionnaires :
Staline.

Il est tellement gardé que, parfois, sa protection prend un air
équivoque. On en arrive à se demander qui surveille qui.

Pendant la guerre, excédé de travail, il lui arrivait de se
promener un instant dans les allées du Kremlin. A son
approche, les jardinières qui ratissaient les massifs se hâtaient
de disparaître. Car si, de bonne humeur, il leur adressait
quelques mots, elles étaient « cuisinées » pendant des heures :
« Alors, que t'a-t-il dit ? »

Tout geste douteux, s'il concerne Staline, est déjà un atten-
tat. Au cours d'une soirée entre amis, un ingénieur, un peu
éméché, choque gentiment son verre contre le buste en plâtre
du guide. « A ta santé, petit père. » Dénoncé, arrêté, dix ans.

197

Un autre ingénieur s'exerce au tir dans le jardin de sa datcha, avec une carabine à air comprimé. En guise de cible, il dessine un rond sur une page de journal (le papier blanc est rare). Il n'a pas pris garde qu'au verso se trouvait une photo de Staline. Dénoncé, arrêté, dix ans. Pour « tentative de terrorisme » (articles 58-8 et 19 du code criminel). Ce qui signifie, selon toute logique que les plombs qui ont transpercé la photo avaient une intention homicide. Au pays du socialisme scientifique, la police semble croire à l'envoûtement.

Superstitieuse adoration. Nous l'avons vu, quand les tchékistes « découvrent » quelque menée contre le chef aimé, ils n'écrivent jamais son nom dans leurs procès-verbaux. Il devient « les cadres dirigeants de l'U. R. S. S. ». Le nommer porterait malheur.

Envoûtement, pouvoir maléfique des mots. Le jeune Mandel-Korjavine avait écrit, à la fin des années 40, un poème antistalinien. Il fut bien entendu découvert, d'autant plus qu'il ne se gênait pas pour en donner lecture à ses amis. Le colonel de la Sécurité d'Etat qui instruisait l'affaire fut tellement horrifié qu'il ne sut comment faire figurer le corps du délit dans ses pièces. Il ne *pouvait* pas transcrire cela. Un inquisiteur ne blasphème pas, même par citation.

Ne parvenant pas, dans ces conditions, à juger le coupable, on l'envoya dans un asile d'aliénés pour s'en débarrasser.

8

LES COPEAUX DE STALINE

Un grand immeuble, un peu moins élevé que les gratte-ciel moscovites, mais surmonté comme eux d'une lourde tour quadrangulaire à aiguille, ferme le fond de la place Maïakovski. Quelques années plus tard, on en fera l'hôtel « Pékin », bien connu des touristes internationaux pour ses suites « de luxe », cossues et inconfortables, avec leurs pianos, leurs tableaux réalistes-socialistes, leur profusion de canapés et de guéridons et leurs baignoires qui fuient sans espoir.

Mais en 1953, l'hôtel ne porte encore aucune enseigne lumineuse. Aucun voyageur en mal de chambre n'essaie d'attendrir les réceptionnistes dans le grand hall. Le vaste immeuble est réservé tout entier aux fonctionnaires et officiers du ministère de l'Intérieur. Tout autour, une série de bâtiments administratifs abritent les services du GOULAG — la direction générale des camps.

Staline aime diviser ses polices. Après la guerre, l'ancien N. K. V. D., fief de Iejov, puis de Béria, a éclaté en deux ministères :

— le M. G. B., ministère de la Sécurité d'Etat,
— le M. V. D., ministère de l'Intérieur.

Le M. G. B. détecte les ennemis du peuple, les emprisonne, les fait condamner.

Le M. V. D. les garde et les fait travailler. C'est le ministère des camps, de la main-d'œuvre pénitentiaire. Le GOULAG lui appartient.

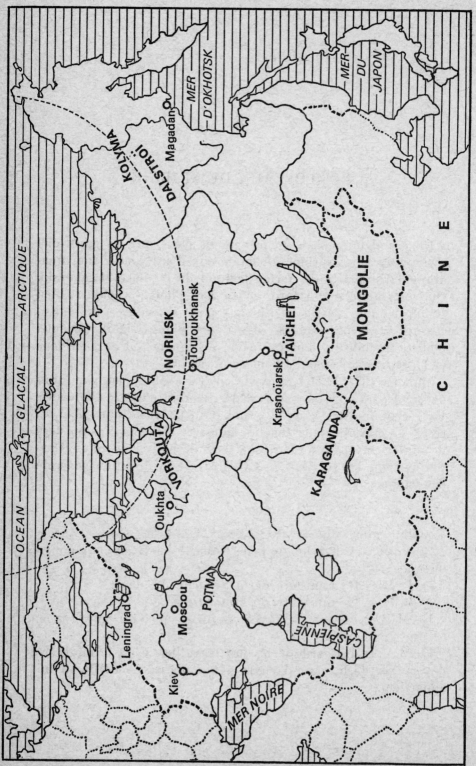

Grandes régions concentrationnaires d'U.R.S.S. en 1952-1953.

La gestion des camps est lourde, paperassière. Des kilogrammes de notes de service partent chaque jour du M. V. D. vers les camps les plus lointains. L'instruction « sur l'emploi de la camisole de force à l'égard des détenus causant un esclandre » (*o primenienie smiritelnykh roubachek k bouistvouiouchtchim zk/zk*) occupe à elle seule deux pages bien serrées, signées d'un vice-ministre. Tout y est prévu : la façon de placer les mains du prisonnier dans son dos, de les attacher, etc.

Il est regrettable que les circulaires du M. V. D. soient secrètes. Car, si peu doué qu'on soit d'esprit administratif, il suffit de lire la liste des destinataires, placée en tête d'une note de service, pour être renseigné sur l'immensité de l'empire :

« *Au chef de la direction générale des camps (GOULAG),*

— Au chef de la direction générale des camps miniers et métallurgiques (GOU. L. G. M. P.),

— Au chef de la direction générale des camps forestiers (GOU. L. L. P.),

— Au chef de la direction générale des camps pour la construction de voies ferrées (GOU. L. J. D. S.),

— Au chef de la construction de chaussées et routes (GOU-CHOSDOR),

— Au chef de la construction en Extrême-Orient (DALS-TROI),

— Au chef de la direction générale pour le canal Volga-Don (Glavguidrovolgodonstroï),

— Au chef de la direction générale pour le barrage de Stalingrad (Glavstalingradguidrostroï),

— Au chef de la direction générale pour le barrage de Kouïbychev (Glavkouïbychevguidrostroï)... »

L'un des destinataires, le DALSTROI, gouverne à lui seul un royaume six fois plus grand que la France : toute la Sibérie du Nord-Est, au-delà du fleuve Léna — là où le thermomètre descend à moins soixante. Sur tout ce territoire la Constitution soviétique n'est pas censée être en vigueur. Pas d'autorités civiles. Pas d'élections aux soviets locaux ou régionaux. Le

DALSTROI — le pouvoir pénitentiaire — dirige tout. A part quelques petites tribus indigènes, la population est essentiellement composée de détenus (et d'anciens détenus « libérés » sur place) encadrés par les troupes spéciales.

Le DALSTROI fut créé dans les années 30 pour extraire l'or de la rivière Kolyma. Mais en 1953, il a, comme l'on dit, beaucoup diversifié sa production. Il possède maintenant ses exploitations agricoles, ses mines de charbon, ses ponts et chaussées, ses entreprises de construction, son réseau commercial d'Etat et même sa flotte de commerce qui relie les horribles ports de la mer d'Okhotsk à Vladivostok.

Tout cela entre les mains d'un général du M. V. D. Tout cela régi par le GOULAG, ses gardiens à mitraillettes et à chiens policiers.

Ce que les Soviétiques appellent un « camp » (lager) peut s'étendre sur des centaines de kilomètres. Un camp comprend des dizaines de lieux de détention, avec des espaces de toundra, de forêt ou de steppe, avec des villages, des usines, des puits de mine, des routes. L'une des dépendances du « camp » de Karaganda, au Kazakhstan, se trouve à 500 kilomètres du centre. Souvent, ces puissants ensembles concentrationnaires ont leur propre réseau ferroviaire, construisent leurs propres usines électriques. Celui qui fut chargé, avant la guerre, de la construction du canal mer Blanche-Baltique émettait sa propre monnaie qui n'avait pas cours dans le reste de l'U. R. S. S.

Pour retrouver l'image traditionnelle — un espace clos entre des barbelés, — il faut descendre à une subdivision administrative très inférieure, le lagpunkt — littéralement « point de camp ».

Les camps extraient la houille, le cuivre, le chrome, le nickel, construisent des routes, des barrages et des chemins de fer, fabriquent des chaussures pour l'armée, des moufles pour les civils, des conserves de viande ou de poisson. Les camps produisent une grande partie du bois et de l'or. Les camps louent la main-d'œuvre détenue, contre bon argent comptant, aux usines et aux fermes d'Etat. Les camps sont une entreprise géante. Il est vrai que le rendement de leur main-d'œuvre — ces esclaves sous-alimentés — est catastrophique.

Leur gestion est d'une complication administrative savamment entretenue. Un commandant de camp, voire d'un simple « point de camp », est un potentat. Mais il doit partager son autorité avec la redoutable « section d'opérations tchékistes » qui ne dépend pas de lui, mais du M. G. B. — l'autre ministère. Les conflits d'attributions sont fréquents. Les gardiens sont tantôt des professionnels — des salariés de l'administration pénitentiaire — tantôt des jeunes du contingent. C'est ceux-ci qu'on craint le plus, car ils sont bourrés de propagande. A chaque relève de sentinelles, ils scandent gaillardement le dialogue réglementaire :

« Bonjour, camarades soldats! Que faites-vous?

— Nous gardons les ennemis du peuple. »

Ainsi dressés, ils ont la gâchette prompte. Et c'est du ton le plus convaincu qu'ils hurlent, au moment du départ, chaque fois qu'ils escortent un groupe de prisonniers :

« Ne pas traîner! Pas un pas à gauche, pas un pas à droite!

« L'escorte considère que c'est une fuite.

« On tire sans sommation! »

Parfois, une rencontre imprévue. A Doubrovlag (Potma), l'un de ces garçons reconnaît parmi les ennemis du peuple qu'il garde, son propre père qu'il croyait mort à la guerre. Il se suicide. Un autre retrouve, de la même façon, son frère. Tous deux combinent une évasion, s'enfuient à travers les forêts de Mordovie et se font, selon l'usage, reprendre.

Beaucoup de détenus omettent en effet de signaler leur sort à leur famille. Notamment, les anciens prisonniers de guerre qui, après la victoire, ont « reçu leurs dix ans » comme traîtres, déserteurs, espions.

« Pourquoi aurais-je écrit à ma mère? » dit L. S..., une femme médecin qui avait troqué les camps allemands contre les camps russes. « Il valait mieux qu'elle me croie morte. »

Malgré leur importance économique, les camps ont une fonction plus considérable encore, leur première fonction : remodeler la société. Il s'agit d'éliminer les catégories sociales indésirables. D'où les couches successives, très différenciées, qui viennent peupler la Sibérie et y mourir : paysans de 1930, vieux bolcheviks de 1937, etc.

L'affaire des médecins annonce une nouvelle épuration de grande envergure. Mais déjà, la petite purge de 1949 a tiré la sonnette d'alarme. Elle a visé des catégories bien déterminées de la population, comme les jeunes (jeunes intellectuels surtout), ou les juifs. Ou les rares « purgés » de 1937-1938 qui avaient eu la chance insigne d'être libérés au bout de dix ans et qui tous, sans exception, ont été repris au bout de quelques mois. En langage des camps, on les appelle les *povtorniki*, les « revenez-y ». Ils sont souvent à moitié fous.

Tout ce monde rejoint les gros bataillons du GOULAG, composés essentiellement à cette époque de prisonniers soviétiques rapatriés d'Allemagne, d'Ukrainiens et de Baltes, de ressortissants des démocraties populaires, de criminels de guerre vrais ou faux.

On est coupable de son origine, de sa situation. On est coupable collectivement. Quelques-uns, sentant leur arrestation imminente, vont travailler comme volontaires au fin fond de l'Asie centrale ou de la Sibérie. Ils échappent ainsi au sort qui les attendait, car le M. G. B. ne les recherche même pas. Il a, comme les usines, son plan à remplir, ses quantités d'ennemis du peuple à fournir. Il arrête quelqu'un d'autre, pris dans la même catégorie sociale, dans le même registre de « suspects ».

A côté de ces drames collectifs, toutes sortes de destins individuels happés accidentellement par la machine. Tel ce médecin américain qui, dans le grand chambardement de la fin de la guerre, avait épousé en Allemagne une Soviétique. Elle est fort imprudemment retournée voir sa famille en Russie et ne lui a plus donné signe de vie. Après des années de démarches, il a reçu un visa soviétique, a quitté les Etats-Unis pour partir à sa recherche.

Il a débarqué à Leningrad en 1951, a été aussitôt arrêté et condamné à vingt-cinq ans de camp pour espionnage.

L'ancien détenu qui me parle de ce prisonnier par amour ne se souvient que de son prénom : Michael. « Il nous racontait sa vie, là-bas, aux U. S. A. Il nous expliquait qu'il possédait sa propre clinique, sur la côte Est. Il n'avait pas quarante ans mais semblait un vieillard. »

Vite, il a perdu de vue ce fantôme, transféré dans un « camp spécial ».

Pas de chambres à gaz, le but avoué de l'institution n'étant pas d'exterminer, mais de rééduquer.

Mais, pendant très longtemps, on a laissé mourir les détenus. D'épuisement, de froid, du manque d'hygiène et de soins. Et surtout de faim.

La répartition des rations dans les camps est basée, comme toute l'économie soviétique, sur le système des « normes ». En haut, les stakhanovistes, qui abattent le plus d'ouvrage et ont droit aux meilleures rations. En bas, les inaptes au travail physique qui reçoivent la pitance la plus maigre. Entre eux, des catégories intermédiaires.

Mais, depuis les lointaines années trente, aucune catégorie n'a jamais reçu le nombre de calories nécessaires pour compenser sa déperdition d'énergie. Aussi, jusqu'en 1948, la mortalité dans les camps est-elle restée régulièrement comprise entre dix et vingt pour cent par an.

A partir de 1948, la situation s'améliore légèrement. Les rations sont un peu augmentées, les infirmeries reçoivent quelques médicaments, la durée du travail est un peu réduite. L'on institue même un salaire pour les détenus. Il est vrai que l'administration pénitentiaire y pratique tant de retenues pour les « services rendus » (la nouriture, le logement...) qu'en arrivant à l'intéressé, ce salaire est voisin de zéro. Il lui reste, au mieux, quelques roubles pour acheter un peu de pain et de sucre à la cantine.

Une des retenues, et non des moindres, figure dans la comptabilité sous la rubrique « *Na karaoulivanie* » — « pour les sentinelles ». Payez, et vous serez surveillé.

Autre amélioration de ce temps, involontaire celle-là : la

séparation des droits communs et des politiques. Elle est, en principe, destinée à rendre plus sévère le régime des seconds. En fait, elle les délivre de l'abominable dictature des truands, les *blatnye*, qui régnaient dans les camps par la terreur, exploitant et pressurant leurs codétenus à la pointe du couteau.

Mais pourquoi ce système concentrationnaire, qui n'est plus jeune, connaît-il sur le tard cette humanisation relative? Quelque grâce a donc touché le M. V. D.? Chaque détenu de cette époque a dans ses souvenirs un bon gardien : celui qui fermait les yeux sur un retard, celui qui distribuait les colis sans fendre le pain en vingt pour chercher le message ou le couteau caché. Retour des hommes parmi les brutes?

Des statisticiens proposent une explication plus cynique : le flot des bagnards qu'avait amené la collectivisation des terres, puis les grandes purges, puis les mouvements de population de la guerre et de l'après-guerre, commence à se tarir à la fin des années 40. Tout le pays souffre, d'ailleurs, d'un manque démographique [1]. La main-d'œuvre pénitentiaire ne se renouvelant plus avec la même rapidité, devient une valeur. C'est, disent-ils, la raison pour laquelle on se met subitement à en prendre soin.

Même dans ces conditions nouvelles, un condamné de l'*article 58*, c'est-à-dire un condamné politique, sait qu'il n'a que très peu de chances de retrouver la vie normale. D'abord, la durée des condamnations est extravagante. Il n'est pas rare qu'elle atteigne vingt-cinq ans. Et ceux qui n'ont reçu *que* dix ou quinze ans sont souvent frappés d'une nouvelle peine avant l'expiration de la première. Quand vous entrez dans l'univers du GOULAG, il ne veut plus vous lâcher.

Ceux qu'on finit quand même par libérer doivent, en géné-

---

1. La pénurie de main-d'œuvre, très sensible à cette époque en U. R. S. S. — qu'il s'agisse de main-d'œuvre libre ou détenue — est évidemment pour une large part une conséquence directe de la guerre. Chez les jeunes, d'autre part, apparaissent des « classes creuses » qui correspondent à la grande répression contre les paysans, en 1930-1933.

ral, rester sur place; le droit de regagner leur ville ou leur village ne leur est pas accordé. Ils demeurent agglomérés au système pénitentiaire, y deviennent des « travailleurs libres » après y avoir été des « travailleurs détenus » — les premiers vivant souvent aussi mal, ou plus mal, que les seconds. Les forêts sibériennes se peuplent ainsi de bûcherons russes, polonais, allemands ou ukrainiens, des débris de cent races et de cent nations.

Ceux qui émergeront un jour, après tant et tant d'années sont les forts, les intraitables, le métal que rien ne peut briser. Ou les malins. Plus d'un, pour survivre, se laisse convaincre de devenir un *stoukatch*, un mouton, un indicateur. Protégé par l'officier de sécurité ou par le commandant du camp, il vit mieux que ses camarades qu'il espionne. Parfois même, on l'affecte aux cuisines.

Parfois aussi, on le trouve, le matin, raide sur son lit, étranglé par ses codétenus.

Le trafic sévit; on troque, on vend et on achète. Rations de pain, chaussures, colis, tout se négocie. Les camps mixtes ont leurs prostituées.

Certains s'adonnent à la drogue — la drogue des bagnards, le *tchaïfir*, préparé à partir du thé. Joseph Berger, l'un des fondateurs du parti communiste de Palestine, qui passa seize années dans les camps soviétiques, nous donne la recette :

« *Pour obtenir du tchaïfir, faites bouillir 400 grammes de thé dans une quantité d'eau si petite que vous n'obtiendrez que trois ou quatre tasses. La proportion de tanin est ainsi très forte et ses effets sont étonnants. Ceux qui en buvaient devenaient ivres, ou entraient en transe et oubliaient toutes les souffrances qu'ils avaient endurées... Le tchaïfir, lorsqu'on en use fortement, peut produire les effets de la cocaïne ou de l'opium* [1]. »

Il existe une aristocratie de la détention. On la trouve dans les « prisons spéciales » où des savants, des ingénieurs haute-

---

1. Joseph Berger, *Shipwreck of a generation* (Harvill Press).

ment qualifiés travaillent à des projets secrets, sous la surveillance d'officiers du M. G. B. Ils y mangent très convenablement — mieux que beaucoup de citoyens libres — à condition de s'éreinter douze ou quatorze heures par jour. Ils trouvent sur leur table les dernières publications scientifiques américaines. Certains ont droit, une ou deux fois par an, à quelques minutes d'entretien avec leur femme — privilège fabuleux. A part cela, coupés du monde aussi complètement que s'ils coulaient du béton sous le cercle polaire. Le niveau intellectuel de ces laboratoires-prisons est remarquable : ce pays si pauvre en contremaîtres est riche en mathématiciens.

En argot concentrationnaire, un établissement de ce genre se nomme *charaga* ou *charachka*. Quand on en sort, c'est soit pour retourner couler du béton dans les camps les plus durs, soit pour devenir un homme libre et comblé d'honneurs. L'académicien Korolev, futur père des programmes spatiaux, fut longtemps pensionnaire d'une *charaga* célèbre, la « Prison spéciale n° 4 », sise chaussée des Enthousiastes à Moscou. Depuis, son sort a changé. En 1953, Korolev est un savant respecté.

Mais c'est un écrivain qui immortalisera l'institution des *charachki*. Soljenitsyne fut prisonnier pendant quatre ans, dans celle de Marfino, installée dans la banlieue nord de Moscou. Il la fera revivre (sous le nom à peine modifié de « Mavrino »), avec cette façon, qui lui est propre, de combiner le souffle épique et la minutie documentaire. Ce voyant est un reporter — et fort méticuleux [1].

1953. L'édifice concentrationnaire se dresse jusqu'au ciel, imposant, triomphant. De-ci de-là, pourtant quelques fissures imperceptibles. La guerre et l'après-guerre ont peuplé les camps d'hommes dressés à se battre, rompus à la clandestinité : officiers soviétiques qui se sont illustrés dans la lutte contre l'Allemagne, partisans antisoviétiques pris au fond des forêts.

---

1. Soljenitsyne, *Le premier Cercle* (Éd. Robert Laffont).

Certains parviennent à organiser des réseaux. En 1948, à Vorkouta, sous le cercle polaire, des détenus insurgés ont tenté,
sous la direction d'un colonel, de soulever tout ce complexe
pénitentiaire et minier, dont dépend une partie du ravitaillement en houille de l'U. R. S. S. Il a fallu faire donner l'aviation
pour les massacrer.

« *Quand on fend du bois, les copeaux volent.* » C'est l'équivalent, plus austère, de notre « on ne fait pas d'omelette sans
casser des œufs ». C'est le proverbe favori de l'époque, celui
qui veut tout justifier. Les copeaux sont les résidus, les indis-
pensables sacrifiés de la grande construction stalinienne.

Combien sont-ils, les copeaux de Staline, en ce glacial hiver
1953? Combien dans les camps de « régime général » et dans
les camps de « régime sévère », dans les camps de « régime
pénal » et dans ceux de « *katorga* » où l'on enchaîne les
prisonniers? Combien dans les « isolateurs », les prisons, les
colonies, les *charachki*? Combien dans les mines et les forêts,
les steppes de l'Asie centrale et les pêcheries de la mer de
Behring, là où règne la nuit polaire, là où le sol ne dégèle
jamais?

Les archives sont détruites ou inaccessibles, les frontières
même du phénomène incertaines et mouvantes. Aux condamnés politiques, qui représentent l'écrasante majorité, s'ajoutent
pourtant des nuées de « droit commun », victimes eux-mêmes
d'une législation particulièrement répressive. Et il y a encore
les anciens prisonniers qui restent déportés dans les régions les
plus insalubres. Et les familles de « traîtres à la patrie » qu'on
éloigne au fond de l'Asie.

On scrute les statistiques de la production, les plans quin-
quennaux, pour découvrir la part de ces fantômes dans la
production du pays. Certains détenus — des ingénieurs, des
scientifiques — font leurs propres calculs : « A tant de prisonniers en moyenne par *lagpunkt,* à tant de *lagpunkt* dans ce
camp, nous devons être dans la région... » Estimations forcément approximatives. Combien de Soviétiques vivent en déten-

tion ou en déportation en 1953? Les évaluations se croisent. Il en est peu qui descendent au-dessous de dix millions.

Cette masse est surtout masculine. Staline s'attaque plus rarement aux femmes. On ne sait s'il faut y voir un mâle mépris pour le beau sexe qu'il juge politiquement inoffensif. Ou quelque respect superstitieux pour les intraitables femmes russes qui tiennent le pays à bout de bras, sèment, récoltent et font marcher les chaînes des usines pendant que leurs hommes sont en prison.

9

INGÉNIEURS DES AMES

Le 13 février, la *Pravda* consacre, sur toute la largeur d'une page, un immense « rez-de-chaussée » à démolir le nouveau roman de Vassili Grossman, *Pour une juste Cause.* L'auteur n'a pas su rendre l'héroïsme du soldat soviétique. Il ne nous donne pas les pensées des véritables représentants du peuple. D'ailleurs, et c'est tout dire, on sent chez lui l'influence de « *la théorie réactionnaire des pythagoriciens* ». Exit Grossman. Celui qui fut longtemps l'un des auteurs soviétiques les plus applaudis se taira pendant onze ans, jusqu'à sa mort. Et il ne nous laissera qu'un cri posthume, *Tout passe,* noir chef-d'œuvre écrit en secret[1].

« *Un collaborateur de la* Pravda, écrit Ehrenbourg, *me raconta que l'article avait été publié sur instruction de Staline.* » Que ce soit vrai ou faux, on ne prête qu'aux riches. Staline a effectivement l'habitude de s'occuper en personne des écrivains qui comptent. Il croit à l'importance des « ingénieurs des âmes ». Et il se pique d'être un critique averti.

Les résultats de cette sollicitude pour les lettres sont dévastateurs. On ne compte plus les poètes assassinés, comme Mandelstam, ou réduits au silence comme Pasternak, qui vit de ses traductions de Shakespeare. Les camps sont pleins d'écrivains ignorés qui s'accrochent des ongles et des dents pour survivre, eux et l'œuvre qu'ils portent en eux. Un professeur de physique amoureux de la langue russe, nommé Soljenitsyne, vient de travailler pendant trois ans comme maçon dans une

---

1. Vassili Grossman, *Tout passe* (Stock).

steppe gelée ou torride du Kazakhstan (après avoir poursuivi dans sa *charachka* de Moscou des travaux plus scientifiques). Il touche au terme de ses huit années de détention, ce qui le transformera en déporté « libre ». Mais il est, depuis quelque temps, mordu aux entrailles par un cancer que les médecins du bagne ont opéré dans les pires conditions.

Un jeune écrivain, tout ému, est présenté à Anna Akhmatova. Il attend de la grande poétesse de ces aperçus littéraires qui marquent. Elle lui parle de colis. Son fils est détenu. Cette femme, l'un des premiers poètes de son temps, dépense ses derniers roubles en allées et venues entre Leningrad et Moscou comme une bête traquée. Des mouchards la filent de temps à autre sans trop se cacher, battant placidement la semelle devant la maison où elle est descendue.

L'exquis Zochtchenko, humoriste terrorisé, est réduit à la misère depuis que le Comité central l'a qualifié d' « esprit trivial et répugnant ». Ses amis font la quête pour l'aider.

En revanche, le restaurant de la Maison des Ecrivains — l'un des meilleurs de Moscou — est plein de gras essayistes et de romanciers joufflus. D'une main Staline terrorise, de l'autre il corrompt. Nulle part les poètes de cour et les moralistes de la raison d'Etat n'ont vécu mieux qu'à Moscou.

Parmi les auteurs prospères, on trouve même d'honnêtes gens. Tel Tvardovski, d'un naturel plutôt intransigeant, mais que Staline a couvert d'honneurs, parce que, dans son *Tiorkine,* il avait bien chanté le soldat russe.

Cholokhov, généralement ivre, publie de moins en moins, se manifestant surtout par quelques longs et plats articles à la gloire de Staline. Il mène, dans son village cosaque de Vechenskaïa, au milieu d'un peuple de serviteurs, une existence de boyard, coupée de séjours fort longs et fort dissipés dans la capitale.

Chez les compositeurs, Chostakovitch et Prokofiev se font pardonner leur talent du mieux qu'ils peuvent. Le premier fait jouer en février 1953, une cantate célébrant le XIXᵉ Congrès. Le second obtient, au soir d'une vie d'invention et de courage, un satisfecit condescendant : allons, il a tout de même vaincu l'influence pernicieuse du formalisme[1]. Toute recherche nouvelle ne peut être que « formaliste », puisque Staline, l'homme des uniformes d'ancien régime, n'aime pas les nouveautés. Il apprécie *La Vie pour le tsar* (rebaptisée *Ivan Soussanine*) parce que c'est un opéra patriotique : l'envahisseur polonais y est vaincu par le Russe. Il va aussi écouter parfois *Boris Godounov,* disssimulé au fond de sa loge. Se sent-il concerné par le personnage du tsar assassin, du tsar-Hérode? Ces héros sombres le touchent. Naguère, il porta attention à « Ivan le Terrible » d'Eisenstein.

Mais l'on ne projette plus les œuvres d'Eisenstein. *Le Cuirassé Potemkine, Octobre,* fini tout cela, c'est de l'art cosmopolite. Sur les vieux thèmes révolutionnaires, l'on fait des films nouveaux qui donnent enfin une place convenable à Staline — la première, la seule. De nombreux longs métrages représentent sa vie et ses hauts faits. Il y est incarné par des acteurs qui lui ressemblent, comme Mikhaïl Guelovani. Dans *Le Serment,* Staline-Guelovani roule des yeux inspirés devant le tombeau de Lénine. Dans *La Chute de Berlin,* il prend la capitale du Reich pratiquement tout seul. Il existe ainsi toute une série de films — qu'on ne cesse de projeter dans tout le pays — où le chef se dresse comme une apparition au-dessus de ses fidèles, ou descend, tel un ange, parmi son peuple.

Il va de soi que, dans chaque chef-lieu de région, la troupe de théâtre locale compte aussi dans ses rangs un acteur spécialisé dans le rôle de Staline.

Fou de cinéma, Staline visionne chaque production nouvelle, autorise ou refuse personnellement sa sortie. C'est une loterie, car ses jugements sont prompts, ses motivations sommaires. L'on conte cette anecdote — entre beaucoup d'autres.

Une nuit, on lui présente un documentaire dépeignant la vie idyllique des autochtones sibériens, depuis que lui, Staline, a montré le chemin du bonheur aux Iakoutes, Aléoutes et

---

1. *Pravda,* 5 février 1953.

Samoyèdes. La projection finie, il se lève sans mot dire et s'en va. Le metteur en scène, très inquiet, interroge Béria.

« Quoi, tu veux manger du sable? » grogne l'homme au pince-nez.

Cette gracieuseté, comparable à notre « manger les pissenlits par la racine », fait partie du répertoire habituel de Béria.

Un ange passe. Puis Béria reprend :

« Réfléchis donc. N'y a-t-il qu'un soleil dans le ciel? »

Laissant derrière lui cet oracle, il s'en va, à son tour.

Pendant trois jours, l'on revoit les bobines, plan par plan. Et l'on trouve. Sur le mur d'un village du Grand Nord pendait le portrait de Lénine. De Lénine seul. Il manquait le deuxième soleil.

A ce régime, les studios deviennent stériles. Les meilleurs, comme Dovjenko, sont en disgrâce complète. Les plus serviles, même, ont quelque mal à travailler. Cinq longs métrages[1] en tout voient le jour, en 1952, contre neuf en 1951. L'on comble ces lacunes avec de l'importation tchécoslovaque, ou avec quelques vieux films policiers soviétiques, montrant l'éternel triomphe des tchékistes sur les espions.

La production occidentale est à peu près inconnue — sauf, bien sûr, des privilégiés qui ont accès aux projections privées. Tout de même, quelques salles affichent « Clochemerle », pour l'édification des populations de l'Oural et de la Basse-Volga. Cette image rabelaisienne de la France ne les surprend pas. En revanche, le Soviétique de ce temps manifeste une déception légère lorsqu'il vient à apprendre que Marthe Richard a fait fermer les « maisons ». Cela s'écarte de ses lectures et de ses idées reçues sur le génie français.

---

1. Ce que les Soviétiques appellent « films artistiques », par opposition aux documentaires.

10

LE GRAND CANDIDAT

Nouvelle cérémonie du grand rite stalinien. La dernière. Le 22 février et le 1er mars, se déroulent les élections aux soviets locaux — ces fameux « conseils » qui sont supposés contrôler toute l'activité publique, de la région au plus petit village. Il va de soi que le pouvoir réel échappe à tout contrôle et que les soviets n'ont aucune autorité, mais cette fiction est entretenue avec une pompe majestueuse. L'on va voter comme on va défiler sur la place Rouge : par ordre, mais dans la grandeur, au milieu d'un beau fracas de slogans impérieux.

Le nombre même des sièges à pourvoir fait rêver : un million et demi. « Vaste est mon pays natal », dit la plus populaire des chansons soviétiques. Pour chaque siège, un seul candidat. Donc, aucun problème de choix. Pourtant, les « agitatrices », c'est-à-dire les propagandistes, viennent expliquer à chaque électeur les mérites de cet élu obligatoire, sa fidélité au peuple, ses mérites devant le parti et la patrie. Elles sonnent dans chaque immeuble, s'installent à la cuisine. Ce sont les « cuisines communautaires » de l'époque, où quatre ou cinq ménagères coexistent dans une atmosphère d'exaspération recuite (elles en arrivent parfois à fermer chacune leur casserole au cadenas, par méfiance des autres). Dans l'odeur des *chtchi* qui mijotent, l'agitatrice récite la biographie du candidat. Mais auparavant, elle n'omet pas de parler du « grand candidat du peuple », c'est-à-dire de Staline. Vous devez lui montrer votre amour et votre fidélité en faisant de ce vote une puissante démonstration d'unanimité.

Le jour du scrutin, l'on fait queue dès six heures du matin à

215

la porte des bureaux de vote, décorés de banderoles, de drapeaux rouges, de portraits. Des fanfares jouent, parfois, de tous
leurs cuivres. Tout est terminé à midi, et la participation élec-
torale dépasse largement quatre-vingt-dix-neuf pour cent. A
Moscou, beaucoup abandonnent leur circonscription — les règle-
ments le permettent — pour aller voter dans l'arrondissement
« Staline ». Là, Staline a accepté d'être candidat lui-même, et
l'on a donc la fierté de l'élire directement, personnellement.

Beaucoup de bulletins sont surchargés (ce qui ne leur enlève
nullement leur validité) de phrases d'adoration pour le sage
guide et maître, le meilleur ami de tous les Soviétiques. L'une
des formules préférées est : « Je lui souhaite de très longues
années de vie et de santé. »

11

LE JOUR OÙ RADIO-MOSCOU S'ARRÊTA

Mars 1953 débute un dimanche. Lundi 2, les Français retrouvent leurs problèmes.

A la « une » du *Monde,* la C. E. D. — la Communauté Européenne de Défense — projet violemment controversé. De Sétif,
son fief électoral, René Mayer, chef d'un gouvernement qui
n'a pas deux mois mais qui chancelle déjà, adjure les parle-
mentaires d'adopter le traité qui instituera une armée européenne. De Gaulle, au contraire, le condamne sans appel :
« Avec ou sans protocole, le traité est inacceptable. » Déçu par
l'expérience du R. P. F., de Gaulle s'apprête à partir pour un
long voyage en Afrique.

Le grand quotidien français consacre également beaucoup de
place à l'affaire des pétroles d'Iran. Pour la première fois, un
pays du Proche-Orient a osé défier les pétroliers européens en
nationalisant sa production. Mossadegh, diable surgi de sa
boîte, suscite une effervescence internationale inouïe. Comme
le note Edouard Sablier dans son commentaire, « Moscou
devient l'arbitre ».

Les Français s'intéressent à l'affaire Finaly : deux orphelins
israélites, recueillis pendant l'occupation par une catholique,
ont été baptisés. La mère adoptive, refusant de les rendre à
leur famille maternelle, qui habite Israël, les a fait passer
clandestinement en Espagne. Des prêtres et des religieuses
mêlés à cette affaire ont été arrêtés par les autorités françaises. Cette petite guerre de religion inspire à François Mau-
riac, dans le *Figaro,* des réflexions angoissées, lui amène « un
flot de lettres ».

A la page des spectacles du *Monde*, Michel Droit se penche sur un jouet fort peu connu qu'on nomme télévision. Les programmes, encore confidentiels, deviennent ambitieux : hier, *Andromaque* a été proposée aux téléspectateurs — avec quelques coupures dans le texte, ce qui attriste un peu le critique.

Un peu plus loin, Robert Kemp salue avec enthousiasme le nouveau spectacle du T. N. P., *Lorenzaccio* : « *Je suis heureux pour Vilar, pour Musset, pour Paris... Gérard Philipe est admirable. Il est anxieux, pâle, à la fois jeune et flétri.* »

Au cirque d'Hiver s'est tenu le gala de l'Union des artistes. « *La palme*, écrit Olivier Merlin, *est revenue à Nicole Courcel, qui exécuta à quinze mètres du sol et sans filet le classique numéro de voltige aérienne.* »

L'on annonce un nouveau film de Jacques Tati, *Les Vacances de Monsieur Hulot*, variations sur le thème des loisirs qui commence à obséder les sociétés industrielles. M. Hulot, avec sa petite voiture pétaradante, symbolise fort drôlement la réponse occidentale à ce problème. Les réponses imaginées à l'Est sont collectives, avec « feuilles de route » pour les vacances, dortoirs pour hommes, dortoirs pour femmes. Les Soviétiques attendront encore une quinzaine d'années pour se lancer à leur tour, timidement, dans le tourisme individuel qu'ils nomment avec un peu d'effroi tourisme *sauvage*.

Le lendemain mardi, l'intérêt politique s'est déplacé. La première page est pour Churchill qui, aux Communes, a tenté de relancer sa dernière grande tentative : celle d'une conférence des « Grands ». Tentative qui semble d'ailleurs désespérée, les relations entre l'Est et l'Ouest se trouvant à leur point le plus bas. Aux Nations unies, Américains et Russes évitent de se saluer, Foster Dulles ayant fait savoir qu'il ne tendrait pas la main le premier à André Vychinski.

Certains, pourtant, s'accrochent à cette image : Ike et Staline s'asseyant à la même table pour conjurer le danger de guerre atomique. On scrute les intentions cachées du généralissime.

On continue à parler de lui au futur; il faudrait déjà en parler au passé.

Ce mardi soir, Moscou tarde comme de coutume à s'endormir. Tout est calme et quotidien. La presse du jour ne présente pas trace d'anomalies. La *Pravda* a encensé dans les termes les plus habituels l'œuvre géniale du guide, *Problèmes économiques du socialisme en U. R. S. S.* Elle a annoncé également que le camarade Khrouchtchev avait pris la parole « *ces jours-ci* », à la réunion plénière de l'*Obkom*[1] de Moscou. Apparemment, tout est en ordre et chacun vaque à ses affaires.

A minuit, comme toujours, Radio-Moscou retransmet le noble carillon du Kremlin, puis diffuse, plus majestueux encore, l'hymne soviétique :

« *Le grand Lénine a illuminé notre voie.*
Staline nous a formés. Il nous a inspirés
La fidélité au peuple, l'effort, les exploits. »

Un soir comme les autres. Mais le mercredi matin, tous les programmes de Radio-Moscou s'interrompent.

Avec eux, un monde s'arrête. Un monde de terreur, de foi, de haine, d'adoration. Un monde de délire logique, de sacrifice gigantesque et sanglant. Un monde grandiose et fou. Le mercredi 4 mars, au matin, 800 millions d'hommes perdent leur dieu, leur maître, leur certitude. Et tous les communistes du monde se réveillent orphelins.

---

1. *Obkom* : comité régional du parti.

12

LE GLAS

Il est huit heures trente, à Moscou, quand un grand silence se fait dans les récepteurs. Puis vient une voix de bronze, martelant chaque syllabe :

Le Comité central du parti communiste de l'Union soviétique et le conseil des ministres de l'U.R.S.S. annoncent le malheur qui vient de frapper notre parti et notre peuple : la grave maladie du camarade Staline.

« *Dans la nuit du 1ᵉʳ au 2 mars, le camarade Staline, alors qu'il se trouvait dans son appartement de Moscou, a été frappé d'une hémorragie cérébrale atteignant les régions vitales du cerveau. Le camarade Staline a perdu connaissance. Le bras droit et la jambe droite ont été paralysés. L'usage de la parole a été perdu. De graves troubles cardiaques et respiratoires sont intervenus.* »

Le communiqué parle d' « *éloignement provisoire des affaires... pour une durée plus ou moins longue* ». Mais peu s'y trompent. D'ailleurs, un bulletin de santé, qui suit immédiatement, donne de nouvelles précisions : rythme respiratoire inégal avec des pauses prolongées; manque d'oxygène; pouls : 120 pulsations à la minute avec arythmie complète. Entre le 1ᵉʳ mars — date donnée comme étant celle de l'attaque — et le 4 mars au matin, le degré de rupture des fonctions cérébrales n'a fait qu'empirer. A Vienne, à Berlin, à Paris, des médecins lisent cela et déclarent : « C'est le bulletin d'un homme mourant. »

Dans leur ambassade rose de la rue Bolchaïa Iakimanka, les diplomates français remarquent que c'est la première fois que l'on annonce la maladie d'un dirigeant soviétique. Ce ne peut être que pour préparer le peuple au pire.

Du reste, l'ambassade de France joue de malheur. La transmission radio choisit ce jour solennel pour tomber en panne, et le chiffreur pour être frappé de dépression nerveuse. Tout le personnel diplomatique court travailler au chiffre, sous la direction de l'ambassadeur Joxe en bras de chemise, pour ne pas laisser le quai d'Orsay sans télégrammes sur cet événement prodigieux.

Moscou commence sans hâte une nouvelle journée. Le temps est froid, mais point glacial. Quelques degrés au-dessous de zéro seulement. Du soleil sur beaucoup de blancheur. Dans les banlieues, les gosses qui jouent enfoncent dans de gros tas de neige molle. Les Moscovites vont à leur travail en s'étonnant un peu de ne pas trouver leurs journaux (leur parution a été retardée pour qu'ils puissent insérer le communiqué).

La nouvelle fait le tour de la ville comme une traînée de poudre. Il y a, dans tous les appartements, des *tarelki,* des « assiettes ». Ce sont de petits haut-parleurs reliés à un réseau central et qui diffusent obligatoirement Radio-Moscou. D'autres haut-parleurs, plus grands, retransmettent la radio dans les jardins publics, les cours des usines, sur les places des villages et jusque dans les camps de concentration. Les Soviétiques vivent abreuvés de musiques sages et de propagande inspirée. Il est mal vu de ne pas paraître écouter. Les ménagères laissent leur haut-parleur branché du matin jusqu'au soir.

Déjà, l'on téléphone aux amis, l'on frappe chez le voisin, pour apprendre l'incroyable nouvelle à ceux qui ne la sauraient pas encore. Déjà, des queues de plusieurs centaines de personnes s'allongent devant les kiosques où les journaux sont enfin arrivés. Ils ne disent pas un mot de plus que les communiqués déjà lus à la radio. Dans le métro, dans la rue, la foule garde un silence anxieux. Les visages sont fermés. Les piétons qui passent place du Manège regardent longuement vers le Kremlin, imaginant l'inimaginable, l'homme grand, l'homme immortel, couché derrière les épaisses murailles, terrassé. Le communiqué dit, de façon vague, que la maladie est survenue « à Moscou », ce qui ne peut que renforcer le vieux mythe « Staline au Kremlin ». Mais, selon les témoins, c'est à sa datcha de Kountsevo qu'il a été frappé.

Les gardes, les officiers, les généraux, les servantes, les médecins, les infirmières, les secrétaires, les dignitaires, tous ceux qui étaient présents pendant cette agonie se tairont. Tous sauf deux : Khrouchtchev, le successeur, et Svetlana, la fille. Sans eux, Staline serait parti entouré du secret qu'il aimait, dans la seule lumière de communiqués pompeux et invérifiables.

Sans doute ne doit-on pas tout accepter les yeux fermés, dans leurs témoignages. Du moins Khrouchtchev et Svetlana, en parlant, ont-ils rendu ses droits à l'analyse historique, qui sans eux se serait heurtée à un mur de silence.

Au reste, leurs récits concordent. Les voici [1].

Le samedi 28 février, au soir, Staline invite à dîner à sa datcha quatre de ses commensaux habituels : Malenkov, Béria, Boulganine, et Khrouchtchev. Ceux qui vont mourir et ne le savent pas ont souvent l'obscure coquetterie de laisser d'eux une dernière image qui soit bonne. Staline se montre d'excellente humeur. Le repas est dans la vieille tradition des soirées de Kountsevo : très long, très arrosé, émaillé de plaisanteries. L'on ne se quitte qu'à l'aube du dimanche. Les quatre *soratniki*, assez ivres, rentrent à leurs datchas respectives qui sont, comme celle du maître, proches de Moscou et vont réparer leurs forces en dormant.

---

1. C'est en 1959 que Khrouchtchev a donné pour la première fois sa version de la mort de Staline à Averell Harriman. Depuis, il a peu varié. Ses diverses confidences (notamment celles qu'il a faites en 1960 à un ministre du général de Gaulle) ressemblent à son premier récit. Et les *Souvenirs* qu'on lui attribue, avec une forte dose de probabilité, ne s'en écartent pas davantage.

Quant à Svetlana Alliluyeva, fille de Staline, c'est en 1967 qu'elle a publié pour la première fois ses souvenirs, après avoir quitté l'U. R. S. S.

Réveillés, ils voient s'écouler toute la journée du 1ᵉʳ mars sans que Staline se manifeste. Ils s'en étonnent : le patron, d'habitude, ne laisse jamais passer un dimanche sans leur téléphoner ou les appeler. Retranché dans sa solitude, Staline a peur de la solitude.

Svetlana, de son côté, appelle Kountsevo, ce dimanche, au téléphone. Elle ne peut joindre son père, se heurte à la voix de l'officier de permanence qui lui répond : « Il n'y a pas mouvement. » Cela signifie que Staline s'est retiré dans une de ses petites chambres strictes et nues, au fond de la villa, qu'on ne l'entend pas se déplacer. Dans ce cas-là, il est interdit de le déranger. Il peut dormir à toute heure, avec son habitude éternelle d'inverser la nuit et le jour, son goût pour les divans, pour la posture allongée.

La nuit est tombée depuis longtemps quand le téléphone se met à sonner dans les datchas de Malenkov, Béria, Boulganine et Khrouchtchev — les quatre convives de la veille. Ce n'est pas Staline qui a appelé, mais un officier de sa garde. Il demande qu'on vienne d'urgence : quelque chose ne va pas. Tous quatre se précipitent, refont à vive allure le bref trajet de « l'itinéraire gouvernemental » désert. Les phares de leurs ZIS balaient des sous-bois muets, feutrés par des épaisseurs de neige. Pins noirs, bouleaux blancs et nus dans les pinceaux lumineux. En quelques minutes, ils sont à Kountsevo, franchissent la haute barrière verte qui s'ouvre pour eux, comme toujours.

Ils trouvent la confusion, une incertitude apeurée. Staline n'a pas sonné le soir pour réclamer à manger. Mais les tchékistes, paralysés par la crainte, ont attendu des heures, n'osant pénétrer d'eux-mêmes dans l'espace sacré où le maître s'isole. Dans sa méfiance, sa solitude sauvage, Staline avait prévu tous les coups, sauf ceux de la mort naturelle. Les précautions et les portes blindées, au lieu d'arrêter des assassins, retardent les sauveteurs. Mais pouvaient-ils encore quelque chose ?

C'est seulement à trois heures du matin qu'on le découvrira, gisant sur un tapis tout habillé, dormant d'un sommeil lourd et anormal.

es derniers jours de Staline. Si les photos de la « Pravda » l'embellissaient beaucoup, certains
upçonnèrent en revanche ce cliché, diffusé en Occident, d'avoir été retouché dans l'autre sens.
ssociated Press.)

La dernière photo officielle. Le corps de Staline est exposé tr• jours à la Maison des Syndicats (U.P.I.) Puis il part pour la Pla Rouge sur un affût de canon. Derrière le cercueil, les grands hé tiers, Khrouchtchev, Béria, Malenkov. Entre Béria et Malenko Chou En-laï, seul étranger admis à marcher au premier rang. (A.P.

Autour du corps, Salle des Colonnes, les successeurs. A gauche, Molotov, Vorochilov, Béria

Trois disciples côte à côte. Dans quelques mois, le troisième fera fusiller le second. Puis il s
débarrassera du premier. (Keystone.)

alenkov . A droite, Mikoyan, Kaganovitch, Khrouchtchev, Boulganine. (Ullstein.)

.e deuil du peuple est sincère, profond. Ces femmes ont fait la queue un jour entier, par un froid
glacial, pour tenter de voir Staline. (E.R.L.)

Sur le mausolée, pendant les funérailles. Vers la gauche, le châle noir de Dolorès Ibarruri. Plu
au centre, Rakosi (chapeau mou), Nenni, Togliatti, Duclos, Gottwald. Malenkov parle en maître
Béria disparaît entre son cache-col et son feutre rabattu. (Keystone.)

Quelques jour
plus tard
le 15 mars
Malenkov
nouvea
Présiden
du Consei
vient se fair
acclame
par le Sovie
Suprême
(A.P.N.

Intense émotion chez les communistes étrangers. Les organes des P.C.
français et italien paraissent encadrés de noir. (E.R.L. et U.P.I.)

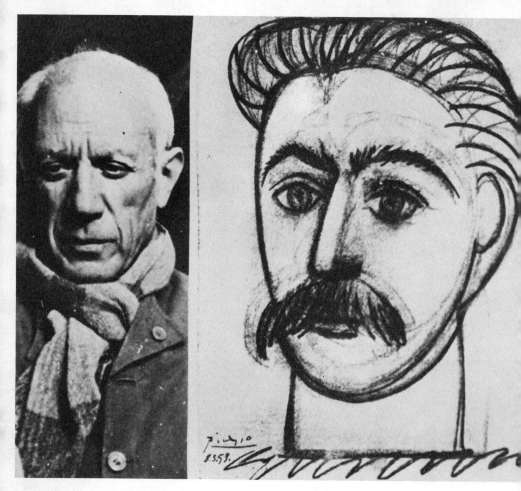

Petite tempête chez les communistes français. Le portrait de Staline par Picasso est jugé irres
pectueux. (Keystone.)

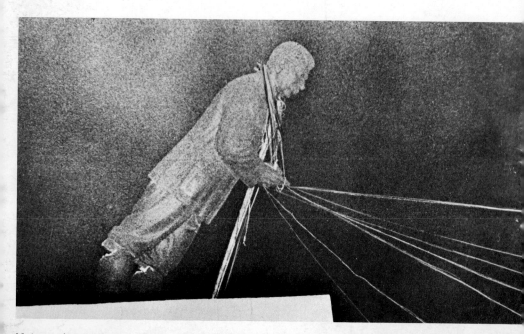

Mais quelques années plus tard, toutes les effigies de Staline disparaîtront. (Paris-Match.)

Les quatre hauts personnages appelés à la rescousse sont eux-mêmes intimidés comme des enfants. Et si le patron allait se fâcher de les trouver auprès de lui, sans qu'il les ait convoqués? Ils demandent à Vorochilov et à Kaganovitch, hommes d'expérience, vieux intimes de Staline, de venir eux aussi. Ils négligent, pour le moment, d'avertir Molotov, peut-être parce qu'il est déjà trop loin du soleil, trop enfoncé dans la disgrâce.

A la fin des fins, les médecins arrivent — les plus réputés après ceux qui sont en prison depuis janvier. Leur diagnostic est sans appel. C'est, au mieux, l'invalidité définitive, mais plus probablement la mort.

Svetlana, qui ignore encore tout, n'est avertie que le lundi matin. Elle vient à Kountsevo, voit son père inconscient, les médecins qui s'affairent, Khrouchtchev et Boulganine en larmes. Elle s'assied près du malade, l'embrasse, lui prend la main gauche, celle qui bouge encore. Puis elle se retire au second plan. Dans la Russie de Staline, un grand personnage n'appartient pas à sa famille, mais à l'Etat. Et ce père lui est devenu presque étranger.

Les six membres du Praesidium qui sont là organisent des tours de garde, se relayant deux par deux, nuit et jour. Un peu pour surveiller les médecins — le communiqué assure avec emphase que « *le traitement est placé sous la surveillance constante du Comité central* ». Et aussi pour préparer l'avenir. L'héritage de Staline est le plus lourd du monde, et l'on devine, dans une pièce voisine du mourant, d'âpres chuchotements d'héritiers. Déjà, deux clans se manifestent nettement : Malenkov-Béria d'un côté, Khrouchtchev-Boulganine de l'autre. Vorochilov et Kaganovitch jouent les utilités.

Et puis, il y a le peuple, dont on redoute les réactions. On ne se décide qu'au bout de deux jours à lui faire part de la nouvelle, en l'accompagnant d'appels pathétiques à l' « unité », à la « cohésion », bref au loyalisme.

Par moments, Staline ouvre les yeux sans reprendre vraiment conscience. Tous se précipitent pour chercher quelque volonté au fond des pupilles brun-jaune qui ne reflètent plus rien. Béria multiplie alors les démonstrations d'amour. Quand les paupières se referment, quand le malade sombre à nouveau, il se moque de lui et l'insulte. Ce cynisme lugubre fait peur à Khrouchtchev qui ne cesse de rouler des projets dans son gros crâne : sûrement, Staline mort, Béria va reprendre la police. Comment l'empêcher de massacrer ceux qui lui déplaisent et que la main du maître ne protégera plus? Khrouchtchev a travaillé contre Béria, sapé son influence, fait chasser ses protégés de la Sécurité d'Etat. Il sait qu'il joue sa tête, en même temps que sa part de pouvoir, au cours de ces discrets conciliabules, dans la datcha au fond des bois.

Le quatrième jour se produit le classique « mieux de la fin ». Staline reprend conscience; une infirmière le fait boire à la petite cuiller. Il lève son bras valide, désigne au mur une mauvaise reproduction de tableau découpée dans *Ogoniok* et qui montre une fillette allaitant un agneau. De ses lèvres muettes, il tente de sourire : l'agneau, c'est lui maintenant. Depuis quelque temps, il aimait accrocher aux murs de la datcha des gravures d'une sentimentalité douceâtre, des portraits d'enfants roses et blonds.

Puis il entre en agonie. Il étouffe. Par manque d'oxygène, le visage devient presque noir, et les traits sont méconnaissables. Au dernier instant, les yeux jaunes embrassent l'assistance d'un regard furieux, il lève la main, comme pour désigner quelque chose là-haut, ou pour maudire. C'est fini. Le professur Miasnikov annonce que Staline n'est plus.

Malenkov, Boulganine, Khrouchtchev, Vorochilov, Kaganovitch pleurent. Béria se dépêche de demander sa voiture, d'une grosse voix triomphale, et disparaît, se hâtant vers la place Loubianka, vers le pouvoir.

Ainsi finit le témoignage de Khrouchtchev et de Svetlana Staline.

Le communiqué signé de huit professeurs de médecine dit simplement : « *Le 5 mars à vingt et une heures cinquante, l'insuffisance cardio-vasculaire et respiratoire s'est accentuée et Joseph Vissarionovitch Staline est mort.* »

« *Le 2 mars 1953*, dit encore Svetlana, *on convoqua aussi mon frère Vassili. Il resta quelques heures dans la grande salle, au milieu du va-et-vient. Mais il était ivre, comme toujours depuis quelque temps, et repartit bientôt boire à l'office. Il revint faire du tapage, injurier les médecins, et crier : « On a tué mon père, on tue mon père*[1]. »

Comme beaucoup d'ivrognes, Vassili Staline a dit tout haut ce que d'autres pensent tout bas. Un mois ne s'est pas écoulé que toutes sortes de bruits se mettent à circuler dans Moscou, qu'on parle de crime. Privé d'information, ce peuple colporte les rumeurs avec une passion extraordinaire.

Certains disent : Plusieurs membres de l'entourage de Staline étaient menacés par la prochaine épuration. N'ont-ils pas pris les devants? Que la mort ait été rapide ou — comme l'assurent les communiqués — lente, ne change rien à l'affaire. Il existe des poisons subtils. Mais d'autres se récrient : Vous êtes fous. Ils n'auraient pas osé. On ne tue pas Dieu.

Dans le district de Kazatchinskoïé, en Sibérie, un groupe de déportés échangent les dernières nouvelles. Parmi eux, Joseph Berger, forte personnalité, qui reste informé des bruits de Moscou jusqu'au fond de cette province perdue, grâce à des réseaux d'amitiés. Deux mois après la mort, ces exilés ont connaissance d'une nouvelle version : Staline aurait réuni le Politburo pour lui faire part de son projet de déportation massive des juifs. Il se serait heurté à l'opposition de Molotov (qui défend sa femme, juive et emprisonnée) et, peut-être même, à celle de Vorochilov et de Kaganovitch. La stupeur, la fureur de rencontrer pour la première fois la contestation chez les siens auraient déclenché la crise fatale. La version fera plus tard le tour du monde avec un vif succès, en s'agrémentant au fur et à mesure de variantes romanesques.

Khrouchtchev et Svetlana ne parleront que plus tard. Leurs témoignages rassurent parce qu'ils recoupent les communiqués officiels, et se recoupent l'un l'autre. Est-ce entièrement suffisant? Khrouchtchev, l'un des quatre hommes qui ont partagé le dernier dîner de Staline — avait un intérêt évident à

---

1. Svetlana Alliluyeva : *Vingt Lettres à un ami* (Seuil).

accréditer la version de la mort naturelle. Car, dans l'hypothèse d'un crime, il devenait l'un des premiers suspects. S'il a
parlé, c'est d'abord pour défendre sa propre image.

Il est vrai que Svetlana confirme ses dires. Mais l'on sait que
Khrouchtchev avait quelque ascendant sur elle. N'a-t-elle pu se
laisser impressionner par le témoignage que le gros homme
avait déjà fait circuler, avec sa faconde coutumière? Et aussi
avec tout le poids de son autorité — car lorsqu'elle a écrit son
récit, elle habitait encore Moscou, et Khrouchtchev y était
encore le maître[1].

Sans doute, elle était présente à Kountsevo. Elle a vu. Mais
vu quoi? Ne l'a-t-on pas tenue très loin du mourant? Toute sa
description de la maladie est floue, comme bâclée, remplie de
digressions commodes. On n'y sent pas le temps s'écouler.
Pourtant, trois jours à regarder un homme mourir — et quel
homme! — cela compte.

C'est seulement dans la peinture des tous derniers instants
qu'elle retrouve son coup d'œil — lorsque Staline, déjà, halète
dans les râles de l'agonie. Et surtout lorsqu'il est déjà mort et
que le calme revient sur son visage pacifié. Jusque-là, elle n'est
que l'ombre du témoin qu'elle sait être souvent.

Ces réserves faites sur les lacunes des témoignages, revenons
à la donnée de base : Staline avait soixante-treize ans, et il

---

1. Selon les précisions qu'elle a elle-même données, Svetlana Alliluyeva-
Staline a écrit son premier livre dans les environs de Moscou, « *au cours de
l'été 1963* ». Soit en période khrouchtchevienne.
    Elle ne le publia qu'en 1967, en arrivant aux U. S. A., mais elle tint à
indiquer : « *Je ne change rien à mon texte. Ce livre est resté celui qu'ont lu mes
amis de Moscou* » (avertissement de « *Vingt Lettres à un Ami* »).
    Ces amis qui avaient lu le texte en U. R. S. S. devaient être relativement
nombreux puisque, toujours selon l'auteur, « *un spécialiste de la littérature
russe... en garda une copie qu'il donnait à lire à tous ceux qu'il en jugeait dignes,
sans me demander ma permission.* » (« *Une seule Année* »). L'ambassadeur de
l'Inde à Moscou en eut également une copie en main.
    On peut se demander si les successeurs de Khrouchtchev, quand ils accor-
dèrent à Svetlana Alliluyeva un visa de sortie pour l'étranger, ignoraient
entièrement l'existence d'un texte qui avait ainsi circulé. De toute façon,
la description de la mort de Staline qui ouvre le livre n'avait rien pour les
gêner. Très apaisante, très « comme il faut », elle ne heurtait aucune idée
reçue.

était malade. Son hypertension, ses troubles circulatoires pouvaient le conduire très naturellement à la congestion cérébrale.
Les partisans de la mort « aidée » — précipitée par un entourage inquiet pour sa propre sécurité — désarmeront-ils un jour
pour autant? Staline ne serait pas Staline s'il n'emportait dans
sa tombe une part de mystère.

Mais, sous le premier choc de l'événement, les Soviétiques ne
montrent guère de goût à peser ces pour et ces contre-là.
L'événement, énorme comme un sacrilège, plonge, plusieurs
jours durant, le pays dans une torpeur stupéfiée.

13

JOURS D'ATTENTE

Le premier communiqué n'a encore parlé que de maladie.
Mais déjà, dans les rues de Moscou, on baisse la voix, comme
dans la chambre d'un mourant. Un jeune homme, K. M..., entre
à la *chachlytchnaïa*[1] de l'Arbat avec une camarade d'université. Ils s'arrêtent, saisis. La salle est pleine, avec son parfum
de viande grillée, ses tables couvertes de carafons. Mais au lieu
du brouhaha habituel, des appels aux garçons, des toasts, des
conversations bruyantes, règne un silence de mort. Rien que les
fourchettes qui tintent. On mange et l'on boit — sec — sans
mot dire, le dos rond.

On a peur. Staline était un père sévère, mais un père. S'il
s'en va, que va-t-il arriver ? Quel fléau ? quelle guerre ? quel
holocauste ? Les très rares qui se réjouissent le dissimulent,
hermétiquement. Un étudiant confie à un ami sûr, qui
s'inquiète de ne plus le voir paraître : « Je me suis enfermé
dans ma chambre, pour ne pas me trahir. Je suis tellement
content ! J'imagine Béria assis à son chevet, comme un serpent
à lunettes. »

On attend. Rien ne vient. Toute la journée du 4, la radio se
borne à répéter le premier bulletin de santé. Le 5, deux autres
sont diffusés, indiquant une aggravation. Ils énumèrent les
soins donnés à Staline avec un luxe de détails extraordinaires,
comme s'ils voulaient prendre le monde à témoin que l'impossible est tenté pour sauver le malade. Insufflations d'oxygène,

---

1. *Chachlytchnaïa* : restaurant où l'on mange du *chachlyk*, viande de
mouton rôtie à la broche.

médicaments à base de camphre, de caféine, de strophantine et de glucose, pénicilline. Et aussi, applications de sangsues.

Le patriarche Alexis a ordonné des prières dans toutes les églises pour demander au ciel le rétablissement de Staline. Le grand rabbin a prescrit un service et une journée de jeûne. Toutes les autres confessions emboîtent le pas.

Un médecin de Berlin-Ouest, le Dr Fritz Heese raconte : « Dans la nuit du 4 au 5, le téléphone a sonné chez moi. Le gouvernement militaire soviétique à Berlin me demandait de venir d'urgence. Il s'agissait d'une consultation concernant le généralissime Staline. »

Fritz Heese se flatte en effet d'avoir mis au point un nouveau traitement des maladies circulatoires.

Berlin n'a pas encore de mur. Une voiture vient chercher le Dr Heese à son domicile, en plein quartier américain. Elle le pilote dans la nuit, à travers la porte de Brandebourg, jusqu'à Karlshorst, quartier triste et noir où est installé l'état-major du général Tchouikov. Là, deux médecins militaires russes attendent leur collègue allemand. Ils lui donnent des précisions sur l'état du malade. Heese répond : « Il n'y a plus rien à faire. Il n'est pas utile que je parte pour Moscou. »

L'histoire est belle, mais suspecte, le Dr Heese n'étant pas tenu en général par ses confrères pour un personnage très sérieux. Dès qu'on signale, quelque part, un grand de ce monde malade, il a l'habitude de se précipiter pour proposer ses services, qu'il s'agisse du pape, du roi du Népal ou de l'Aga Khan.

En 1953, il est au sommet de sa carrière, considéré par certains comme un docteur miracle. Le général Tchouikov, en apprenant que son maître était mourant, a-t-il vraiment fait appel à lui ? Le respect superstitieux de la science allemande, qui n'a jamais faibli en Russie, a-t-il joué cette fois encore ?

Criblé de dettes, le Dr Heese se suicidera en 1959, emportant son secret dans la tombe. Il avait vainement bombardé le

Kremlin de télégrammes réclamant le paiement de ses honoraires.

Quand tombent les premières dépêches d'agence, « Staline sérieusement malade », il est un peu plus de minuit à New York. André Vychinski, dont les Nations unies viennent d'entendre un discours très dur sur la Corée, dort. Ses collaborateurs, assaillis par les journalistes, font comprendre qu'ils n'osent pas réveiller le vieux procureur-ministre.

A Washington, le président Eisenhower repose également. On attend son réveil — sept heures du matin — pour l'informer. Ce soldat est un matinal, et il ne croit pas aux improvisations de l'insomnie.

« On sait ce qu'on perd, on ne sait pas ce qu'on retrouve. » En vertu de ce dicton, l'Occident apprend sans plaisir l'effacement de son vieil adversaire. On s'aperçoit que, dans les milieux les moins marxistes, la cote personnelle du généralissime n'est pas si mauvaise. L'homme aux épaulettes a fait oublier l'homme au couteau entre les dents. Ses soixante-treize ans rassurent. Beaucoup le voient comme un ancêtre rusé, mais sage, calmant un Malenkov belliqueux. Un modéré au milieu d'un Kremlin jetant feux et flammes.

On cite le jugement de Truman en 1948 : « *J'aime bien le vieux Joe Staline. C'est un brave type, mais il est prisonnier du Politburo. On s'arrangerait avec lui, mais les gens du Politburo ne le laisseraient pas tenir ses engagements.* » On exhume même un admirable portrait du bon-papa Joseph, qui n'est pas d'un écrivain communiste, mais d'un ancien ambassadeur américain à Moscou, Joseph E. Davies : « *Le regard de ses yeux bruns est excessivement bon et aimable. Je suis sûr qu'un enfant aimerait s'asseoir sur ses genoux et qu'un chien grimperait sur lui.* »

Les hommes politiques français ressentent la grande horreur du vide. Paul Reynaud parle de « saut dans l'inconnu ». Et il explique :

233

« *Cet homme âgé et rusé, ce maréchal glorieux avait conduit son peuple à la victoire et étendu depuis la fin de la guerre l'emprise communiste à 550 millions d'êtres humains, ce qui fait de lui le plus grand conquérant de l'histoire. Allait-il couronner cette carrière finissante par la destruction, sous ses yeux, des grandes villes de son pays en déclenchant une troisième guerre mondiale? C'était peu probable[1].* »

« *Il était plutôt orienté vers le maintien de la paix* », estime de son côté Edouard Daladier, tandis qu'Edgar Faure esquisse ce portrait :

« *Parmi les grands dictateurs du monde moderne, Staline paraissait le seul à avoir résisté au péril de la griserie, de la mégalomanie ou de l'hystérie[1].* »

Résumant l'avis le plus général, le correspondant de *France-Soir* câble le 4 mars : « *Dans la capitale U.S., on craint les imprudences des successeurs du maréchal, qui était considéré comme un élément modérateur.* » Cet image d'un Kremlin collégial, où Staline n'aurait été que le premier — et le plus prudent — parmi ses pairs, revient dans beaucoup de commentaires sous le premier choc de l'émotion.

Plus placide, le *Manchester Guardian* note : « *City expects easing of tension.* » Le Stock Exchange de Londres est ferme. On constate un vague intérêt pour les bons russes d'avant 1917, et surtout une légère hausse sur quelques valeurs polonaises ou roumaines.

Churchill a fait exprimer ses vœux de rétablissement à son vieux partenaire. Vincent Auriol à l'Elysée, Georges Bidault au Quai d'Orsay en font autant. Eisenhower, lui, choisit de manifester sa sympathie pour les Soviétiques plutôt que pour leur chef.

« *Ils sont les enfants du Dieu unique, qui est le Père de tous les peuples. Comme tous les peuples, les millions de Russes partagent notre espoir d'un monde amical et pacifique.*

---

1. *Combat*, 5 mars 1953.

« *Quelle que soit l'identité des personnalités gouvernementales, les Américains continuent à prier pour que le Tout-Puissant se penche sur les peuples de cet immense pays.* »

Radio-Vatican donne aux catholiques le point de vue de l'Eglise :

« *C'est le moment de voir dans le chef d'Etat soviétique une âme rédimée par le Christ, une âme pour laquelle les catholiques implorent la miséricorde de Dieu dans l'esprit universel et surnaturel de la charité chrétienne.* »

L'Humanité traduit l'émotion profonde des communistes français. Une page entière y est consacrée aux meetings de solidarité qui se tiennent dans la banlieue parisienne.

« *La nouvelle bouleversante, écrit* L'Humanité, *est arrivée brutalement sur le chantier Ruault, à Saint-Ouen, au moment du repas. Les ouvriers du bâtiment, dans la cantine, s'apprêtaient à manger. L'un d'eux est entré :* « Camarades, notre camarade Staline est gravement malade. » *Les visages se sont figés... Un vieil ouvrier mâchonnait durement sa cigarette.*

Ils ont alors décidé tous de sortir, sur-le-champ, de se réunir... Ils ont laissé les gamelles, le repas... Il y avait là des communistes, et d'autres qui ne l'étaient pas, mais tous bouleversés de la même émotion. Un camarade a parlé. Simplement, il a rappelé ce qu'est Staline, le guide du peuple soviétique.

— *Le guide des travailleurs du monde entier, a lancé une voix.*

Dans le soleil qui dissipait la brume, les rudes visages étaient crispés. Des poings se serraient.

— *Il nous a enseigné à combattre, a dit un autre.*

— *Et encore dernièrement, il nous a expliqué dans les* Problèmes économiques du socialisme en U. R. S. S...

Ce soir, du chantier Ruault à Saint-Ouen, conclut L'Humanité, *partira un message signé par tous les travailleurs à l'adresse de Staline.* »

Rue de Port-Mahon, près de l'Opéra, les rédacteurs des

« Voix de la Paix » n'ont pas perdu tout espoir. Après tout, Lénine lui aussi avait souffert d'hémorragie cérébrale, et il avait ensuite bénéficié d'une longue rémission.

« Les Voix de la Paix », c'est la station de radio du parti communiste français. Un petit groupe de militants travaille là, autour du rédacteur en chef René Andrieu, l'un des jeunes espoirs de la presse du parti, qui signe René Alain. L'atmosphère est celle d'une semi-clandestinité — surtout depuis les récentes arrestations de personnalités communistes. Préparées à Paris, destinées aux auditeurs français, les deux émissions quotidiennes sont diffusées par de puissants émetteurs situés en Tchécoslovaquie, en Hongrie, en Pologne. De la rédaction de Paris aux studios de Prague, le son est transmis tout bonnement par téléphone. Des postiers affiliés au parti améliorent discrètement la qualité de cette transmission.

Le 5 au soir, la rédaction de Prague appelle Paris : « Nous savons de source sûre que Staline est mort. » Il est environ vingt heures, soit vingt-deux heures à Moscou (le communiqué officiel soviétique dira effectivement : « à vingt et une heures cinquante »). Mais, pour l'instant, la nouvelle doit rester secrète. Les journalistes des « Voix de la Paix » préparent des programmes spéciaux pour le lendemain. Plusieurs ne peuvent retenir leurs larmes.

Cette nuit-là, rue du Louvre, *L'Humanité* met sous presse une édition qui ne parle pas de la mort. Mais déjà, une édition spéciale est en cours de fabrication, avec sa première page encadrée de noir.

14

MARCHE FUNÈBRE

Moscou, 6 mars, six heures du matin. La radio reprend ses programmes par un long, lugubre roulement de tambour, suivi de l'hymne national. Puis la voix de Lévitan résonne :
« *A TOUS LES MEMBRES DU PARTI,*
« *A TOUS LES TRAVAILLEURS DE L'UNION SOVIETI-QUE...*

« *Le cœur de Joseph Vissarionovitch Staline, compagnon d'armes de Lénine et génial continuateur de son œuvre, guide sagace et éducateur du parti communiste et du peuple soviétique, a cessé de battre.* »
Vingt-cinq minutes de lecture, lente, solennelle. D'abord, un long communiqué dans lequel le Comité central, le gouvernement, le Praesidium du Soviet suprême adjurent les Soviétiques en termes presque angoissés, de montrer « une unité d'acier, une cohésion monolithique », et promettent tout au peuple — le bien-être, la paix, la sécurité. Vient ensuite le bulletin médical qui explique comment Staline est mort la veille au soir, dix minutes avant vingt-deux heures.

Les Moscovites, peu matinaux de coutume, sont éveillés ce matin-là. Ils attendaient, ils écoutent. Peu de fenêtres qui ne soient éclairées, peu de portes sous lesquelles ne filtre un rai de lumière. Quand la lecture s'achève, les lumières s'éteignent. On sort pour savoir, pour voir.

Quelques minutes plus tard, une foule immense piétine déjà sur la place Rouge, dans le matin glacial, devant le Kremlin.

Il n'est plus vide. Le corps de Staline a été ramené discrètement de Kountsevo à Moscou dans la nuit.

Aux fenêtres commencent à apparaître des drapeaux rouges avec des crêpes noirs. Une immense floraison rouge et noire submerge tout le pays. La même floraison à Moscou, dans la neige blafarde de la fin de l'hiver, et à Gori, la ville natale, où le printemps du Caucase se montre déjà parmi les vergers et les pâturages à buffles. Les mêmes drapeaux de deuil à Magnitogorsk, au grand combinat métallurgique dont les fumées montent, épaisses et droites dans l'air gelé de la Sibérie. Et à Vladivostok, où l'après-midi est déjà entamé, où le soleil luit sur la mer du Japon.

Et partout, la musique.

Des haut-parleurs supplémentaires ont été installés dans les rues. Dans les appartements, la radio marche sans arrêt. Un concert gigantesque et solennel noie le pays. Toutes les musiques tristes qui chantent les héros morts — la marche funèbre de Chopin et celle de Beethoven, le dernier mouvement de la Symphonie pathétique de Tchaïkovski, et Berlioz, et Beethoven encore, et des hymnes, et des chants patriotiques. Pendant quatre jours. A court de disques et d'imagination, on passera même quelques faces du Requiem de Mozart, sans trop s'aviser de la fausse note idéologique. Dans la rue, à l'usine, à la maison, vous êtes accompagné sans cesse d'accents graves, majestueux ou plaintifs. Les nerfs les plus solides s'amollissent. On pleure par besoin physique de pleurer. « J'ai pensé à tous mes morts de la guerre, dit une femme. J'ai pleuré, j'ai pleuré... C'était bon. »

A l'école, dans beaucoup de classes, l'institutrice et les enfants pleurent ensemble.

Parfois, la musique s'interrompt à la radio. La voix vibrante de Lévitan, ou de l'un de ses émules, relit les communiqués, reparle de perte irréparable, de douleur, d'unité, de vigilance, adjure même — mots inouïs — « d'éviter la panique et le désarroi ».

Le jeune historien Georges Haupt, qui se trouve convalescent dans un sanatorium de Crimée, commente l'événement avec une infirmière et un invalide de guerre. L'infirmière sanglote : « Qu'allons-nous devenir sans lui? » L'invalide dit : « Enfin, il est parti pour toujours. »

Mais ces explosions de joie restent rares, discrètes, presque héroïques. La vague de pleurs gagne de proche en proche et couvre tout.

A Erevan, capitale de l'Arménie soviétique, des femmes se roulent par terre, dans leurs démonstrations de désespoir. On signale plusieurs cas de suicide.

Ce matin-là, Alexandre Soljenitsyne est en Asie centrale. Il vient tout juste d'être libéré, après huit ans de détention.

« Je sortis pour la première fois dans la rue, enfin libre, bien qu'encore déporté, se souvient-il. J'étais sorti devant l'insistance d'une vieille femme sourde qui m'avait réveillé de bonne heure et m'avait invité à descendre dans la rue pour écouter la nouvelle que diffusaient les haut-parleurs : c'était la mort de Staline [1]. »

A la *charachka* de Marfino, où Soljenitsyne fut détenu quatre ans, les prisonniers restent, ce matin-là, dans leurs dortoirs, au lieu d'aller travailler aux laboratoires comme d'habitude. Dans la tête de ces ingénieurs, de ces mathématiciens, s'ébauche un délicat calcul de probabilités : va-t-on ou non les fusiller? Doivent-ils craindre quelque « état d'urgence » comme il y en eut au début de la guerre, quand on procédait à des exécutions systématiques dans les prisons et les camps — pour l'exemple? Ils se taisent.

Quelques-uns pleurent. Ce sont des communistes. Ils croient encore en leur chef juste et bon.

Cette réaction-là est extrêmement rare chez les détenus. A l'inverse de la population libre, celle des camps associe en

---

1. Interview à l'écrivain slovaque Pavel Lichko, in *Les Droits de l'Écrivain* (Seuil).

général Staline à son malheur. Elle a compris que, lui vivant, l'ordre impitoyable qu'il a fondé n'aurait jamais de fin.

Dans le complexe concentrationnaire de Vorkouta, le détenu John Noble apprend la nouvelle le 6 mars au matin, au fond du puits de mine n° 16, par un haut-parleur. Citoyen américain, il a été arrêté à Dresde en 1945. Il voit un vieux tomber à genoux dans l'eau qui couvre le fond des galeries en s'écriant : « Dieu soit loué! Il y a encore quelqu'un qui pense aux malheureux. » L'Allemand Joseph Scholmer, qui se trouve également à Vorkouta, mais au camp 6, voit lui aussi de vieux moujiks barbus s'agenouiller et prier [1]. « Je suis ici depuis dix-neuf ans et c'est la première bonne nouvelle que j'entends », lui confie un Géorgien, tandis qu'un sioniste polonais ajoute : « Dieu a sauvé les juifs. S'il n'était pas mort, il y aurait eu de nouveaux pogroms. »

Les prisonniers entendent avec ravissement les sentinelles parler fiévreusement au téléphone, là-haut, dans leurs miradors. Ils voient les travailleurs libres courir d'un bureau à l'autre, désemparés. Ils se réunissent en groupes, discutent. Le 6 mars, le travail subit une interruption à Vorkouta.

Le soir, dans les baraques, plusieurs Z/K sont ivres, de joie et de vodka. Ces hommes qui manquent de tout ont trouvé de quoi boire.

Dès le lendemain matin, le grand portrait de Staline qui ornait la locomotive traînant les wagonnets de charbon, au puits n° 16, est remplacé par un portrait de Lénine. Le Père du peuple n'est pas encore enterré. Moscou est en train de rendre à sa dépouille un hommage gigantesque. Et déjà, la prudence d'un petit chef local, tout là-haut, au-delà du cercle polaire, donne un coup de canif au rituel d'adoration.

A la « Colonie de redressement par le travail n° 1 », rue Chabolovka, à Moscou, les six cents détenus regardent avec curiosité leurs gardiens et les travailleurs libres qui pleurent sans retenue. L'usage habituel est que les « citoyens chefs », enfermés dans leur dignité, ne montrent jamais leurs sentiments aux prisonniers. Prudemment, ceux-ci dissimulent leur

---

1. J. Scholmer : *La grève de Vorkouta* (Amiot-Dumont).

satisfaction de crainte que leurs geôliers ne passent de la douleur à la rage et ne leur fassent un mauvais parti.

Dans l'enfer blanc de Kolyma, le poète Varlam Chalamov arrêté en 1937, accueille la nouvelle avec une morne indifférence. Il est trop occupé à survivre pour garder le goût d'espérer.

Esther Markish, la femme du poète juif fusillé, apprend la mort de Staline alors qu'elle vient d'arriver dans une steppe rase du Kazakhstan où on l'a déportée avec ses deux fils (dont le cadet a treize ans). Elle a la surprise de trouver dans ce désert « la meilleure société », toutes sortes de veuves de dirigeants et d'intellectuels fusillés. Certaines sont là depuis 1934.

L'annonce de la mort la passionne. Mais sa préoccupation primordiale est quand même de trouver un réchaud à pétrole, pour faire cuire de très éventuels aliments pour ses garçons et pour elle.

Les prisons, elles, n'ont pas de haut-parleurs. Plongés dans ce monde de silence, certains de leurs détenus ne seront au courant que plusieurs semaines plus tard.

Les résultats de l'autopsie, publiés avec le même luxe de détails que les bulletins de santé, prennent une dernière fois le monde à témoin que le possible et l'impossible ont été faits : « *Les données de l'examen pathologo-anatomique ont établi le caractère irréversible de la maladie... C'est pourquoi les mesures énergiques du traitement ne pouvaient pas donner de résultats positifs, ni empêcher l'issue fatale.* »

Le 6, à quinze heures, le corps de Staline est transporté à la Maison des Syndicats pour y être exposé.

C'est l'ancien club de la noblesse, un bijou de l'architecture classique russe, construit par Kazakov à la fin du xviii° siècle. Sur la façade d'un vert délicat est installé un colossal plateau de planches de chêne à bordure de deuil, portant un portrait géant du généralissime.

Lui est à l'intérieur, dans la vaste « salle des Colonnes » où, vingt-neuf ans plus tôt, fut déjà exposé le corps de Lénine. Il repose, bien visible, au milieu d'une montagne de fleurs et de feuillages, dans une bière surélevée sur laquelle, selon la tradition russe, on n'a pas posé de couvercle. Il est revêtu de sa tenue militaire. Le vieux visage s'est apaisé mais reste impérieux. Sous l'épaisse peau brune, les maxillaires saillent encore. Les mains, allongées, semblent toujours prêtes à saisir.

A seize heures, la salle des Colonnes est ouverte au public.

Une commission que préside Khrouchtchev travaille sans relâche à préparer les plus grandes obsèques du siècle — des obsèques qui, par chaque détail, rappelleront celles de Lénine, mais avec une touche de gigantisme supplémentaire.

Toute manifestation, au pays de Staline, doit être réglée comme un ballet. De l'Union des écrivains à la dernière fabrique de province, la discipline habituelle joue. Dans des dizaines de milliers de meetings, des orateurs à brassards rouges et noirs expliquent ce qu'il faut faire et penser. Déjà, dans les usines de Moscou, des assemblées élisent, à mains levées et sans discussions, les délégations qui porteront les fleurs sur la place Rouge trois jours plus tard. Déjà, les régiments répètent dans leurs casernes la parade funèbre. L'on va chercher Véra Kondakova, la petite fille qu'embrassa Staline le 1ᵉʳ mai 1952, pour qu'elle se recueille devant le corps, en présence des journalistes. Rien, en principe, ne devrait être laissé au hasard. L'habituelle machine de précision est en marche.

Mais le peuple, cette fois, y ajoute sa spontanéité.

Toute la population de Moscou se porte d'elle-même vers la Maison des Syndicats, pour saluer le père une dernière fois. Des délégations, avec leurs drapeaux rouges drapés de crêpe côtoient des individuels, des pères de famille tenant leurs enfants par la main, des jeunes filles se donnant le bras, des gamins qui se faufilent. Il fait froid, plusieurs degrés au-dessous de zéro. Les haleines se condensent dans l'air. Quelques ivrognes se sont réchauffés à la vodka et chantent d'une voix épaisse au milieu de cette foule affligée qui ne les chasse pas. Eux aussi ont le droit de voir.

Moscou est une roue dont les rayons aboutissent au Kremlin. La foule est canalisée dans un certain nombre de ces artères qui convergent vers le centre, descendant en pente douce. D'abord grouillante et éparse, elle se resserre ainsi, se condense en énormes colonnes qui occupent toute la largeur de la rue. Quelques voitures cahotent encore dans ce flot épais, puis se figent. Les feux de signalisation, inutiles, regardent passer cette lente avalanche.

A. V..., un étudiant, se faufile le soir jusqu'à la place Troubnaïa qui est un confluent. Des rivières humaines s'y réunissent pour poursuivre leur cheminement vers la Maison des Syndicats, à un kilomètre de là. Le grouillement tourne à la cohue. Il comprend que cela va mal finir, renonce à voir Staline, s'échappe à grand-peine à travers un cordon de police pour regagner les boulevards circulaires. Fait inouï, Molotov arrive en personne, dans sa voiture, pour parlementer avec la foule. Il exhorte : « Ne bousculez pas, soyez patients! Tout le monde pourra saluer notre cher Joseph Vissarionovitch. » Rien n'y fait. Le flot pousse toujours. A la Maison des Syndicats, Svetlana Staline entend deux généraux, très énervés, admettre qu'ils ont perdu le contrôle de cette masse en mouvement, qu'il est urgent de prendre des mesures.

D'énormes camions, des automitrailleuses barrent la route au peuple qui avance. Rue Gorki, on voit des gens escalader cette barrière. Inlassablement, du haut des camions, des miliciens[1] les rejettent. Tout cela sans un cri, durement, les dents serrées. Dans les rues Neglinnaïa, Pouchkinskaïa, la foule avance toujours, mais des camions, serrés les uns contre les

---

1. En U.R.S.S., la police ordinaire, celle de la voie publique, s'appelle Milice.

autres, rétrécissent progressivement le passage, formant un entonnoir pour empêcher cette masse d'aller crever en vagues énormes sur la Maison des Syndicats. Les premiers rangs viennent buter dans ce goulot d'étranglement. Des femmes sont étouffées. Derrière, on pousse aveuglément. Des corps glissent sur le sol verglacé, sont piétinés. D'autres sont écrasés contre les barreaux de fer qui protègent les fenêtres des rez-de-chaussée, la colonne vertébrale rompue, le thorax broyé. Dans les hôpitaux de Moscou, on décharge des morts et des blessés, mêlés.

Eugène Evtouchenko se souvient de la marée meurtrière de la place Troubnaïa : « *J'ai senti que cette masse aveugle m'emportait comme un morceau de bois chavirant, impuissant, sur l'eau. Elle me portait tout droit vers un lampadaire. J'ai eu l'impression que cette chose métallique marchait impitoyablement vers moi.*

« *Soudain, une petite fille pressée contre le lampadaire a hurlé d'horreur. Je n'ai pas entendu son cri, au milieu des lamentations et des soupirs, mais j'ai vu sur son visage comme une image inoubliable d'apocalypse. J'ai senti dans mon corps le craquement des os fragiles, et, horrifié, j'ai fermé les yeux pour ne plus voir le regard bleu de cette enfant agonisante.*

« *Quand je les ai rouverts, j'étais déjà loin du lampadaire. Miraculeusement, la vague humaine m'avait emporté. Il n'y avait plus de petite fille. Elle avait disparu sous la foule. Un autre homme se débattait à sa place, ouvrant les bras comme un crucifié et suppliant vainement qu'on le laisse se dégager*[1]. »

Cette marche obstinée durera trois jours. Trois froides journées de mars où dansent encore des flocons de neige. Et trois nuits, dans la lueur blafarde des projecteurs. Plusieurs millions d'hommes et de femmes — cinq millions diront certains — piétineront ainsi, interminablement, dans l'espoir d'atteindre la salle des Colonnes. Plusieurs centaines se feront écraser. Combien de centaines? Les chiffres seront tus, comme toujours.

---

1. Eugène Evtouchenko, *Autobiographie précoce* (Julliard).

Béria redevenu le grand maître de toutes les forces de l'ordre, fait venir des renforts de Leningrad. Des détachements de la milice montée entrent dans la foule, font cabrer leurs chevaux au-dessus des têtes, pour contenir et refouler. Des gens sont assommés par les sabots. Moscou est bouclée. Les milliers de provinciaux qui se sont empilés dans des camions pour venir saluer le dieu mort se heurtent à des barrages. Ceux qui ont pris le train passent plus facilement, au moins pendant les premières heures. Il règne dans les gares une atmosphère de kermesse triste. Beaucoup de pochards, mais qui se lamentent.

D'autres polices ne s'occupent pas de la foule ni de ses problèmes. A. V...., l'étudiant qui s'est échappé de la place Troubnaïa, sentant venir la bousculade mortelle, a gagné un quartier plus calme. « Tout à coup, dit-il, j'ai un choc, une peur intense. Dans une ruelle obscure, à deux pas de la place Pouchkine, j'aperçois une douzaine de camions arrêtés, tous feux éteints, dans la nuit. Ils sont bondés de soldats du M. G. B. en tenue de campagne, la mitraillette en bandoulière. Ceux-là ne sont pas chargés de la police des rues. Assis dans leur camion, presque invisibles dans cette ombre, ils attendent. »

La Sécurité d'Etat procède, pendant ces journées, à des centaines d'arrestations préventives, dans le cadre du « plan de mobilisation » prévu en cas de guerre ou d'événement grave. C'est le jour de la mort de Staline qu'est arrêté S. P. Pissarev, l'apparatchik ingénu qui avait écrit à Staline pour attirer son attention sur les irrégularités possibles du procès des médecins.

15

« L'HOMME QUE NOUS AIMIONS LE PLUS »

Dès qu'est annoncée la mort, la conférence nationale du parti communiste français, réunie à la salle des Grésillons, à Gennevilliers, suspend ses travaux en signe de deuil. De sa grosse voix pyrénéenne que l'émotion fait vaciller, Jacques Duclos prononce l'éloge funèbre :

« *La mort brutale vient de frapper le plus grand homme de ce temps. Une peine immense emplit nos cœurs, une peine qui est à la mesure de notre amour pour Staline.*

« *... Camarade Staline, votre mémoire vivra éternellement dans nos cœurs, dans le grand cœur de la classe ouvrière de France.*

« *... Camarade Staline, les communistes français seront dignes de vous.* »

Un énorme meeting est convoqué pour le 10, au Vel' d'Hiv'. L'immense vaisseau sera comble, et la foule vibrera d'émotion.

Pablo Picasso accuse lui aussi le choc. Le peintre qui ne fait pas mystère de ses sympathies communistes, mais qui s'est toujours refusé à tracer les traits de Staline, dessine sous le coup de l'émotion un portrait du disparu. C'est un Staline jeune, très géorgien, très méridional — un peu espagnol même. Il l'adresse à Aragon qui vient de prendre la direction de l'hebdomadaire *Les Lettres françaises* et qui le publiera dans le numéro du 12 mars. Tempête. Ce portrait pourtant bien sage est une atteinte au réalisme socialiste. S'agissant de Staline, c'est un blasphème. Sur l'initiative d'Auguste Lecœur, le parti exprime sa réprobation.

« *Sans mettre en doute les sentiments du grand artiste Picasso, dont chacun connaît l'attachement à la cause de la classe ouvrière, le secrétariat du parti communiste français regrette que le camarade Aragon, membre du Comité central et directeur des Lettres françaises qui, par ailleurs, lutte courageusement pour le développement de l'art réaliste, ait permis cette publication.* »

Aragon devra publier son autocritique dans son journal. Il devra aussi consacrer une page entière aux protestations des militants, insérer des lettres qui disent : « *Quand un ouvrier parle de notre camarade Staline, c'est toujours avec respect et sans aucune fantaisie. Que nos camarades artistes en fassent autant, qu'ils nous donnent des portraits fidèles!* » Et la lettre de Fougeron qui dénonce « *les jeux stériles du formalisme esthétique* ».

Le général de Gaulle envoie « à Monsieur Molotov, vice-président du Conseil des ministres, Moscou », un télégramme exprimant ses plus profondes condoléances. Il y évoque le combat commun, la victoire. Il peindra un peu plus tard son formidable allié en formules romaines :

« *Staline était possédé de la volonté de puissance. Rompu par une vie de complots à masquer ses traits et son âme, à se passer d'illusions, de pitié, de sincérité, à voir en chaque homme un obstacle ou un danger, tout chez lui était manœuvre, méfiance et obstination. La révolution, le parti, l'Etat, la guerre, lui avaient offert les occasions et les moyens de dominer. Il y était parvenu, usant à fond des détours de l'exégèse marxiste et des rigueurs totalitaires, mettant au jeu une audace et une astuce surhumaines, subjuguant ou liquidant les autres.*

« *Dès lors, seul en face de la Russie, Staline la vit mystérieuse, plus forte et plus durable que toutes les théories et que tous les régimes. Il l'aima à sa manière* [1]. »

---

1. Général de Gaulle, *Mémoires de Guerre, Le Salut* (Plon).

En France, la mort de Staline provoque une querelle des drapeaux. Le ministre de la Défense nationale a ordonné qu'ils soient mis en berne pendant les deux jours qui suivent l'annonce de la mort, puis à nouveau le jour des obsèques. A droite, on s'indigne que le gouvernement René Mayer respecte si scrupuleusement un usage que les autres pays d'Europe occidentale ne suivent pas. Des anciens combattants manifestent à l'Arc de triomphe, pour protester. C'est, disent-ils, une offense à nos soldats d'Indochine. Au Tonkin, les troupes du général Salan se battent contre un adversaire chaque jour mieux équipé. Et l'équipement est soviétique.

L'Assemblée nationale est parcourue par la houle des mauvais jours. Il s'agit, répond le président du Conseil, d'honorer le chef d'une armée qui a contribué à la libération de la France.

Au fond de la jungle, Hô Chi Minh a organisé un meeting de deuil à son quartier général. L'assistance est assise sur de grossiers escabeaux; un portrait de Staline décoré de fleurs pend au mur de la cabane. Deux violons jouent en sourdine dans la nuit. Hô parle, mince silhouette éclairée par la lueur vacillante de bougies plantées dans des candélabres de fortune en bambou.

16

LES HÉRITIERS

Une journée ne s'est pas encore écoulée depuis l'annonce de la mort que les Soviétiques connaissent déjà leurs nouveaux chefs. Malenkov paraît recueillir tous les pouvoirs de Staline. A la fois président du Conseil et chef du parti dont il devient le premier secrétaire[1], il fait figure de légataire universel, comme on s'y attendait un peu depuis le XIXe Congrès. La *Pravda*, se lançant dans le culte de cette nouvelle personnalité, publie dès le 10 mars une photo d'archives abominablement truquée. Des épaisseurs de grisaille ont effacé une bonne partie des personnages pour n'en laisser subsister que trois : un Staline pensif et un Mao Tsé-toung ébloui, admirant un Malenkov au regard d'aigle et à la posture impérieuse.

Béria, qui appuie Malenkov de toute la peur qu'il inspire, se contente de fonctions d'apparence plus modeste : celles de premier vice-président du Conseil et de ministre de l'Intérieur. En fait, il a ce qu'il voulait : la police. Il réunifie sous son autorité les deux empires policiers : le M. V. D. avec les camps, le M. G. B. avec le reste. Il se réinstalle sur l'heure à la place Loubianka, où son portrait reparaît dans tous les bureaux, et truffe Moscou de troupes spéciales.

Le Praesidium et le Secrétariat du parti voient leurs effectifs brutalement réduits[2]. Du coup, la plupart des nouveaux venus que Staline y avait fait entrer six mois plus tôt s'en trouvent

---

1. L'appellation « Secrétaire général », qui était celle de Staline, disparaît pourtant ce jour-là. Elle ne reparaîtra que treize ans plus tard, en 1966.
2. Le Praesidium tombe de 25 à 10 membres titulaires.

exclus. C'est le cas de Leonid Brejnev. Il reprend l'uniforme de général-lieutenant, qui sied à sa prestance de bel homme, et s'en va occuper le poste de chef adjoint de la direction politique de l'armée, affectation confortable mais sans commune mesure avec sa situation précédente au Secrétariat.

Ainsi débarrassée des jeunes loups, la vieille garde réoccupe en force toutes les positions, se fait abondamment photographier près du corps de Staline et encenser sans mesure par les écrivains de service. Nikita Khrouchtchev, devenu le deuxième personnage du parti, bande déjà ses muscles pour aller plus haut. Puisque Malenkov s'appuie sur Béria, c'est-à-dire sur la police, il est logique que lui songe à l'armée.

Le patron des militaires est Nicolas Boulganine, homme barbichu, soigné de sa personne, tournure de notaire un peu usé par la bamboche, sourire affable et regard glacial. Ce politique coiffé d'un képi de maréchal est l'allié de Khrouchtchev face à Malenkov et à sa poussée de césarisme, face à Béria qui joue les éminences grises en attendant pire.

D'ailleurs, beaucoup de vrais guerriers, tel Joukov, relégué dans un médiocre commandement de province, sont excédés des brimades et méprisent les généraux de police de la Loubianka. Ils peuvent servir celui qui saura les utiliser.

Alexis Kossyguine, naguère au faîte des honneurs, avait été sérieusement rétrogradé en octobre, après le XIX⁰ Congrès. Loin de lui donner l'occasion de se rétablir, la disparition de Staline accentue encore sa trajectoire descendante. Le 6 mars, il disparaît complètement du Praesidium du parti, perd son titre de vice-président du Conseil, ne gardant que le ministère de l'Industrie légère et alimentaire. Il accueille ce revers de fortune avec son habituelle froideur. Le poste, délicat, convient d'ailleurs bien à ce laborieux [1].

---

1. Conformément à la tendance à la concentration qui prévalut en mars 53, le ministère de l'Industrie légère et alimentaire résultait de la fusion de quatre ministères spécialisés.

Les nouvelles nominations sont attribuées à une « réunion commune du Comité central, du Conseil des ministres et du Praesidium du Soviet suprême », procédure sans précédent. Mais, plus que la manière, c'est la rapidité qui surprend. Certes, l'urgence était grande, certes les héritiers paraissaient redouter comme le feu toute vacance du pouvoir. Mais transformer tout l'encadrement du parti et de l'Etat — et de façon si radicale — en moins de vingt-quatre heures, quelle célérité pour un pays si lent!

Certains en concluront que Staline n'est pas mort le 5 à vingt et une heures cinquante, mais deux ou trois jours plus tôt et que l'on a tenu cette mort secrète jusqu'à ce que tout soit réorganisé[1]. Hypothèse ni vérifiée ni déraisonnable.

Selon Svetlana Staline, la datcha de Kountsevo est vide dès le lendemain de la mort. Vaisselle, livres, meubles, Béria a fait tout enlever, tout transporter dans un quelconque dépôt du M. G. B. Il a aussi dispersé tous les serviteurs. Deux officiers de la garde seront même abattus.

Le général Poskrebychev, chef du secrétariat particulier, ne participe à cette liquidation ni comme victime ni comme bourreau. Ce fidèle des fidèles, plus dévoué qu'un chien, avait fini par être chassé lui aussi par son maître. Retiré chez lui depuis quelques mois, il attendait qu'on vînt l'y arrêter. La mort de Staline l'a sauvé lui aussi du pire.

---

1 Il va de soi que, tant qu'il restait chez Staline un souffle de vie, les héritiers n'auraient jamais osé décider la moindre mesure concernant sa succession.

17

ADIEU, PÈRE !

Adieu, Père!
Quelle soudaine et terrible impres-
sion d'être devenu orphelin!
CHOLOKHOV.

Tout le sud de l'Union soviétique — Crimée, Caucase, Asie
centrale — a envoyé ses fleurs. Tant de roses et de mimosas,
d'œillets, de tulipes, de narcisses, de dahlias, de magnolias, de
lis, qu'il n'est pas question de les faire entrer tous dans la salle
des Colonnes où est Staline. Alors, on les range dehors, surprenant jardin sur la neige.

Non loin du mort déifié, un mort dont nul ne parle. Serge
Prokofiev, l'auteur de tant de musiques bouillonnantes de vie,
bon compositeur, mauvais caractère, s'éteint ces jours-là. La
maison mortuaire se trouve juste en face de la salle des
Colonnes. A cause de la foule immense qui bouche tout, des
rues barrées hermétiquement, l'enterrement de Prokofiev sera
retardé. La presse s'abstient de signaler son décès, Moscou ne
pouvant pleurer que Staline.

Pendant soixante heures, le peuple défile près de lui. Une
brève interruption en fin de nuit, puis l'on rouvre les portes de
la salle. Les lustres de cristal sont voilés de crêpe. De longs
drapeaux rouges bordés de noir tombent le long des gracieuses
colonnes néo-classiques de Kazakov. Une musique funèbre joue
en sourdine. Ces hommes et ces femmes qui ont attendu douze,
quatorze heures dans le froid et le vent, qui ont manqué de se
faire étouffer, passent presque sans s'arrêter, emportés par le

255

flot. Juste le temps de graver dans sa mémoire le cercueil drapé de soie rouge qui émerge des fleurs et des palmes, la silhouette rigide dans son uniforme, le visage légendaire pour la première fois si proche, humanisé par la mort.

Autour du corps, la garde d'honneur ne cesse de se renouveler. Des stakhanovistes succèdent à des écrivains, des « Héros du Travail » à des généraux, de vieux lutteurs du communisme accourus du monde entier à une majestueuse délégation du patriarcat orthodoxe. Les plus notables d'entre ces notables restent un quart d'heure au garde-à-vous près du cercueil. Les personnages mineurs sont relevés au bout de deux ou trois minutes. Le piquet numéro un, celui des héritiers, Malenkov en tête, revient de temps à autre, de jour ou de nuit.

Au pied du cercueil, le fleuve coule toujours.

Dans la nuit du 8 au 9 mars, quand ce défilé populaire est déclaré clos, quand les portes de la salle des Colonnes sont refermées pour la dernière fois, la file d'attente s'étire encore sur dix kilomètres. Les gens ne se résignent pas à rentrer chez eux après une si longue patience. Ils restent sur place dans la nuit glaciale, le col relevé, les oreilles de la chapka rabattues pour se protéger, trépignant doucement dans leurs *valenki* de feutre, écoutant les musiques solennelles qui tombent des haut-parleurs.

Dix heures du matin. Un immense silence noie le pays. Depuis trois jours, sur 22 millions de kilomètres carrés, la vie était déjà suspendue. Plus de spectacles, de concerts, de divertissements, de plaisirs. Même les grises affiches des rues de Moscou, jugées trop futiles, avaient été grattées. Mais, le 9 mars au matin, tout achève de se figer. Plus d'écoles. L'Union soviétique tout entière vit en sourdine, au ralenti. Deux cents millions d'hommes n'ont plus d'yeux que pour la grande place aux pavés gris, sous le mur du Kremlin.

Les délégations attendent là depuis le milieu de la nuit, en silence, avec leurs portraits bordés de noir.

Au loin, la marche funèbre de Chopin. Une forêt de fleurs avance très lentement vers la place Rouge. Des porteurs de gerbes et de couronnes géantes, sur 25 rangs.

Derrière, six chevaux noirs tirent le cercueil drapé de rouge, posé sur un affût de canon. Sur le cercueil, la casquette du généralissime. Des maréchaux et des généraux portent sur des coussins de satin écarlate les décorations de Staline. Derrière l'affût marchent les héritiers, le bras ceint d'un large brassard rouge et noir, et Chou En-lai, le grand allié, qui a droit à une place au premier rang, entre Malenkov et Béria. Puis la famille : Svetlana, Vassili, quelques petits-enfants. Puis le monde entier : chefs de gouvernement, ministres, ambassadeurs. Les hauts-de-forme de diplomates occidentaux contrastent curieusement avec les lourds manteaux sombres et les bonnets de fourrure des Soviétiques. Le général Dupont, attaché militaire français, se signale par un beau képi flambant neuf. Le manteau canari d'un général iranien fait sensation.

Le cortège s'immobilise. La bière est posée sur un catafalque pendant que s'inclinent les étendards des régiments de Moscou, des académies militaires. Les officiels montent sur le mausolée. Une voix forte, un peu aiguë, à la diction légèrement théâtrale, emplit la place : Malenkov parle. Son discours, qui glorifie Staline, est déjà poststalinien. Il promet le pain et la paix — la paix, surtout, avec une insistance qu'on remarque. Le mort jetait du rêve et de la terreur, par poignées. Le vivant veut plaire.

Autour de Malenkov, sur le mausolée, s'entasse le gotha du communisme international, dans un certain désordre qui contraste avec le strict alignement des revues staliniennes. La barbiche d'Ulbricht voisine avec le châle noir et le grand air espagnol de la Pasionaria. Le Tchèque Gottwald écrase un peu, de sa stature de géant, son voisin Jacques Duclos. Trompeuse carrure : Gottwald mourra cinq jours plus tard — et selon toute apparence d'un refroidissement contracté ce jour-là, sur le mausolée.

Après Malenkov, Béria parle, avec son accent épais. On dresse un peu l'oreille quand le grand maître de la police promet aux Soviétiques de « protéger avec une sollicitude constante leurs droits inscrits dans la Constitution stalinienne ». L'on se souvient du Béria « libéral » de 1938. Mais l'on remarque surtout son éloge appuyé de Malenkov, comme s'il

257

voulait montrer au monde que le nouveau maître est bien son pupille.

Molotov, troisième orateur, est le seul à se montrer ému. Sa voix tremble. Il doit s'interrompre à plusieurs reprises. Il pleure le maître dont la mort l'a très probablement sauvé.

Khrouchtchev, maître des cérémonies, s'est contenté de donner la parole aux trois orateurs.

Les « compagnons d'armes » prennent alors sur leurs épaules le cercueil au couvercle de verre. Aidés par quelques solides militaires, Malenkov, Béria, Molotov, Khrouchtchev, Vorochilov, Boulganine, Kaganovitch et Mikoyan portent Staline au fond du mausolée, dans la crypte où repose déjà Lénine.

L'horloge du Kremlin sonne midi. Le canon tonne. Le drapeau rouge en berne remonte au sommet de son mât. Les régiments se mettent en place pour leur dernière parade devant Joseph Staline.

Il est midi à Moscou, sept heures du soir à Khabarovsk, dix heures au Kamtchatka. D'un bout à l'autre de l'Union soviétique, pendant cinq minutes, tout travail cesse, tout transport s'arrête, toutes les usines, tous les navires, toutes les locomotives, font retentir leurs sirènes ou leurs sifflets. Chacun s'immobilise, du golfe de Finlande à la mer de Behring.

A Pékin, Mao Tsé-toung s'incline devant un immense portrait de Staline. Une mer humaine est massée place de la Porte de la Paix céleste.

A Varsovie, à Budapest, à Prague, à Berlin, toute vie s'interrompt au moment où Staline descend au mausolée. De zélés cameramen ont disposé des groupes, enseigné aux hommes à bien se découvrir, aux femmes à incliner la tête selon l'angle voulu. La pellicule doit garder l'image du plus grand deuil de tous les temps.

Au camp du Taïchet, en Sibérie, le détenu Karlo Stajner, un communiste yougoslave, est convoqué avec ses camarades à une réunion de deuil. Les Z/K s'alignent, par brigades sur la place centrale du *lagpunkt*. Un officier du M. V. D. monte sur une table, associe l'univers du GOULAG et ses millions d'esclaves au deuil national :

258

« Nous jurons, dans cet instant pénible, que nous travaillerons encore plus et encore mieux. » Sa voix monte, sonore, un peu ouatée par le grand calme de la neige.

Les prisonniers, leur bonnet à la main, observent trois minutes de silence. Leur haleine fume dans l'air glacé. Puis l'un d'eux demande :

« Citoyen chef, j'ai sur mon compte un peu d'argent que m'a envoyé ma femme et que je ne peux pas dépenser. Je serais heureux de participer à l'achat d'une couronne pour notre chef aimé. Est-ce possible? »

L'officier réfléchit : « Faites une demande par écrit », dit-il.

Dans les églises de Moscou, conformément aux instructions du patriarche, le clergé prie pour l'âme de Joseph Staline. « Fais reposer parmi tes saints, Seigneur, l'âme de ton serviteur Joseph. » Les cierges grésillent doucement, sous les yeux fixes des icônes. Les petites vieilles éternelles, dans leurs châles gris, sanglotent en entendant les tristes chants de l'office des morts.

Tout est fini. La place Rouge est de nouveau silencieuse. La tour Spasskaïa égrène les heures. Les gens viennent voir les couronnes entassées par milliers sous les murs du Kremlin, essayent de déchiffrer les noms inscrits sur les rubans, et s'en vont sans rien dire. Sur le mausolée, le nom de Staline est déjà gravé, juste au-dessous de celui de Lénine. C'est là qu'il doit reposer, près du fondateur de l'Union soviétique, en attendant la construction — annoncée — d'un panthéon pour toutes les gloires du pays [1].

Le nom de Staline est sur le mausolée, mais le public n'est pas encore admis à le visiter. Le corps exposé salle des Colonnes n'avait reçu que des soins provisoires. Il faut maintenant le mettre en état de défier les siècles. En 1924, le profes-

---

1. La construction d'un panthéon fut annoncée le 7 mars 1953, mais ne fut jamais entreprise.

seur Vorobiev avait réussi l'embaumement de Lénine de façon
fort scientifique (pour maintenir un degré d'humidité constant
dans les tissus, il avait installé à l'intérieur du corps une sorte
de petite pompe électrique). Vorobiev est mort, mais son assis-
tant le professeur Zbarski, a hérité de ses secrets. Staline l'a
couvert d'honneurs, puis fait arrêter. Sans rancune, il se met
en devoir d'embaumer Staline. Il faudra des mois pour mener
à bien ce travail pieux et funèbre.

C'est en novembre 1953 seulement que le mausolée sera rouvert. Les Soviétiques verront alors, dans la froide lumière
jaune-rouge de la crypte, les deux cercueils de verre côte à
côte. Lénine austère dans sa petite veste. Staline plus massif et
plus riche sous les grosses épaulettes. Les yeux clos, les mains
étendues. A peine endormi. Avec un rien d'ironie impérieuse
dans le lourd profil aquilin.

QUATRIÈME PARTIE

UN PRINTEMPS INCERTAIN

1

OUBLIER

*Doublez, triplez la garde
autour de cette tombe!
Que jamais Staline n'en sorte
ni le passé avec Staline!*
Evtouchenko.

Le 9 mars, de nombreux cameramen des actualités soviétiques ont filmé les funérailles dans tous leurs détails. Les spectateurs ne verront jamais les fruits de leur travail. Avant que le film sur les obsèques soit prêt (et pourtant, l'on fait diligence) le vent tourne. Il est temps, déjà, d'oublier Staline. Les salles ne projettent rien; tout va dormir dans la poussière des archives cinématographiques. Et, avec l'U. R. S. S., le monde entier est frustré du plus grand spectacle du siècle — car toute cette pellicule est soigneusement mise sous embargo [1], pour l'étranger comme pour la consommation intérieure.

F. L..., un critique littéraire, s'est vu commander d'urgence par une revue de Moscou un important travail sur la place de Staline dans la littérature soviétique. Tout le numéro d'avril doit être consacré au grand disparu. Deux petites semaines passent. La rédaction en chef lui téléphone : « Inutile de continuer. Vos honoraires seront réglés, bien entendu. Mais le sommaire d'avril est changé. »

---

1. Elle l'est toujours vingt ans plus tard.

La *Pravda* reste à peu près stalinienne pendant treize jours. Du 10 mars — numéro de deuil entièrement consacré aux funérailles — au 22 mars inclus. Pendant ces treize jours, Staline continue à être cité dans de nombreux articles, à susciter des poèmes. Son nom s'accompagne encore de superlatifs enflammés. On retrouve d'ailleurs dans ces numéros les thèmes traités avant sa mort : « Médecins assassins », « ennemis cachés de notre peuple », « suppôts des sionistes juifs ». Avec les mêmes appels à la délation, les mêmes dénonciations de « l'insouciance et de la naïveté ».

Puis tout change, avec le printemps. Le nom du grand homme n'apparaît plus que deux ou trois fois par numéro. Quelquefois plus du tout. Le 7 avril, la Constitution de l'U. R. S. S. cesse d'être « la Constitution stalinienne » pour devenir « la Constitution soviétique », tout simplement. Le même jour, Catherine Fourtseva, citant la dernière œuvre de Staline, omet déjà de la qualifier de « géniale [1] ».

A partir du 23 mars, les commentateurs oublient avec ensemble la « vigilance » pour s'occuper du « bien-être du peuple ». L'organe du Comité central se penche avec sollicitude sur les parcelles attribuées aux ouvriers pour y faire pousser leurs pommes de terre.

Les articles contre les juifs disparaissent en même temps. Le dernier grand *feuilleton* antisémite — l'un des plus violents de tous — est publié dans le *Krokodil* du 20 mars. Vassili Ardamatski, auteur de cet article à contretemps, aura le chagrin de voir un certain nombre de ses confrères lui tourner le dos, et de s'entendre surnommer *Vassia Timachouk,* du nom de la doctoresse dénonciatrice qui fit arrêter les médecins.

Les larmes n'ont pas encore séché, mais la déstalinisation démarre au pas de charge. Dans les milieux dirigeants, l'on entend flotter comme un « ouf » énorme et discret.

Il s'agit, pour la vieille garde, de conserver l'actif de la

---

1. *Pravda* du 9 avril 1953.

succession mais d'en éliminer les risques. De garder le pouvoir mais de diminuer les tensions. Aux affaires depuis trente-cinq ans, le parti peut se flatter d'être revêtu, aux yeux des Soviétiques, du sceau mystérieux de la légitimité. Mais l'on va dissocier le parti et Staline, alors que l'habitude s'était enracinée de les identifier [1].

Transition difficile, Malenkov, légataire universel le 6 mars, abandonne le 14 la moitié de son héritage — la plus importante. Ne gardant que la présidence du gouvernement, il quitte le secrétariat. La petite vague d'adulation dont il bénéficia pendant huit jours disparaît du même coup. Un mois plus tard, une formule nouvelle monte au firmament politique : *La collégialité, principe suprême de la direction de notre parti* [2].

Officiellement, le collège a trois têtes. Malenkov est en effet entouré de Béria et de Molotov, qui ont reçu, outre leur titre de premiers vice-présidents du Conseil, l'un l'Intérieur, l'autre les Affaires étrangères. Derrière, d'autres illustres : Boulganine, Kaganovitch, Mikoyan. L'Occident peu réceptif aux obscures affaires de parti, continue à ne prêter qu'une attention médiocre à Nikita Khrouchtchev. Pourtant, c'est lui qui est devenu premier secrétaire du Comité central quand Malenkov a été « déchargé » de la fonction. Sans tapage, il commence à réunir entre ses mains les vrais leviers du pouvoir.

Malenkov, cependant, fait ce qu'il peut pour occuper le devant de la scène, pour être, sinon le maître, du moins un

---

1. Il suffit pour s'en convaincre de comparer deux textes de Mikhaïl Cholokhov publiés à moins de cinq mois d'intervalle par la *Pravda*. Le premier est le grand chant funèbre paru le 8 mars, la veille de l'enterrement de Staline : « Adieu, père! Adieu cher père que nous aimerons jusqu'à notre dernier souffle! Tu seras toujours avec nous et avec ceux qui entreront dans la vie après nous. Nous entendrons ta voix dans le grondement rythmé des turbines des centrales hydro-électriques géantes, et dans les bruits des vagues des mers créées par ta volonté, et dans le pas cadencé de l'invincible infanterie soviétique, et dans le doux bruissement du feuillage des bandes boisées qui s'étendent à l'infini. »

Le second texte, paru le 30 juillet, s'intitule : « Vis éternellement, notre cher Parti. » Cholokhov n'y cite pas une seule fois le nom de Staline.

2. *Pravda*, 16 avril 1953.

patron. Ce petit homme gras, à la mèche noire, à la figure féminine, jette dans la balance son habileté de gestionnaire. Il décide d'élever le niveau de vie des Soviétiques.

Dès le 1ᵉʳ avril, il fait décréter une baisse des prix beaucoup plus importante que celles qu'on annonçait, rituellement, chaque année sous Staline. Pour faire face à la masse monétaire ainsi libérée, le gouvernement importe fiévreusement des biens de consommation. Il ira même, fait à peu près sans précédent, jusqu'à acheter 30 000 tonnes de beurre au Danemark, en Hollande, en Australie et en Nouvelle-Zélande. Il va de soi, pourtant, que la plupart des produits viennent des démocraties populaires où l'U. R. S. S. peut prélever, acheter à des tarifs archipréférentiels. Les ouvriers de Berlin-Est, dont les « normes » de rendement ont été alourdies, diront le 17 juin, avec des pavés et des bouteilles d'essence, qu'ils ne tiennent pas à faire les frais du mieux-être des Soviétiques.

Pendant l'été, Malenkov s'occupe des paysans. Le 8 août, il annonce que l'impôt en nature, plaie des campagnes, va être fortement réduit, en fait aboli. Un témoin dit : « A la gare de Louzaïevka, ce jour-là, j'ai vu les kolkhoziens pleurer de joie. Quand Lévitan, de sa voix des grands jours, s'est mis à clamer la nouvelle dans les haut-parleurs, tous ces paysans, ces paysannes qui étaient là, sur les quais ou dans les salles d'attente, parmi leurs ballots, se sont mis à s'interroger fiévreusement l'un l'autre. Et quand ils ont compris que c'était vrai, qu'ils pourraient désormais boire le lait de leur vache, élever des poulets sans que l' « inspecteur des finances » vienne tout rafler, la gare entière s'est mise à rire et à pleurer. Ce fut une grande fête populaire. »

Davantage de biens de consommation. A l'automne, les décrets pleuvent comme grêle. Les usines d'aviation sont chargées de fabriquer des lessiveuses, l'industrie de l'armement des lits métalliques. Tout cela porte la marque de la hâte, d'une improvisation fébrile. Dans la grande décompression qui suit la mort de Staline, le peuple manifeste-t-il une impatience si redoutable qu'il faille le satisfaire à tout prix, en bousculant l'édifice des plans?

Ou bien Malenkov cherche-t-il à se concilier une catégorie déterminée de la population : celle des gens à hauts salaires, des grands techniciens, des directeurs? Certaines de ses réformes intéressent, il est vrai, l'ensemble du public. Mais la reconversion industrielle privilégie beaucoup de produits chers : réfrigérateurs, motocyclettes, tissus de première qualité, « champagne » soviétique, choses qui, de toute façon ne sont pas à la portée du manœuvre.

Dans les bureaux de l' « appareil », on s'inquiète un peu. Va-t-on voir poindre une ère des *managers*, des gestionnaires ? Mais que deviendra alors la suprématie du parti qui est institutionnelle, consubstantielle au régime? De vulgaires techniciens de la production vont-ils devenir les égaux des *apparatchiki*, gardiens de la vérité révélée?

Les militaires qui, par définition, ont partie liée avec les gens de l'industrie lourde, apprécient médiocrement, eux aussi, cette façon d'encourager l'appétit de biens de consommation.

Dans son bureau de la Vieille Place [1], Khrouchtchev, tête du parti, commente sans tendresse les initiatives « démagogiques » de Malenkov. Rationner les crédits de l'industrie lourde pour produire des appareils photographiques et des montres, est-ce sérieux? Ce qu'il faut aux Soviétiques, c'est du pain, non des babioles. Or la production de blé accuse un retard ahurissant, descendant même en 1953 au-dessous du chiffre de 1913 (et la population s'est accrue entre-temps de 30 millions d'habitants).

Ce dont nous avons besoin avant tout, disserte Khrouchtchev, c'est de tracteurs et de machines agricoles. Donc d'acier. Chassé par la porte, le stalinisme industriel rentre par la fenêtre.

Mais Staline ne sert plus de référence. Le *Dictionnatre de la*

---

1. Siège du Comité central.

langue russe, d'Oljegov, consacrait précédemment quatre lignes au substantif « Stalinien » (*Stalinien : Membre du parti communiste (bolchevik) de l'Union soviétique, fidèle disciple du marxisme-léninisme, inébranlablement dévoué à la cause de Lénine-Staline*). Dans l'édition 1953, le mot et sa définition ont purement et simplement disparu. On tombe en arrêt sur la date du tirage : le 12 mars 1953. Une semaine après la mort.

2

LES BANDITS DE MALENKOV

Dans les camps, les prisonniers attendaient aussi. Le 7 mars, à Vorkouta, un détenu demandait à John Noble : « Qui sait si *Tonton Georges* ne nous libérera pas tous? » Tonton Georges, c'est Malenkov.

On ne s'interroge pas longtemps. Le 28 mars est publié un grand oukase du Soviet suprême proclamant une amnistie.

« *Par suite de la consolidation du régime soviétique et de l'élévation du bien-être et du niveau culturel de la population, par suite de l'élévation du niveau de conscience des citoyens et de leur attitude honnête envers l'exécution de leur devoir social, la légalité et l'ordre légal socialistes ont été fortifiés et la criminalité a notablement diminué dans le pays.*

« *Dans ces conditions, le Praesidium du Soviet suprême de l'U. R. S. S. estime qu'il n'est pas indispensable de continuer à détenir dans les lieux où elles sont enfermées les personnes coupables de crimes ne présentant pas un grand danger pour l'Etat.* »

Les bénéficiaires de l'amnistie sont les criminels de droit commun qui sont libérés en quantités considérables. Les prisonniers politiques ne sont pratiquement pas concernés par cette mesure. Or ce sont eux qui représentent les gros bataillons des Z/K. Dans l'univers du GOULAG se lève une vague de déception amère. Des gardiens, des « brigadiers » sont victimes d'attentats et d'agressions commis par des détenus exaspérés.

De mai à août, à Norilsk, à Vorkouta, éclatent de grands mouvements de grèves. Des dizaines de milliers de détenus se croisent les bras, pendant des jours et des semaines, mettant en péril la production minière du pays. Il y a des fusillades, des répressions, mais l'on voit aussi — fait nouveau, fait inouï — des généraux du M. V. D. négocier avec leurs esclaves, marchander des concessions, les faire revenir au travail à coups de patientes manœuvres et de promesses. Des promesses qui seront même quelquefois suivies d'effet. Par exemple, la possibilité pour les internés de correspondre avec leur famille, parfois d'en recevoir des visites, sera sensiblement élargie.

Quelques mois plus tôt, Staline vivant, pas un gréviste n'aurait eu la vie sauve. D'ailleurs, Staline vivant, ces grèves — plus revendicatives que vraiment insurrectionnelles — n'étaient même pas imaginables.

Pendant ce temps, les heureux bénéficiaires de l'amnistie ont quitté les bagnes de Sibérie et du Grand Nord. Parmi eux, beaucoup de voleurs, de truands grands ou petits, de *houligans* qui jouent du couteau quand ils ont bu. Ils ont un compte à régler avec les villes — le vieux compte des interdits de séjour. Ils le règlent. A Moscou, la criminalité monte en flèche. Les Moscovites nomment ces nouveaux venus « les bandits de Malenkov ».

On se barricade. Les femmes ne sortent plus le soir lorsqu'elles habitent une rue un peu sombre. Les grands mythes terrorisants remontent du fond de l'histoire russe. Comme au temps de la régente Sophie, l'on raconte que des bandes organisées arrivent, qu'elles sont déjà sous Moscou, qu'elles vont tout mettre à feu et à sang.

La milice, débordée, s'emploie sans retard à renvoyer une partie de ces indésirables dans les camps d'où ils viennent.

Une autre peur de ce printemps 1953 est d'ordre économique. Des rumeurs de dévaluation du rouble se mettent à circuler. Patients et taciturnes, les Moscovites font la queue dans les bureaux des *Sberkassy* — les caisses d'épargne — à l'odeur douceâtre de vieille colle. Les uns viennent retirer leur argent, les autres en déposer. Car deux rumeurs de force égale et de sens contraire partagent la ville. On raconte tour à tour que la réforme monétaire épargnera les sommes déposées dans les Caisses, puis au contraire qu'elle annulera ces dépôts. Comme finalement rien ne vient, ni réforme ni dévaluation, ces queues moroses diminuent et disparaissent[1]. Les *Sberkassy* redeviennent ce qu'elles sont habituellement : un hybride du bureau d'enregistrement, où l'on vient acquitter ses taxes, et de la tirelire pour humbles épargnants qui amassent un peu d'argent en vue de quelque achat.

-----

1. Rappelons qu'en revanche une réforme monétaire draconienne fut appliquée en Tchécoslovaquie le 30 mai, et qu'elle fut à l'origine des émeutes de Pilsen et d'Ostrava.

3

LA PAIX, VRAIMENT ?

Ce pays déconcerté, où l'autorité flotte imperceptiblement, a besoin de paix à l'extérieur. L'Occident, d'abord si inquiet, sent vite d'où vient le vent. L'enterrement est à peine achevé sur la place Rouge que Foster Dulles déclare à l'ONU : « La mort de Staline augmente les chances de paix. »

Trois semaines plus tard, les Sino-Coréens proposent de reprendre les négociations d'armistice de Panmunjom. En quatre mois, l'on viendra à bout de discussions gelées depuis deux ans. Et les armes se tairont en Corée.

A part cela, qui n'est pas mince, les grands différends demeurent. Chacun reste fidèle à ses principes, ou à ses arrière-pensées. Mais les manières ont à ce point changé que lentement, malaisément, on se met à ne plus croire à la fatalité du pire. Aux Nations unies, un sourire détend les lèvres minces de Valerian Zorine, tandis qu'André Vychinski et Henry Cabot Lodge portent ensemble un toast à la paix.

Le 25 avril, pour la première fois depuis toujours, la *Pravda* consacre une page presque entière à un discours d'un président des U. S. A. Le vaste « plan de paix » d'Eisenhower est reproduit intégralement, accompagné d'un commentaire critique, mais nuancé. C'est la même *Pravda* qui écrivait, l'été précédent : « Buvez un verre d'eau fraîche, Ike, et calmez vos nerfs. » Et qui, de surcroît, menaçait l'Amérique de la foudre atomique.

Avant que l'été soit venu, Tito, « le maréchal des traîtres » sera courtoisement prié par Molotov d'envoyer un ambassadeur à Moscou.

Rien ne ressemble plus tout à fait à hier. Un dimanche d'avril, 17 marins du charbonnier soviétique *Kama* ancré à Rouen, obtiennent de leur consul l'autorisation de visiter Paris et sont promenés en groupe compact de Montmartre au mur des Fédérés. Dix journalistes américains visitent Moscou, voient les *babouchki* se presser dans les églises le soir de Pâques, envoient une lettre de remerciement à Malenkov, et se font traiter à leur retour aux Etats-Unis d' « ânes du siècle, dupes de la propagande de paix communiste ».

Le monde s'interroge. La paix, vraiment? L'armée soviétique se prépare à faire exploser sa première bombe à hydrogène, grignotant la suprématie américaine en matière d'armements. Le croiseur *Sverdlov* vient prendre part au défilé naval organisé en Angleterre pour le couronnement d'Elisabeth — geste de courtoisie qui révèle au monde une marine encore de second rang mais déjà en pleine croissance.

Au début juin, des émeutes éclatent en Tchécoslovaquie. Puis les ouvriers de Berlin-Est, ceux du Brandebourg, du Mecklembourg, de Thuringe et de Saxe défient les troupes d'occupation soviétiques par la grève ou par l'émeute. Les motifs immédiats de ces mouvements sont économiques. L'arrière-plan est politique. Jusqu'où le nouveau Kremlin poussera-t-il la tolérance, et que peut-on lui arracher?

Le Kremlin réprime les émeutes en criant à la provocation fasciste, mais continue à faire souffler le vent tiède d'un demi-dégel.

Parfois, des démarches contradictoires révèlent une certaine confusion. A Moscou, en ce printemps 1953, N. I. Godounov relit les épreuves de son livre consacré à la résistance en France[1]. Ce Godounov — que ses amis surnomment évidemment Boris — a occupé les fonctions d'attaché culturel à Paris et n'y a pas laissé un grand souvenir. Sacré spécialiste de la politique française, nommé à la tête des émissions en langue

---

1. N. I. Godounov : *La lutte du peuple français contre les occupants hitlériens et leurs complices.* Moscou, Gospolitizdat, 1953.

274

française de la radio, il consacre une bonne partie de son ouvrage à pourfendre le général de Gaulle avec la plus extrême violence. Retrouvant les accents de Goebbels, il nous explique qu'à Londres, « *la clique gaulliste* » était entièrement subordonnée « *aux intérêts des milieux dirigeants d'Angleterre... un instrument des impérialistes anglais* ». Mieux : « *Pour atteindre leurs objectifs réactionnaires, les gaullistes livraient les résistants aux hitlériens.* » Et d'expliquer froidement que de Gaulle avait pour habitude d'attirer les patriotes dans des pièges et de les faire massacrer par les nazis, pour donner satisfaction à « *ses patrons anglo-américains* ».

Dans les bureaux, quelqu'un s'aperçoit in extremis qu'il faut rectifier le tir. Après tout, de Gaulle s'oppose à la Communauté européenne de défense, bête noire de la diplomatie soviétique. C'est le temps où l'ambassadeur Vinogradov est nommé à Paris, où il se montrera d'un gaullisme discret, mais tenace. Le livre, une fois paru, se voit infliger par la *Pravda*, un désaveu, l'auteur étant taxé d' « inexpérience ». Mais, contrairement aux usages, Godounov accueille ce blâme redoutable d'un front serein. On l'a prévenu de ne pas s'inquiéter : « C'est pour le contexte international, vous comprenez? »

« Détente » est une expression de journalistes occidentaux qu'il serait très difficile au Kremlin d'utiliser : ce serait démentir la continuité politique qui est un dogme, reconnaître qu'on prend un tournant. Le fracas nationaliste, à l'intérieur de l'U. R. S. S., reste énorme. L'image qu'on veut donner du pays ne se renouvelle que par petites touches, et d'abord à destination de l'étranger.

Les éditions en langues étrangères de Moscou proposent aux étudiants français, depuis des années, le manuel *Le Russe*, de Nina Potapova. Jusqu'à la mort de Staline, les débutants y apprenaient dès la sixième leçon — et avant même d'aborder les rudiments des déclinaisons — ce vocabulaire de base :

« *La bataille est en cours. Nous avançons. Les tanks vont devant, l'infanterie derrière. Nous avons des armes : des fusils, des mitraillettes, des mitrailleuses, des mortiers. Les soldats tirent. Les balles volent... L'artillerie est derrière. Le colonel crie : Feu.* » Etc.

Dans les éditions postérieures à Staline, la sixième leçon est modifiée. On y apprend les expressions suivantes : « *C'est l'aube. Le soleil se lève. La terre renaît... C'est le soir. Les kolkhoziens se reposent. Un accordéon joue.* »

4

HORRIBLES TRAVAILLEURS

4 avril. Il y a un mois que la congestion cérébrale de Staline a été annoncée. En deuxième page de la *Pravda,* un « communiqué du ministère de l'Intérieur » fait tressaillir tout le pays. Il annonce que le complot des blouses blanches n'a jamais existé, que les médecins assassins étaient innocents et qu'ils sont réhabilités.

« *Il a été établi que les dépositions des accusés, qui confirmaient soi-disant les accusations lancées contre eux, ont été obtenues par les travailleurs du service des enquêtes de l'ancien ministère de la Sécurité d'Etat par des procédés d'instruction inadmissibles et rigoureusement interdits par les lois soviétiques.* »

Pour la première fois, les autorités soviétiques reconnaissent officiellement que la police a torturé pour obtenir des aveux.

De petits groupes se sont formés rue Gorki pour lire les journaux affichés, selon l'usage, sur les murs. Un vieux sourit et dit : « Et voilà! » Personne ne lui répond. En vingt-cinq ans de stalinisme, les Soviétiques ont appris le silence.

A la « Colonie de redressement par le travail numéro 1 », rue Chabolovka, le chef comptable et le « jurisconsulte adjoint » dissèquent le communiqué. Le comptable est un lieutenant d'intendance, Piotr Kouzmitch Mniov. Le « jurisconsulte » un détenu en instance de libération, Leonid Finkelstein. Quelque chose les intrigue dans ce qu'ils viennent de lire.

Le communiqué s'articule en deux parties symétriques.

D'abord la liste des médecins arrêtés. Quinze noms[1]. Puis celle des médecins libérés. Ces deux listes devraient correspondre rigoureusement, puisque tous les accusés sont reconnus innocents. Mais non : la seconde paraît légèrement plus courte.

« Travaillons en bons comptables, dit Mniov. Mettons des croix en face des noms. »

Le pointage est vite fait. Les professeurs M. B. Kogan et Etinger figurent parmi les gens arrêtés à tort, mais on ne les retrouve plus, quelques lignes plus loin, parmi les libérés.

« Bon, dit le lieutenant. Ces deux-là sont entrés en prison mais ils n'en sont pas ressortis. »

Avec leur sens congénital du sous-entendu, les lecteurs soviétiques comprennent sans mal ce que le communiqué a omis d'expliciter : les *procédés d'instruction inadmissibles* utilisés par les *travailleurs du service des enquêtes* — horribles travailleurs — ont transformé deux des prévenus en cadavres.

Juste sous le communiqué, la *Pravda* a inséré un grand article consacré aux arbres fruitiers. En cherchant bien, un peu plus bas encore, les lecteurs attentifs découvrent un mince entrefilet : le Soviet suprême a annulé le décret qui conférait l'ordre de Lénine au Dr. Lydia Timachouk, la dénonciatrice des « assassins en blouses blanches ».

La délégation israélienne aux Nations unies fait savoir sans tarder qu'elle renonce à soulever, devant l'organisme international, le problème de l'antisémitisme en U. R. S. S. Avec ensemble, la presse soviétique s'est mise à condamner « *toute propagande de discrimination raciale ou nationale* ». Elle réhabilite, à titre posthume mais avec une chaleur particulière, l'acteur Salomon Mikhoels, « *ce citoyen honnête, ce grand artiste du peuple de l'U. R. S. S.* ». Celui-là même qui, deux

---

1. C'est la liste complète. Rappelons que neuf noms seulement avaient été livrés au public le 13 janvier (voir page 167).

mois plus tôt, n'était qu'un agent stipendié des sionistes américains.

Dans le monde, ceux qui dénoncent depuis vingt ans les
procès de Moscou comme truqués, leurs aveux comme extorqués triomphent. Mais les militants communistes, dans
l'ensemble, ne bronchent pas. Pour eux, les forfaitures dévoilées au sein de la police soviétique ne peuvent être qu'un
accident. « Nous appartenions à une armée — et à une armée
encerclée, dit un ancien du parti communiste français. Ce
n'était pas parce qu'un caporal-chef avait attrapé la vérole que
l'armée tout entière devait se sentir déshonorée. »

Pourtant, Béria, avec son communiqué brutal, a introduit
une faille — presque invisible encore — dans le principe d'infaillibilité.

Avril, à Moscou, est plus tiède que de coutume. Les vieux se
chauffent au soleil sur les bancs. On patauge dans la gadoue
d'un prompt dégel. Déchue de l'ordre de Lénine, mais maintenue dans ses fonctions, la doctoresse Timachouk poursuit une
carrière sans gloire comme radiologue à l'hôpital du Kremlin.
Elle y rencontre les collègues qu'elle avait fait arrêter — ceux,
du moins, qui ont survécu.

Tous ne sont pas traités avec autant de mansuétude qu'elle.
Rioumine, ancien vice-ministre de la Sécurité d'Etat, qui avait
personnellement dirigé l'enquête des « blouses blanches », est
arrêté en compagnie d'un certain nombre de ses collaborateurs. Ce petit homme aux airs de chérubin rose est effectivement un affreux tortionnaire. De plus, il est commode de le
charger des plus lourdes responsabilités à la place de son
supérieur hiérarchique, l'ancien ministre S. D. Ignatiev. Car
celui-ci est un homme lige de Khrouchtchev qui le défend avec
bec et ongles. Ignatiev se voit donc seulement taxer, pour le
moment, d' « *aveuglement politique et de crédulité*[1] ».

Sans suivre son ex-subordonné au cachot, il perd tout de même
les nouvelles et prestigieuses fonctions que Khrouchtchev

---

1. *Pravda*, 6 avril 1953.

venait à peine de lui faire attribuer : celles de secrétaire du Comité central.

Derrière les grands mots, l'affaire empeste le règlement de comptes : il y a trois mois, Ignatiev faisait passer de mauvais moments aux hommes de Béria, au sein des organismes de sécurité. A son tour, maintenant. D'ailleurs, ce qui frappe le plus la classe politique dans la nouvelle de la libération des médecins, c'est la signature : « Communiqué du ministère de l'Intérieur. » C'est-à-dire de Béria. Cela sonne comme un défi, comme une offense aux usages tout nouveaux de la direction collective. En montant, seul, cette opération — dont il tire d'ailleurs une certaine popularité personnelle — le Géorgien montre qu'il est capable de se passer de ses collègues. Ne va-t-il pas demain se débarrasser d'eux?

Pour dénoncer les tortionnaires d'hier, on leur emprunte leur terrifiant vocabulaire : « *Espions et diversionnistes, porteurs d'idéologie bourgeoise, dégénérés... Contre ces vrais ennemis, ouverts et reconnus, du peuple, ces ennemis de l'Etat soviétique, il est nécessaire de garder toujours notre poudre sèche* [1]. » A nouveau, le style des purges. Quels seront les « ennemis du peuple » de demain?

---

1. *Pravda*, 6 avril 1953.

5

MORT D'UN BOURREAU

> « *Et elle conçut et enfanta un fils
> qu'il appela du nom de Béria, car
> le malheur était dans sa maison.* »
> Premier Livre des Chroniques,
> VII, 23.

Le 4 juillet 1953, les ambassadeurs des Etats-Unis, de Grande-Bretagne et de France à Moscou tiennent une sorte de conseil de guerre. Les trois diplomates échangent leurs informations et tombent d'accord : il est vraisemblablement arrivé quelque chose à Béria, le numéro deux de la nouvelle direction.

Une semaine plus tôt, le 27 juin, l'on avait beaucoup regardé la loge officielle au Bolchoï, pendant la deuxième représentation de l'opéra de Iouri Chaporine, *Les Décembristes*. Les dirigeants étaient là, en groupe. Tous les membres titulaires du Praesidium sauf un seul : Béria.

A la même époque, d'insolites mouvements de troupes étaient signalés dans Moscou. Les blindés, habituellement n'entrent jamais dans la capitale, sauf pour participer à des défilés, des cérémonies militaires. Cette fois, l'on a vu des colonnes de chars s'engager inopinément dans les grandes artères, à l'affolement des miliciens : « Qu'est-ce qui se passe, camarade commandant? Faites le tour de la ville s'il vous plaît! Vous allez endommager l'asphalte. »

Le nouvel ambassadeur américain est Charles « Chip » Bohlen, qui a pris deux mois plus tôt le poste laissé vacant, l'automne précédent, par le départ forcé de George Kennan. Selon ses informateurs, les troupes qu'on a vues à Moscou appartiendraient à deux divisions basées dans l'Oural et transiteraient vers l'Allemagne, théoriquement pour se rendre à des manœuvres. Mais leur entrée dans la capitale ne se justifie nullement. Louis Joxe, ambassadeur de France, confirme qu'une nuit, il a été réveillé par des mouvements, des passages insolites sous les fenêtres de sa résidence, dans la Bolchaïa Iakimanka — la grande rue Saint-Joachim.

Il y a dans l'air comme un coup d'Etat.

Les trois ambassadeurs informent leurs gouvernements de leurs présomptions. Mais, pendant plusieurs jours, aucune confirmation ne vient.

Le 9 juillet, l'ingénieur moscovite V. Ch..., célibataire de son état et bon vivant par tempérament, a passé la soirée avec quelques camarades et de nombreuses bouteilles. Il s'est couché vers quatre heures du matin, très ivre.

V. Ch... habite une *kommunalka*, un de ces appartements communautaires où l'on vit à plusieurs locataires. On ne le laisse pas cuver sa vodka en paix. Vers huit heures, des rugissements radiophoniques venus de la pièce voisine lui font ouvrir un œil trouble. Il entend vaguement : « Béria... ennemi du peuple... exclu du Comité central et des rangs du parti communiste de l'Union soviétique... destitué de son poste de ministre des Affaires intérieures. »

« Il faut absolument que je m'arrête de boire, songe V. Ch..., très inquiet. Béria ennemi du peuple? Bientôt ce seront les éléphants roses. Demain, je me mets à l'eau. » Il replonge sous ses couvertures et dans son sommeil, très malade.

Deux heures plus tard, il s'éveille à nouveau. A côté la *tarelka* hurle toujours : « Béria... agent de l'étranger... Saisir la cour Suprême de l'U. R. S. S. des agissements criminels de Lavrenti Pavlovitch Béria. »

« Bon, pense notre homme, rassuré, je ne délirais pas. »

En Sibérie, c'est déjà le début de l'après-midi. Un village d'une cinquantaine de maisons, près de Kazatchinskoïé. Des déportés font la queue devant le bureau du commandant local du M. V. D. C'est jour d' « enregistrement ».

Les déportés, rappelons-le, ne sont pas enfermés comme les Z/K, mais astreints à résidence (ce sont d'ailleurs, en général, d'anciens Z/K qui ont fait leur temps). Une fois par mois, ils doivent se présenter pour faire constater qu'ils sont bien là.

La queue s'allonge. Lituaniens, Estoniens, Ukrainiens, Russes, toutes les nations de l'empire, toutes les conditions sociales, du laboureur à l'écrivain — tous brassés par la même misère, coupant du bois dans les scieries ou posant des traverses de chemin de fer.

Brusquement, un déporté arrive en courant, essoufflé. Il crie : « Frères, laissez-moi entrer sans faire la queue, et je vous jure que vous assisterez à un numéro comme vous n'en avez jamais connu de votre vie. »

Il y a dans sa voix une telle vibration qu'on le fait passer sans protester. Il pénètre chez le commandant, laissant à dessein la double porte entrebâillée pour que ses camarades puissent entendre. Au mur du bureau, qui sent la poussière et la colle, pend un superbe portrait de Béria, rajeuni de dix bonnes années.

« Citoyen commandant, dit le déporté, quand donc enlèverez-vous le portrait de ce traître à la patrie, de cet espion impérialiste, de ce misérable Béria? »

L'officier croit avoir mal entendu, fait répéter. Puis coiffant sa casquette pour être plus officiel :

« Holà, deux hommes ici tout de suite!... Déporté B... voulez-vous répéter devant témoins ce que vous venez de me dire? »

L'intéressé réitère, en rajoutant quelques épithètes malsonnantes.

« Déporté B..., rugit solennellement le commandant, vous êtes arrêté, pour outrage à Lavrenti Pavlovitch Béria, membre du Praesidium du Comité central.

— Citoyen commandant, ne soyez pas stupide. Vous n'avez donc pas écouté la radio, à l'instant? »

Le déporté parle avec tant de résolution que le commandant, saisi d'un doute, manipule son téléphone, appelle le centre

radio qui distribue les émissions de Moscou aux haut-parleurs.

« Pétia? Bonjour, comment ça va?... A propos, quelque chose
d'intéressant dans les informations, tout à l'heure?... Ah!...
Ah!... Ah!... »

Sur chaque « ah! » la voix chavire et sombre.

Le commandant repose tristement son téléphone, enlève sa
belle casquette et annonce d'un ton remarquablement éteint :

« Déportés, pour aujourd'hui, l'enregistrement est terminé. »

Un témoin de la scène me dit, vingt ans après : « Il faut
avoir vécu un tel jour pour savoir ce que c'est que le bonheur! »

Dans toute l'U. R. S. S., pendant une semaine entière, des
meetings sont convoqués pour stigmatiser « le méprisable et vil
Béria, trois fois maudit, ennemi enragé de notre peuple ». Sur
des milliers d'estrades, des écrivains, des savants, des directeurs d'usines, des stakhanovistes — tous les cadres politico-
économiques du pays — paraphrasent pendant des heures les
communiqués du 10 juillet, peignant et repeignant sans fin le
portrait du plus infâme des infâmes, du plus traître des
traîtres. Ce « mercenaire des forces impérialistes de l'étranger » avait pris ses premiers contacts avec les services secrets
britanniques en 1919! Il a fallu quelques années pour le
démasquer.

Curieusement, les accusations officielles, à travers leurs
outrances, dessinent l'image d'un semi-libéral. Quand elles
affirment que cet « *agent de l'impérialisme international* »
voulait « *restaurer le capitalisme et rétablir la domination de
la bourgeoisie* [1] », la rhétorique paraît évidemment délirante.
Mais, pour s'en tenir à des constatations plus modestes, l'on a
eu vent de démarches effectuées, au printemps, par les agents
secrets de Béria auprès de Londres et de Washington.

---

1. *Pravda,* 10 juillet 1953.

Démarches qui, destinées à précipiter la détente, ont pu alarmer les orthodoxes [1].

Quand la *Pravda* accuse Béria d'avoir voulu « *saper les kolkhozes* », l'on pense à la façon dont il a freiné la collectivisation des terres en Géorgie, à sa résistance aux projets d' « agrovilles » de Khrouchtchev. Et quand elle affirme qu'il essayait d' « *activer les éléments nationalistes bourgeois* » force est de constater qu'effectivement, de mai à juin, la mainmise des Russes sur les provinces périphériques a quelque peu diminué, Béria ayant fait nommer plusieurs autochtones à d'importants postes locaux.

Ainsi, cet homme couvert de sang, ce grand maître de l'appareil répressif, aurait joué au libéral? Pourquoi pas? C'est bien lui qui, le jour des funérailles de Staline, avait lancé l'allusion inattendue aux « droits inscrits dans la Constitution ». Lui encore qui avait relâché les médecins, sans craindre de mettre sa propre police en posture d'accusée.

Pas trace d'une conviction intime dans tout cela. Personne ne s'est jamais hasardé à doter ce bourreau blafard de sens moral. En revanche, on le savait en quête de popularité. On le savait « réaliste », aussi — avec tout le scepticisme d'un vieux policier. En somme, capable de tout, même de tolérance.

Pour gagner, il lui aurait fallu se montrer moins dilettante, consacrer moins de temps à ses plaisirs et plus au froid labeur. Cet Oriental joueur et jouisseur avait sans doute sous-estimé la vigilante alarme de ses pairs, très conscients des dangers qu'il leur faisait courir. Danger d'éviction. Danger de balle dans la nuque.

Tous les communiqués officiels répètent à l'envi que Béria avait voulu « *placer le ministère de l'Intérieur au-dessus du parti et du gouvernement* ». Point n'était besoin de cette insistance. Chacun avait compris qu'il s'agissait de lutte pour le pouvoir et, sans doute, pour la vie.

---

1. Plusieurs observateurs se firent l'écho de ces démarches, notamment Joseph Alsop dans le *New York Herald Tribune*.

Après une semaine de déclamations féroces, l'affaire Béria prend son rythme de croisière, puis sombre dans des profondeurs de silence. Bien plus tard, tout à la fin de l'année, on annoncera aux Soviétiques que l'instruction est terminée, puis que Béria a été jugé à huit clos et exécuté sur-le-champ, le 23 décembre. Avec lui, précisera-t-on, ont été fusillés six de ses complices, presque tous géorgiens, tous policiers de haut rang. L'on ajoutera que le tribunal spécial, auteur de la sentence, était présidé par le maréchal Koniev. Comme pour mieux souligner que cet écrasement de la police est l'œuvre de l'armée.

Mais y a-t-il eu vraiment un tribunal et un jugement? Etait-il possible d'attendre ainsi six mois pour supprimer l'homme le plus puissant d'U. R. S. S.? De trouver des murs assez épais pour le garder sans qu'il s'envole? Bref, Béria a-t-il survécu à son arrestation jusqu'à décembre?

Certains le croient. En septembre 1953, le bruit courait à Moscou, dans des milieux proches de l'armée, que Béria était toujours vivant, gardé dans sa prison par des militaires sûrs. De même source, on ajoutait que l'on avait commis l'imprudence de lui laisser son lorgnon, qu'il en avait profité pour s'ouvrir les veines et qu'on était en train de le soigner.

La rumeur populaire, elle, dépeindra Béria-le-lubrique tournant pendant des semaines dans son cachot comme une bête en cage en criant : « Une femme! Je veux une femme! Qu'on m'amène une femme! »

En 1969, le professeur Alexis Yakouchev, un Soviétique passé à l'Ouest, décrira même au *Spiegel* une audience du procès Béria, à laquelle il aurait personnellement assisté, avec une centaine de spectateurs triés sur le volet. Affirmation qui va au-delà du communiqué officiel, lequel avait bien spécifié que tout s'était passé à huis clos.

Nikita Khrouchtchev, au contraire, a démenti brutalement l'existence du moindre procès. Il l'a fait dans une série de confidences, notamment devant Pierre Commin, secrétaire général adjoint de la S. F. I. O., devant les communistes italiens

Negarville et Paietta, ainsi, semble-t-il, que devant le dirigeant hongrois Rakosi. Et, quelques années plus tard, devant Gomulka et Cyrankiewicz.

Devant ces différents auditeurs, son témoignage n'a pas varié sur un point essentiel : Béria, disait-il, fut attiré à une réunion du Praesidium, au Kremlin, et n'en ressortit pas vivant. Des maréchaux et généraux qui se tenaient dans une pièce voisine firent irruption à un signal donné pour arrêter le ministre de l'Intérieur, qui devait être abattu sur-le-champ.

Mais, à partir de là, Khrouchtchev se contredit comme à plaisir. Tantôt il montre Béria étranglé sur son siège, tantôt il le décrit frappé d'un coup de revolver — ce revolver étant manipulé, au gré de son inspiration du moment, parfois par le maréchal Joukov, parfois par le général Moskalenko, parfois par Mikoyan, parfois par Khrouchtchev lui-même. Pétulant hâbleur !...

Puis, voici que les *Souvenirs* du même Khrouchtchev, parvenus en Occident en 1970, ont gardé le récit du guet-apens au Kremlin mais supprimé l'assassinat immédiat, à nouveau remplacé par un procès...

Sur cette trame incertaine, les historiens s'efforcent de raisonner. Abattre Béria sur place était plus sûr. Mais n'était-ce pas, pour ses vainqueurs, une terrible frustration ? Ne devaient-ils pas d'abord arracher ses secrets à cet homme qui savait tout sur tous ? N'était-il pas indispensable de le garder vivant quelque temps pour l'interroger — sans doute selon les techniques d'instruction qu'il appliquait si brillamment lui-même ?

Un fait est sûr : mort définitif ou mort en sursis, Béria est neutralisé le 26 juin. Une purge radicale s'abat dans l'heure sur la Loubianka, où ses collaborateurs sont, soit liquidés, soit jetés dans les cachots voisins. Les victimes se comptent par centaines. Un nouveau ministre de l'Intérieur est nommé — Krouglov, un personnage relativement subalterne — ainsi qu'un nouveau procureur général — Roudenko, l'homme de Nuremberg. La direction collégiale peut respirer en paix.

Suivant une version ni plus ni moins suspecte que les autres, les membres du Praesidium auraient, en arrêtant Béria, prévenu de justesse un coup d'Etat qu'il avait machiné. Il aurait projeté de faire arrêter ses rivaux le 27, à l'issue de la représentation des *Décembristes* au Bolchoï. Ils s'y trouvaient effectivement. Mais déjà débarrassés de lui.

Le peuple, à vrai dire, se préoccupe assez peu de savoir si Béria est déjà mort ou s'il va mourir. Il a déjà compris que, de toute façon, le Géorgien va passer à la trappe de l'histoire. Mieux : qu'il sera le bouc émissaire sur lequel on rejettera commodément tous les péchés de l'époque stalinienne.

La campagne de meetings n'est pas encore achevée que toutes sortes d'histoires se mettent à courir sur ses orgies, les jeunes femmes enlevées, les fillettes violées, et les « nuits athéniennes » qu'il organisait dans son « parc aux cerfs ». Le plus étonnant déballage de linge sale auquel se soit jamais livré ce régime pudibond.

Pour mieux confirmer Béria dans ce rôle de bouc émissaire, la rumeur publique, incorrigible, lui trouve sans tarder du sang juif. L'antisémitisme officiel, est — pour le moment — au point mort, mais les vieilles habitudes ne se perdent pas si facilement. On se souvient brusquement que le nouvel ennemi du peuple est né au cœur du pays Mingrel, dans une région où l'on voit quelques villages se serrer autour de leurs synagogues. De plus, un Béria, fils d'Ephraïm et descendant direct d'Abraham, figure dans l'Ancien Testament au premier livre des Chroniques. Le nom, de lugubre augure, vient de deux mots hébreux qui signifient « dans le malheur ».

Mais il va de soi que, Béria vivant, personne ne se serait permis de propager de telles observations.

Les militaires qui ont apporté leur puissant concours seront récompensés. Le maréchal Joukov rentrera cette même année, au Comité central comme membre de plein droit. Le général Moskalenko entamera une brillante ascension qui fera de lui le commandant en chef des fusées. C'est le premier exemple, dans l'histoire soviétique, d'une intervention ouverte du haut commandement dans un conflit politique. Mais cette armée qui prête ses tanks n'est pas une armée de coup d'Etat. Les généraux peuvent — et ils ne s'en privent pas — constituer un groupe de pression. Ils sont trop les hommes du parti pour se sentir une âme de putschistes.

Les partisans de Béria paieront les dettes de leur maître pendant deux longues années. Quatre d'entre eux, dont l'ancien ministre de la Sécurité d'Etat Abakoumov, ne seront fusillés qu'en décembre 1954. Plus tard encore, à la fin de 1955, six policiers de haut rang seront exécutés en Géorgie « pour avoir activement participé aux activités antisoviétiques de l'ennemi du peuple Béria ». Cette épuration a la mémoire longue.

Mais après cela les mœurs changent. A croire qu'effectivement les pires survivances du passé étaient concentrées dans la personne de Béria. Désormais, entre dirigeants, on ne se tuera plus. L'on s'excommuniera encore, mais avec un rien de courtoisie, en laissant aux illustres réprouvés une bonne pension de retraite, quelques lignes dans les dictionnaires, voire une brève notice nécrologique dans la *Pravda* à la fin de leurs jours, au lieu de l'anonymat des fosses communes.

Béria et les siens sont les derniers dignitaires à être liquidés dans le style stalinien : l'outrage — la mort — l'oubli.

Un gouffre d'oubli. Vingt ans plus tard encore, la *Grande Encyclopédie soviétique* dans son tome III, ira gaillardement de BARI à BRACELET en ignorant qu'il ait existé un homme nommé Béria. Le même qui occupait à lui seul une page et demie dans les anciennes éditions de cet ouvrage.

L'un des premiers soins, dès juillet 1953, est de faire disparaître les nombreuses statues de Béria qui fleurissaient dans son Caucase natal. On les précipite nuitamment dans les cours d'eau.

Un dimanche d'été, un tchékiste géorgien en goguette fait un joyeux plongeon dans la rivière Rioni. On l'en retire suffoquant, à demi noyé, ayant bu une énorme tasse sous le choc de la surprise et de la peur : en s'enfonçant sous l'eau claire, il avait aperçu le visage de bronze de son ancien chef qui le fixait, immense, à travers son lorgnon.

ÉPILOGUE

5.3.53. Staline, qui avait le génie des formules frappantes, mnémotechniques, semble avoir choisi la date de sa mort pour faciliter le travail des écoliers de l'avenir.

Cette dernière réussite était vaine. Son peuple le précipite dans l'oubli. Le 10 juin, la *Pravda* exhume d'une page peu connue de Karl Marx l'expression « culte de la personnalité » qui fera fortune.

« Les grands guides de la classe ouvrière, Marx, Engels, Lénine *et Staline*, soulignant le rôle déterminant des masses populaires dans l'Histoire, se sont énergiquement élevés contre le culte de la personnalité. »

Et Staline. Le voilà sommé de participer à son propre découronnement.

Vassili, le fils prodigue, le brillant général d'aviation, sombre quelques semaines après la mort de son père. On s'avise brusquement de ses malversations, de ses violences, de ses dénonciations. On le jette en prison le 28 avril. Le fils du grand Staline est condamné à huit ans de détention. Relâché, exilé à Kazan, il mourra en mars 1962, âgé de quarante et un ans seulement mais complètement rongé par l'alcoolisme, après une dernière beuverie.

Svetlana, l'enfant préférée, abandonne en 1957 le nom, trop lourd, de Staline, pour porter celui de sa mère morte tragiquement, Alliluyeva. Etrangère à la politique, soucieuse de son propre destin de femme, elle prend du recul, rêve d'évasion.

Le 6 mars 1967, quatorze ans après la mort de son père, elle profitera d'un séjour en Inde pour demander l'asile politique en Occident. Elle s'installera aux Etats-Unis, s'y mariera. Sobre ironie de l'histoire. Le dernier des petits-enfants de Joseph Vissarionovitch Staline naîtra en Californie et aura la nationalité américaine.

Le Kremlin sera ouvert au public assez rapidement. Le peuple est admis à contempler les palais. Les notables jouissent de leur sécurité toute nouvelle. Un arrêté « sur la réglementation de la journée de travail dans les ministères et administrations » les invite, symboliquement, à quitter les bureaux à six heures du soir, au lieu d'y veiller jusqu'à l'aube en tremblant.

En 1956, Khrouchtchev balaie les réticences pudiques, les silences. Dans la nuit du 24 au 25 février, au cours d'une séance à huis clos du XX⁰ Congrès, il dénonce longuement, avec violence, les fautes et les crimes de Staline. La presse soviétique n'admettra jamais l'existence de ce rapport. Mais lecture en est donnée à tous les membres du parti et même, au cours de « réunions élargies », à l'ensemble des travailleurs. En trois semaines, la majeure partie de la population active de l'U. R. S. S. en a ainsi connaissance. Préparée de longue date, elle admet dans l'ensemble sans difficulté la mort du dieu. Chez certains, pourtant, l'émotion est terrible. On note des suicides. Et cette constatation amère que j'entends un soir dans la bouche d'un vieux militant :

« Staline? De son temps, tous les communistes du monde étaient heureux. »

En octobre 1961, le corps est retiré du mausolée, enterré sous les murs du Kremlin parmi d'autres tombes de dirigeants connus, dans une allée de sapins bleus. Rien qu'une simple dalle, avec son nom. Puis, en 1970, un petit buste qui met Staline à égalité avec Dzerjinski, Kalinine, Frounzé, Jdanov, ses voisins de sépulture.

Une immense interrogation se développe dans le monde. Staline était-il inévitable? Fut-il utile? Que représente-t-il : un phénomène russe? une conséquence de la révolution marxiste-léniniste? ou une déviation aberrante de ce même léninisme?

Certains, en Occident, le coiffent de la couronne d'Ivan le Terrible et enchaînent d'un cœur léger : « C'est le pays, que voulez-vous? » Géopolitique commode.

D'autres rappellent les tensions du début de son règne, l'arriération du peuple, les haines inexpiables aiguisées par la guerre civile. Plus tard, la menace nazie. Pouvait-on maîtriser tout cela sans une poigne de fer? Et de mesurer le chemin parcouru sous son autorité : un pays de champs et de forêts devenu la deuxième puissance industrielle du globe, les illettrés apprenant à lire, Hitler vaincu. Et de plaider : barbare, il a combattu la barbarie.

Mais peut-on gommer le coût absurde et terrifiant de tout cela? L'élite d'un pays décapitée, des intellectuels aux cadres politiques, des officiers aux ingénieurs. Des générations décimées — par les répressions, par cette guerre qu'il ne sut pas préparer. Coupes sombres qui ont ralenti, contrarié le développement de l'U. R. S. S. Qui ont cassé son expansion démographique l'ont laissée sous-peuplée dans ses plaines immenses, face à l'Asie fourmillante et tourmentée.

Peut-on ignorer que Staline a humilié l'esprit, piétiné les faibles, assis une bureaucratie jouisseuse et arrogante au-dessus du peuple?

Peut-on lui pardonner d'avoir donné au progrès le visage de la caserne, d'avoir tué en même temps les hommes et leur foi?

Peut-on l'absoudre d'être celui qui écrase, qui extermine, jusqu'à la fin de ses jours? Alors que les vrais ennemis de sa révolution sont depuis si longtemps défaits. Alors que plus rien ne le meut que la dévorante logique de la puissance, la soif amère du pouvoir.

APPENDICES

**COMMUNIQUÉS OFFICIELS
ET BULLETINS MÉDICAUX CONCERNANT
LA MALADIE ET LA MORT
DE STALINE**

I

COMMUNIQUÉ DE L'AGENCE TASS
ANNONÇANT LA MALADIE DE JOSEPH STALINE

Le Comité central du parti communiste de l'Union soviétique et le Conseil des ministres de l'U. R. S. S. annoncent le malheur qui s'est abattu sur notre parti et notre peuple, la grave maladie du camarade J. V. Staline.

Dans la nuit du 1er au 2 mars, le camarade Staline, se trouvant dans son appartement de Moscou, a été frappé d'une hémorragie cérébrale atteignant les régions vitales du cerveau. Le camarade Staline a perdu connaissance. Le bras droit et la jambe droite ont été paralysés. L'usage de la parole a été perdu. De graves troubles cardiaques et respiratoires sont survenus.

Les plus hautes autorités médicales ont été désignées pour le traitement du camarade Staline : le professeur-thérapeute P. E. Loukomski; les membres titulaires de l'Académie de médecine de l'U. R. S. S., professeur-neurologue N. V. Konovalov, professeur-thérapeute A. L. Miasnikov, professeur-thérapeute E. M. Tareev; le professeur-neurologue I. N. Filimonov; le professeur-neurologue R. A. Tkatchev; le professeur-neurologue I. S. Glazounov; le chargé de cours thérapeute Ivanov-Nezmanov. Le traitement du camarade Staline se fait sous la direction du ministre de la Santé de l'U. R. S. S. A. F. Tretiakov et du chef du service de santé du Kremlin I. I. Kouperine.

Le traitement du camarade Staline est placé sous la surveillance constante du Comité central du parti communiste de l'U. R. S. S. et du gouvernement soviétique.

En raison de la gravité de l'état du camarade Staline, le Comité central du parti communiste de l'Union soviétique et le gouvernement de l'U. R. S. S. ont jugé indispensable de publier à partir d'aujourd'hui des bulletins médicaux sur l'état de santé de Joseph Vissarionovitch Staline.

Le Comité central du parti communiste de l'Union soviétique et le Conseil des ministres de l'U. R. S. S. de même que notre parti et le peuple soviétique tout entier ont pleine conscience de la signification du fait que la grave maladie du camarade Staline entraînera sa non-participation plus ou moins longue à la direction des affaires.

Le Comité central et le Conseil des ministres prennent en condération avec toute la gravité nécessaire, dans la direction du parti et du pays, toutes les circonstances se rapportant au départ provisoire du camarade Staline de l'activité de direction du parti et de l'Etat.

Le Comité central et le conseil des ministres expriment la conviction que notre parti et tout le peuple soviétique, en ces jours si graves, feront preuve de la plus grande unité, de cohésion, de force de caractère et de vigilance, et redoubleront d'énergie en vue de l'établissement du communisme dans notre pays, et s'uniront encore plus étroitement autour du Comité central et du gouvernement de l'U. R. S. S.

II

COMMUNIQUÉ OFFICIEL
ANNONÇANT LA MORT DE STALINE

DE LA PART DU COMITÉ CENTRAL
DU PARTI COMMUNISTE DE L'UNION SOVIÉTIQUE
DE LA PART DU CONSEIL DES MINISTRES DE L'U. R. S. S.
ET DU PRAESIDIUM DU SOVIET SUPRÊME DE L'U. R. S. S.

A TOUS LES MEMBRES DU PARTI,
A TOUS LES TRAVAILLEURS DE L'UNION SOVIÉTIQUE,

Chers camarades et amis!

C'est avec un sentiment de profonde douleur que le Comité central du parti communiste de l'Union soviétique, le Conseil des ministres de l'U. R. S. S. et le Praesidium du Soviet suprême de l'U. R. S. S. annoncent au parti et à tous les travailleurs de l'Union soviétique que Joseph Vissarionovitch Staline, président du Conseil des ministres de l'U. R. S. S. et secrétaire du Comité central du parti communiste de l'Union soviétique, est décédé le 5 mars à vingt et une heures cinquante après une grave maladie.

Le cœur de Joseph Vissarionovitch Staline, compagnon d'armes de Lénine et génial continuateur de son œuvre, guide sagace et éducateur du parti communiste et du peuple soviétique a cessé de battre.

Le nom de Staline est infiniment cher à notre parti, au peuple soviétique, aux travailleurs du monde entier. Avec Lénine, le camarade Staline a créé le puissant parti communiste, l'a éduqué et

299

aguerri; avec Lénine, le camarade Staline a été l'inspirateur et le guide de la grande révolution socialiste d'Octobre, le fondateur du premier Etat socialiste du monde. Poursuivant l'œuvre immortelle de Lénine, le camarade Staline a conduit le peuple soviétique à la victoire historique et de portée mondiale du socialisme dans notre pays. Le camarade Staline a conduit notre pays à la victoire sur le fascisme dans la Deuxième Guerre mondiale, ce qui a radicalement modifié toute la situation internationale. Le camarade Staline a armé le parti et le peuple soviétique tout entier du grand et lumineux programme de l'édification du communisme en U. R. S. S.

La mort du camarade Staline, qui a mis toute sa vie avec abnégation au service de la grande cause du communisme, est une perte cruelle pour le parti, pour les travailleurs du pays des Soviets et du monde entier.

La nouvelle du décès du camarade Staline résonnera douloureusement dans le cœur des ouvriers, des kolkhoziens, des intellectuels et de tous les travailleurs de notre patrie, dans le cœur des combattants de notre vaillante armée et de notre vaillante marine de guerre, dans le cœur des millions de travailleurs de tous les pays du monde.

Dans ces jours de tristesse, tous les peuples de notre pays s'unissent encore plus étroitement en une grande famille fraternelle, sous la direction éprouvée du parti communiste créé et éduqué par Lénine et Staline.

Le peuple soviétique nourrit une confiance sans réserve et un ardent amour à l'égard de son cher parti communiste, parce qu'il sait que la loi suprême de toute l'activité du parti est de servir les intérêts du peuple.

Les ouvriers, les kolkhoziens, les intellectuels soviétiques, tous les travailleurs de notre pays poursuivent indéfectiblement la politique élaborée par notre parti, qui répond aux intérêts vitaux des travailleurs et vise au renforcement continu de la puissance de notre patrie socialiste.

La justesse de cette politique du parti communiste a été vérifiée par des dizaines d'années de lutte. Elle a conduit les travailleurs du pays des Soviets aux victoires historiques du socialisme. Inspirés par cette politique, les peuples de l'Union soviétique vont de l'avant avec assurance, sous la direction du parti, vers de nouveaux succès de l'édification communiste dans notre pays.

Les travailleurs de notre pays savent que l'amélioration continue du bien-être matériel de toutes les couches de la population, ouvriers, kolkhoziens et intellectuels, la satisfaction maxima des besoins matériels et culturels sans cesse croissants de la société tout entière ont toujours été et sont toujours l'objet d'une sollicitude particulière de la part du parti communiste et du gouvernement soviétique.

Le peuple soviétique sait que la capacité de défense et la puissance de l'Etat soviétique croissent et se renforcent, que le parti renforce le plus possible l'armée soviétique, la marine de guerre et les services de renseignements afin d'élever constamment notre aptitude à infliger une riposte foudroyante à tout agresseur.

La politique extérieure du parti communiste et du gouvernement de l'Union soviétique était et reste une politique inaltérable de maintien et de consolidation de la paix, de lutte contre la préparation et le déclenchement d'une nouvelle guerre, une politique de coopération internationale et de développement des relations d'affaires avec tous les pays.

Fidèles au drapeau de l'internationalisme prolétarien, les peuples de l'Union soviétique consolident et développent une amitié fraternelle avec le grand peuple chinois, avec les travailleurs de tous les pays de démocratie populaire; ils consolident et développent des relations amicales avec les travailleurs des pays capitalistes et coloniaux qui luttent pour la cause de la paix, de la démocratie et du socialisme.

Chers camarades et amis!

Notre parti communiste est la grande force qui oriente et dirige le peuple soviétique dans la lutte pour l'édification du communisme. L'unité d'acier et la cohésion monolithique des rangs du parti sont la principale condition de sa force et de sa puissance. Notre tâche est de veiller comme sur la prunelle de nos yeux à l'unité du parti, d'éduquer les communistes en en faisant des combattants politiques actifs pour l'application de la politique et des décisions du parti, de renforcer davantage encore les liens qui unissent le parti à tous les travailleurs, aux ouvriers, aux kolkhoziens, aux intellectuels, car dans cette liaison indissoluble avec le peuple résident la force et l'invincibilité de notre parti.

Le parti considère comme une de ses tâches essentielles l'éducation des communistes et de tous les travailleurs dans un esprit de haute vigilance politique, d'intransigeance et de fermeté dans la lutte contre les ennemis intérieurs et extérieurs.

S'adressant en ces jours de tristesse au parti et au peuple, le Comité central du parti communiste de l'Union soviétique, le Conseil des ministres de l'U. R. S. S. et le Praesidium du Soviet suprême de l'U. R. S. S expriment la ferme conviction que le parti et tous les travailleurs de notre patrie se rassembleront encore plus étroitement autour du Comité central et du Gouvernement soviétique et qu'ils mobiliseront toutes leurs forces et toute leur énergie créatrice pour la grande cause de l'édification du communisme dans notre pays.

Le nom immortel de Staline vivra toujours dans le cœur du peuple soviétique et de toute l'humanité progressiste.

Vive la grande, la toute-puissante doctrine de Marx-Engels-Lénine-Staline!

Vive notre puissante patrie socialiste!

Vive notre héroïque peuple soviétique!

Vive le grand parti communiste de l'Union soviétique!

| Le Comité central du Parti communiste de l'Union soviétique. | Le Conseil des ministres de l'U. R. S. S. | Le Praesidium du Soviet suprême de l'U. R. S. S. |

Ce communiqué porte la date du 5 mars 1953. L'Agence Tass a commencé à le diffuser le 6 au matin, peu après quatre heures (heure de Moscou)

III

DERNIER COMMUNIQUÉ MÉDICAL
SUR LA MALADIE ET LA MORT DE
JOSEPH STALINE

Dans la nuit du 1er au 2 mars, Joseph Vissarionovitch Staline a été atteint d'une hémorragie dans l'hémisphère cérébral gauche, due à l'hypertension et à l'artériosclérose, ce qui a entraîné une paralysie du côté droit du corps et une perte de connaissance qui est demeurée constante.

Dès le premier jour de la maladie, on a constaté des signes de troubles respiratoires résultant de la perturbation des fonctions des centres nerveux.

Ces troubles se sont accentués de jour en jour. Ils portaient le caractère de la respiration dite périodique, avec de longues pauses (respiration de Cheyne-Stokes).

Dans la nuit du 2 au 3 mars, les troubles respiratoires ont commencé à prendre par instants un caractère menaçant. Dès le début de la maladie, on avait également constaté des changements notables affectant le système cardio-vasculaire, à savoir : une tension artérielle élevée, une accélération et un rythme irrégulier du pouls, une arythmie vacillante et une dilatation du cœur.

En liaison avec l'accentuation des troubles respiratoires et circulatoires, des signes d'insuffisance en oxygène sont apparus dès le 3 mars. Dès les premiers jours de la maladie, la température s'est élevée et on a commencé à constater une leucocytose très marquée, témoignant du développement de foyers d'inflammation dans les poumons.

Le dernier jour de la maladie a été marqué par une brusque aggravation d'ensemble de l'état général et par des accès répétés d'insuffisance cardio-vasculaire aiguë (collapsus).

Un électrocardiogramme a permis de constater une grave perturbation de la circulation du sang dans les vaisseaux veineux du cœur avec l'apparition de lésions inflammatoires dans le muscle cardiaque.

Dans la seconde moitié du 5 mars, l'état du malade a empiré particulièrement vite. La respiration est devenue superficielle et très précipitée. Les battements du pouls se sont élevés à 140-150 à la minute; le pouls est devenu très faible.

A vingt et une heures cinquante, l'insuffisance cardio-vasculaire et respiratoire s'est accentuée et Joseph Vissarionovitch Staline est décédé.

Signé : Tretiakov, ministre de la Santé de l'U. R. S. S.; Kouperine, chef du service de santé du Kremlin; professeur Loukomski, chef des services thérapeutiques du ministère de la Santé, professeurs Konovalov, Miasnikov et Tareev, membres de l'Académie de médecine de l'U. R. S. S.; professeur Filimonov, membre correspondant de l'académie de médecine; professeurs Glazounov, Tkatchev; chargé de cours Ivanov-Nezmanov.

IV

EXAMEN PATHOLOGIQUE ET ANATOMIQUE DU CORPS DE JOSEPH STALINE

Lors de l'examen pathologo-anatomique, il a été découvert un important foyer d'hémorragie, situé dans la région des centres sous-corticaux de l'hémisphère gauche du cerveau. Cette hémorragie a détruit d'importantes régions du cerveau et a provoqué des perturbations irréversibles de la respiration et de la circulation. Outre l'hémorragie cérébrale, on a constaté une hypertonie considérable du ventricule gauche du cœur, des hémorragies importantes dans le muscle cardiaque et dans la muqueuse de l'estomac et de l'intestin, et des modifications artériosclérotiques des vaisseaux particulièrement importantes dans les artères du cerveau. Ces processus ont été la conséquence d'une hypertension. Les résultats de l'examen pathologo-anatomique ont entièrement confirmé le diagnostic établi par les professeurs de médecine qui ont soigné J. V. Staline.

Les données de l'examen pathologo-anatomique ont établi le caractère irréversible de la maladie de J. V. Staline dès l'apparition de l'hémorragie cérébrale. C'est pourquoi les mesures énergiques du traitement ne pouvaient pas donner de résultats positifs ni empêcher l'issue fatale.

Signé : A. F. Tretiakov, ministre de la Santé de l'U. R. S. S. I. I. Kouperine, chef du service de santé du Kremlin, N. N. Anissimov, président de l'Académie de médecine de l'U. R S. S., professeur M. A. Skvortsov, membre de l'Académie de médecine de l'U. R. S. S., professeur I. I. Stroukov, membre correspondant de l'Académie de médecine de l'U. R. S. S., professeur S. R. Mardachev, membre correspondant de l'Académie de médecine de l'U. R. S. S., professeur B. I. Migounov, pathologiste-anatomiste en chef du ministère de la Santé de l'U. R. S. S, professeur A. V. Roussakov, chargé de cours B. N. Ouskov.

(*Pravda, 7 mars 1953*)

BIBLIOGRAPHIE

OUVRAGES CONSULTES

SVETLANA ALLILUYEVA, *Vingt Lettres à un ami* (Seuil).

SVETLANA ALLILUYEVA, *En une seule année* (Laffont/Albin Michel).

L'Année Politique, volumes 1952 et 1953 (P. U. F.)

EMMANUEL D'ASTIER, *Sur Staline* (Plon).

EMMANUEL D'ASTIER, *Les Grands* (N. R. F.).

HENRI BARBUSSE, *Staline* (Flammarion).

PAUL BARTON, *L'institution concentrationnaire en Russie* (Plon).

ALEXANDRE BEK, *Novoïe Naznatchenie* (Possev).

JOSEPH BERGER, *Shipwreck of a generation* (Harvill Press).

VARLAM CHALAMOV, *Récits de Kolyma* (Denoël).

WINSTON CHURCHILL, *La deuxième guerre mondiale* (Plon).

ARTHUR CONTE, *Lénine, Staline* (Librairie Académique Perrin).

ARTHUR CONTE, *Yalta ou le partage du monde* (Laffont).

ROBERT CONQUEST, *La grande terreur* (Stock).

EDWARD CRANKSHAW, *Khrouchtchev* (Grasset).

VLADIMIR DEDIDJER, *Tito parle* (N.R.F.).

ISAAC DEUTSCHER, *Staline* (N.R.F.)

MILOVAN DJILAS, *Conversations avec Staline* (N.R.F.).

JACQUES DUCLOS, *Mémoires, T. IV* (Fayard).

ILYA EHRENBOURG, *Lioudi, Godi, Jizn* (*Novy Mir*, mai 1965).

GRANDE ENCYCLOPEDIE SOVIETIQUE, édition 1947 et édition 1970.

CLAUDE ESTIER, *Khrouchtchev* (Seghers).

E. EVTOUCHENKO, *Autobiographie précoce* (Julliard).

MERLE FAINSOD, *Smolensk à l'heure de Staline* (Fayard).

MERLE FAINSOD, *How Russia is Ruled* (Harvard University Press).

JACQUES FAUVET, *Histoire du parti communiste français* (Fayard).

FRANÇOIS FEJTO, *Histoire des démocraties populaires* (Seuil).

BERNARD FERON, *L'U. R. S. S. sans idoles* (Casterman).

LOUIS FISHER, *Vie et mort de Staline* (Calmann-Lévy).

ANDRÉ FONTAINE, *Histoire de la guerre froide* (Fayard).

CHARLES DE GAULLE, *Mémoires de guerre*, T. III (Plon).

EVGUENIA GUINZBOURG, *Le Vertige* (Seuil).

AVERELL HARRIMAN, *Paix avec la Russie* (Arthaud).

RONALD HINGLEY, *La police secrète en U. R. S. S.* (Albin Michel).

Histoire du Parti communiste (bolchevik) de l'U. R. S. S. (Moscou, éditions en langues étrangères).

Histoire du parti communiste français (Editions sociales).

Histoire de l'U. R. S. S. (Editions du Progrès, Moscou).

BASILE H. KERBLAY, *Les marchés paysans en U. R. S. S.* (Mouton).

NIKITA KHROUCHTCHEV, *Rapport secret au XXᵉ Congrès*.

NIKITA KHROUCHTCHEV, *Souvenirs* (Laffont).

K. P. S. S. v rezolioutsiakh (Institut Marx-Engels-Lénine, 1953).

AUGUSTE LECOEUR, *Le partisan* (Flammarion).

ARTHUR LONDON, *L'aveu* (N.R.F.).

EMIL LUDWIG, *Staline* (Deux Rives).

NADEJDA MANDELSTAM, *Vospominania* (Izd. Imeni Tchekhova).

NADEJDA MANDELSTAM, *Vtoraïa Kniga* (YMCA Press).

JEAN-JACQUES MARIE, *Staline* (Seuil).

ROY MEDVEDEV, *Let history judge* (Macmilan).

ROY MEDVEDEV, *De la démocratie socialiste* (Grasset).

ROY MEDVEDEV, *Faut-il réhabiliter Staline?* (Seuil).

A. NEKRITCH, *L'armée rouge assassinée* (Grasset).

BORIS NICOLAEVSKI, *Les dirigeants soviétiques et la lutte pour le pouvoir* (Denoël).

JOHN NOBLE, *I was a slave in Russia* (The Devin-Adair Company).

CHRISTIAN PINEAU, *Nikita Sergueevitch Khrouchtchev* (Librairie Académique Perrin).

BERNHARD RODER, *Der Katorgan* (Kiepenheuer und Witsch).

HARRISON SALISBURY, *Les 900 jours* (Albin Michel).

LÉONARD SCHAPIRO, *De Lénine à Staline* (N.R.F.).

JOSEPH SCHOLMER, *La grève de Vorkouta* (Amiot-Dumont).

GEORGES SORIA, *Comment vivent les Russes?* (Editeurs Français Réunis).

ALEXANDRE SOLJENITSYNE, *Les droits de l'écrivain* (Seuil).

BORIS SOUVARINE, *Staline* (Plon).

KARLO STAJNER, *7 000 Dana u Sibiru* (Globus, Zagreb).

APPENDICES

Joseph Staline, Brève Biographie (Moscou, Editions en langues étrangères).

JOSEPH STALINE, *Les problèmes économiques du socialisme en U. R. S. S.*

JOSEPH STALINE, *A propos du marxisme en linguistique.*

JOSEPH STALINE, *Les questions du Léninisme.*

JOSEPH STALINE, *Sur la grande guerre de l'Union soviétique pour le salut de la patrie.*

JOSEPH STALINE, *Matérialisme dialectique et matérialisme historique.*

JOSEPH STALINE, *Le marxisme et la question nationale.*

C.L. SULZBERGER, *Dans le tourbillon de l'histoire* (Albin Michel).

MICHEL TATU, *Le pouvoir en U.R.S.S.* (Grasset).

MAURICE THOREZ, *Œuvres choisies* (Editions sociales).

CHARLES TILLON, *Un procès de Moscou à Paris* (Seuil).

LÉON TROTSKI, Staline (Grasset).

ROGER VAILLAND, *Ecrits intimes* (N.R.F.).

LOUIS DE VILLEFOSSE, *L'œuf de Wyasma* (Julliard).

P.F. DE VILLEMAREST, *La marche au pouvoir en U.R.S.S.* (Fayard).

LEONID VLADIMIROV, *Rossia bez prikras i oumoltchanii* (Possev).

GÉRARD WALTER, *Lénine* (Albin Michel).

PIOTR YAKIR, *Une enfance russe* (Grasset).

PÉRIODIQUES CONSULTES

PUBLICATIONS SOVIETIQUES

a) JOURNAUX :

Pravda, collection complète 1952-1953, et numéros divers à compter de 1935.
Izvestia, Komsomolskaïa Pravda, Literatournaïa Gazeta, Krokodil.

b) REVUES :

Kommounist, Voprossy Istorii K.P.S.S., Novy Mir.
Etudes soviétiques.
Journal du Patriarcat de Moscou, 1952-1953.

AUTRES PUBLICATIONS

Journaux français de l'époque, notamment *L'Humanité, Le Monde, Le Figaro, Les lettres françaises, Libération, Ce soir, Franc-tireur, Combat, France-Soir, Paris-Presse*, etc.
New York Times, New York Herald Tribune.
Die Welt, Berliner Zeitung, Berliner Nachtausgabe.

REVUES :

B.E.I.P.I. (Est et Ouest) (Paris), *Possev* (Francfort), *Novy Journal* (New York), *Corrispondenza Socialista* (Rome).

BULLETINS DE LA DOCUMENTATION FRANÇAISE.

ACHEVÉ D'IMPRIMER LE
20 FÉVRIER 1973 SUR LES
PRESSES DE L'IMPRIMERIE
BUSSIÈRE, SAINT-AMAND (CHER)
POUR
LES ÉDITIONS ROBERT LAFFONT

— No d'édit. 4945. — No d'imp. 104. —
Dépôt légal : 1er trimestre 1973.